Елена Арсеньева

ЗЛАТОВЛАСАЯ АМАЗОНКА

Москва ЭКСМО 2010

УДК 82-3
ББК 84(2Рос-Рус)6-4
А 85

Оформление серии *С. Киселевой*

Ранее роман выходил под названием
«Князь сердца моего»

Арсеньева Е.
А 85 Златовласая амазонка : роман / Елена Арсеньева. — М. : Эксмо, 2010. — 352 с. — (Историю пишет любовь).

ISBN 978-5-699-43258-5

Сердце красавицы Ангелины Корф навсегда покорил гусар Никита Аргамаков, которому она со всей силой нерастраченной страсти отдалась на берегу Волги. Но молодым людям не суждено соединить свои судьбы — война 1812 года врывается в их жизнь, подобно вихрю.

То, что случилось дальше, Ангелина не могла бы представить себе даже в страшном сне: ей суждено было стать женой французского шпиона, наложницей солдата, богатой вдовой парижского нотариуса. Однако ни на миг не забывала она пылкого гусара, который — в этом у нее не было сомнений — стал отцом ее дочери...

Смогут ли Никита и Ангелина победить злой рок, который заставляет их проходить через все новые и новые испытания?

УДК 82-3
ББК 84(2Рос-Рус)6-4

ISBN 978-5-699-43258-5

Историю пишет любовь

Кто, кроме сердца, даст любви закон?..

С. Глинка

Часть I

ЗВЕЗДА ЗЛОКРЫЛАЯ

1

СЕРОГЛАЗЫЙ ВОДЯНОЙ

Май едва перевалил за середину, но жара установилась нестерпимая, так что Волга у песчаных отмелей насквозь прогрелась. Воздух был напоен острым духом цветущей по берегам дикой смородины и будоражил душу. Серебряные листья тальника трепетали под легким ветерком; заливался в вышине жаворонок, и Ангелина, раскинув руки, выгнулась, едва не касаясь воды распущенными золотистыми локонами, ощущая, как счастье пронизывает ее каждым лучом солнца, каждой трелью, льющейся с небес. Твердые ребрышки песка щекотали подошвы. Ангелина осторожно плеснула на себя воду и провела влажными ладонями по белому взопревшему телу, наслаждаясь своей нежной кожей, налитой грудью, длинными ногами, очертания которых в прозрачной воде двоились, словно рыбий хвост. Нет, русалочий хвост!

Ангелина расхохоталась и решила, что, ежели невзначай кто чужой покажется, она прикинется русалкою и уплывет к другому берегу, скроется там среди тальников. Именно в таких зарослях и живут речные владычицы, которые всегда охочи приласкать неосторожного купальщика, да так, чтобы забыл он белый свет, опустился в их объятиях на дно. А кому нужны неосторожные купальщицы вроде Ангелины? Осклизлому, зеленобородому старику-водяному? Нет, бывалошные люди сказывают, будто водяной стар лишь на ущербе луны, а при рождении ее он молод.

Хоть и уверяла себя Ангелина, что бояться нечего, а все же ойкнула, когда длинное стройное тело почти без брызг врезалось в воду, прочертило за собой сверкающий след; вот из волн поднялась мокрая голова, встряхнулась, отбрасывая с лица светло-русые пряди, и серые насмешливые глаза глянули на Ангелину вприщур.

Казалось, этот взгляд длился долго-долго, и что-то произошло с миром в эти мгновения, и Ангелина даже вскрикнула, осознав, что прежнее ощущение счастья было подобно легкому дуновению ветерка перед тем бурным смятением чувств, которое обрушилось на нее и потрясло все существо.

От изумления («Надо же, накликала!») она забыла даже завизжать и стояла недвижимо до тех пор, пока «водяной» не воспрял из волн во весь свой немалый рост и не встал рядом.

Он был обнажен по пояс, и от никогда прежде

не виданной красоты и гармонии стройного юношеского тела у Ангелины приостановилось сердце, а потом забилось так торопливо, что она стала задыхаться. Капельки воды переливались на гладких прямых его плечах, кожа была золотистая, чуть тронутая первым весенним загаром, а вовсе не зеленовато-бледная, какая подобала бы повелителю речных глубин. И от бедер его не змеился чешуйчатый рыбий хвост, а в воду погружены были обыкновенные ноги, совсем по-человечьи обтянутые белыми полотняными мокрыми исподниками.

Как ни была простодушна Ангелина, она все же сообразила, что никакой перед ней не водяной, а такой же купальщик, как и она, с тою лишь разницей, что незнакомец, пусть и прекрасный, все-таки мало-мальски одет, а вот она-то стоит перед ним голым-голешенька!

Самое время было завопить и спугнуть охальника, но горло у Ангелины почему-то пересохло, а ноги отнялись. Она только и смогла, что глубоко вздохнуть, когда незнакомец приблизился, неотрывно глядя ей в глаза, причем взор его сделался вдруг недоверчивым, изумленным, а дыхание участилось так, что Ангелина увидела, как мелькает, пульсируя, жилка на его сильной шее, кожа незнакомца покрылась ознобными пупырышками, а крошечные соски на великолепно вылепленной груди затвердели... точь-в-точь как у нее самой, смятенно поняла Ангелина и попыталась хоть грудь прикрыть, но не смогла шелохнуться: только обреченно закрыла глаза, когда губы незнакомца дотронулись до ее губ.

Сначала это было лишь осторожным касанием, но уже через мгновение вся их кровь, гонимая бешеным стуком смятенных сердец, прилила к губам, и они затрепетали, пробуя друг друга на вкус, дрожащие языки делались все смелее, рты алчно засасывали друг друга.

Ангелина пошатнулась, когда пальцы незнакомца повторили очертания ее грудей, а потом так же неторопливо, дразняще, сводя с ума, поползли по животу к ногам.

Чтобы не упасть, ей пришлось за что-то схватиться. Под ладонями оказалось мокрое полотно, и Ангелина краешком затуманенного сознания поняла, что это чресла незнакомца. Отдаваясь поцелую, она ухватилась за мокрую ткань, но пальцы ее соскользнули, поползли по животу юноши, а внизу этого плоского мускулистого живота наткнулись на твердую выпуклость, которую Ангелина с любопытством ощупала. Незнакомец обморочно застонал, не отрываясь в поцелуе от ее губ, и, подхватив девушку на руки, понес на отмель, прогретую насквозь, так что пылающее тело Ангелины не ощутило ни малейшего холода, только по бедрам провели чьи-то прохладные ладони, но не остудили внутренний жар, а распалили ее до полного самозабвения, до того, что она, повинуясь древнему темному зову, бессознательно развела ноги и выгнулась, желая сейчас одного: встречного движения мужского тела. И незнакомец ответил на ее зов.

— ...У нас в Нижнем купцы считают, что ученье — баловство, а для дочерей — даже вредное занятие, но Ангелина получила изрядное образование. Что же до прочего... Жизнь в глухой деревне мало простору дает для светского воспитания, — рассказывала гостье княгиня Елизавета Измайлова, — а к Смольному душа у девочки никогда не лежала из-за суровости тамошних порядков. Впрочем, к чему обременять вас нашими заботами?..

Гостья-француженка понимающе посмотрела на княгиню своими миндалевидными темно-карими глазами. Дивный разрез этих ярких глаз позволял предположить, что и все лицо маркизы д'Антраге было очаровательно до того, как его изуродовала сабля какого-то санкюлота[1], опьяневшего от безнаказанности и крови, — одного из тех, кто косил головы своих жертв по Парижу. Маркиза чудом осталась жива, но вот уже более двадцати лет принуждена скрывать свое изуродованное шрамом лицо подобием чадры — столь изящной и сшитой из такой прозрачной кисеи, что она казалась необходимым дополнением элегантного туалета.

Маркиза д'Антраге умоляюще сложила руки:

— Не могу не принять близко к сердцу того, что касается дочери моей дорогой подруги! Были ли у нее домашние воспитатели?

— Как не быть? — почти обиделась старая княгиня. — Медамов и мосье перебывало — бессчетно! Вы же знаете: в наше время стоит лишь зваться французом, чтобы заслужить доверие знатных фамилий, однако учителями они были столь ничтожными, что физиономии и имена их совсем вышли из памяти!

---

[1] «Бесштанные» — так гордо именовали себя восставшие парижане во время революции 1789 года.

Тотчас же княгиню бросило в жар от собственной бестактности, однако сказать что-то во исправление сего она не успела.

— А как же не выйти? Бежать от революции сделалось доблестью высших слоев, и вся Россия теперь покрылась пеною, выброшенной французской бурею, — послышался с порога звучный голос, и князь Алексей, высокий, худой, с орлиным носом, седыми бакенбардами и благородным лицом, по-молодому проворный и не по годам статный, вступил в залу, отвесил небрежный поклон дамам и продолжал свою речь, не заботясь представиться незнакомке.

«Le provincial vrai!»[1] — подумала гостья, однако жизнь научила ее сдержанности, потому она даже бровью не повела, а устремила на хозяина столь внимательный и приветливый взор черных очей, что, казалось, ничего более приятного, чем эти издевки над ее соплеменниками, она в жизни своей не слыхивала!

Княгиня Елизавета, воспитанная по-старинному, и помыслить не могла перебить разошедшегося супруга.

— При матушке Екатерине повелись, а при Павле и вовсе размножились у нас эмигранты эти! Не было полка в армии, в коем бы не водилось их по два-три человека, — продолжал нахлестывать любимого конька князь, не отдавая себе отчета, сколь это смешно — честить французов не сочной русской бранью, а утонченным французским же язы-

---

[1] Воистину провинциал! (*фр.*)

ком! — Кому удалось попасть в службу, более других повезло. Прочие подавались в учителя, и хоть в российских понятиях сие звание немногим выше холопа-дядьки, да все ж плоха честь, когда нечего есть. Вот и рассеялись бывшие французские дворянчики по всей земле Русской.

И тут князь Алексей обратил наконец внимание на непритворный ужас, исказивший черты его жены, и смолк озадаченный.

— Позвольте представить вам, маркиза, мужа моего, князя Измайлова, вотчима[1] Машеньки, — скованным от неловкости голосом промолвила Елизавета и сказала мужу: — Маркиза д'Антраге сейчас из Лондона, почти прямиком от нашей Маши и Димитрия...

Поцеловав ручку гостьи, князь так заразительно расхохотался, что и дамы не сдержались, подхватили.

— Думаете небось: экий медведь русский? А, ваша светлость? — Он оживленно заглянул в темные глаза маркизы. — Что ж, простите старика великодушно, ежели обидел, а все ж правда моя, хоть и горькая: не сумели вы, аристократы, слабыми белыми своими ручками власть удержать — вот и утирайте ими теперь слезы от злых насмешек. Храни Бог, ежели выпустят и русские Россию из рук: тоже нахлебаются горького на чужой стороне!

— Господи, спаси и сохрани! — обмахнулась крестом княгиня. — Революция — гнусное событие, а ее деятели — вампиры, каннибалы! — со страстью

[1] Так в старину произносилось слово «отчим».

сказала она. — Моя дочь, баронесса Корф, рассказывала, что в ту пору в Париже... Впрочем, что это я? — засмеялась она. — Вы ведь и сами все знаете, все помните!

— Такое не забывается, — глухо промолвила гостья.

Первым делом она поведала княгине Елизавете, как в годы террора пряталась вместе с Марией Корф в каменоломнях под старым монастырем кармелиток. Гостья вообще была прекрасно осведомлена о жизни супругов Корф в Лондоне, где барон продолжал свою дипломатическую деятельность. Старый же князь Алексей Михайлович долгие годы негласно представлял интересы России на Балканах, однако после смерти великой Екатерины император Павел, по какому-то недоразумению или наговору, отставил его от службы. Князь уехал в родовое нижегородское Измайлово, и хотя новый государь, Александр Павлович, всяческими посулами заманивал его в Иностранную коллегию, тот на уговоры не поддался и за двадцать почти лет покидал Измайлово не более десяти раз: отвозил внучку в Смольный институт; забирал из института прошлым летом — да вот нынче забота о будущности юной баронессы Ангелины Дмитриевны вынудила Измайловых подумать о постоянном городском жительстве.

— А что? — сердито вскинул было бровь князь. — Главный-то во всей Европе злодей у самых врат наших стал! Вот до чего довело пристрастие к французишкам: всех он под каблук свой корсиканский подтоптал.

— Полагаю, вы говорите о Бонапарте? — уточнила маркиза с такой ненавистью в голосе, что князь воззрился на нее с горячей симпатией.

— О ком же ином? Я за себя не трушу, Бог нас не оставит — лишь бы Россия безопасна была. Но не вижу конца и меры бедствиям, которые покроют Отечество наше, ежели французское чудовище переступит российские границы. А ведь все к тому идет!

— Наполеон, если начнет кампанию, намерен уничтожить крепостную зависимость в России. Верно, в таком случае следует опасаться «общего резанья», когда мужики, прельщенные посулами свободы, поднимутся с топорами против помещиков? — спросила маркиза.

— Ничуть не бывало! — вскинулся князь Алексей. — Русский человек способен предать Россию для русского же: Стеньки Разина, Гришки Отрепьева, Ивашки Болотникова, Емельки Пугачева и иже с ними. Но не для иноземца, ибо ненависть к чужеродному — в основе русского характера, и великий Петр напрасно старался ее искоренить.

Княгиня Елизавета издала жалобный стон, и тут гостья великодушно решила положить конец страданиям деликатной хозяйки.

— Не все чужеземцы чудовища, и не все, что исходит из иных земель, особенно из Франции, несет вред, смею вас заверить!

— Теперь ваша правда, — благодушно согласился князь Алексей. — Жаль, что вы, сударыня, у нас проездом, а то просил бы я легонько приложить вашу великосветскую ручку к нашей деревенской красавице!

Мгновение маркиза смотрела на Алексея Михайловича неподвижным взором, и княгиня Елизавета внутренне ахнула, решив, что вот теперь-то она обиделась: мыслимое ли дело — предлагать роялистке из древней фамилии роль презираемой madame! — однако приветливая улыбка осветила глаза маркизы, и княгиня Елизавета успокоилась, подумав, что гостья могла за искренний привет и ласку принять приглашение воспитывать их внучку.

— Прошу извинить, сударыня, — произнесла княгиня. — Наверное, вы упрекнете мое гостеприимство, однако известное дело: бабушки обретают другую молодость во внучках! Боюсь, я чрезмерно хлопочу над Ангелиною, но, похоже, пребывание в Смольном прошло для нее даром!

— Ангелина? — приподняла красивые брови маркиза. — О, понимаю. Дочь Марии! На обратном пути я была бы счастлива встретиться с нею в Санкт-Петербурге, так что ежели у вас будут какие-то наказы, я их исполню с охотою.

Княгиня поклонилась:

— Чувствительно признательна вам, сударыня, однако вы не поняли меня. Ангелина уже более года как завершила курс обучения и живет дома, с нами. Это и составляет главную нашу заботу, ибо девица на возрасте, все ее сверстницы давно уже замужем — она же только и знает, что читать какую-нибудь «Амалию Мансфилд»[1]! Платье новое

[1] Очень популярный в начале XIX в. роман г-жи Суза.

на ней — новое только час, на других же барышнях оно будто и вовсе не изнашивается!..

Елизавета осеклась, недоумевая, что это вдруг разошлась хаять любимую внученьку перед первой встречной. Вдобавок гостья смотрела так странно...

— Значит, дочь Марии здесь? — Голос маркизы д'Антраге дрогнул. — А я-то пыталась разыскать ее в Смольном, да эти старые наседки — классные дамы... — Она расхохоталась, закинув голову, и тонкая чадра запала в ее открытый рот, так что княгине на какой-то жуткий миг почудилось, будто перед нею оскал черепа. Но гостья обернулась к ней, и взор ее прекрасных глаз тотчас успокоил мимолетную тревогу.

— Мария желала, чтобы дочь ее выросла вполне русской, — пояснила княгиня Елизавета. — Кроме того, родив дитя в зрелые годы, ни Мария, ни Димитрий Васильевич, похоже, так и не поверили вполне, что стали отцом и матерью!

Со стороны, наверное, могло почудиться, что княгиня осуждает дочь и зятя, однако в голосе ее отчетливо звучала благодарность судьбе за то, что Мария и муж ее были всецело поглощены друг другом и карьерой барона Корфа, а потому даровали Измайловым на старости лет это счастье: растить и воспитывать любимое дитя. Ангелина была светом их очей, и княгиня Елизавета могла упрекать себя лишь за переизбыток любви и ласки, из-за чего Ангелина и к двадцати годам казалась сущим ребенком, а никак не девицею на выданье.

* * *

...Блаженная тяжесть навалилась на Ангелину, терлась о ее жаждущее естество, однако того, чего бессознательно желала она, не случилось. Руки юноши то хватали ее, то отпускали; он что-то досадливо шептал, терзая ее губы... Ангелина приоткрыла глаза и увидела, что он лихорадочно пытался развязать мокрые тесемки своего исподнего, но они никак не поддавались нетерпеливым пальцам. Ангелина потянулась помочь, но ее руки вновь встретили напрягшуюся, обтянутую полотном плоть, и она только разок приласкала ее, как вдруг незнакомец уже не застонал, а зарычал и так прижал Ангелину своим телом, что та едва не задохнулась. Он весь содрогался, его тяжелые вздохи оглушали ее. А потом, к величайшему ее разочарованию, он скатился с нее и обессиленно распластался на песке, бурно дыша.

Ангелина забыла осторожность и стыд, она знала лишь одно: распалив до изнеможения, он так и не погасил сжигавший ее жар, в то время как сам... Она не знала, что все это значит, она просто рассердилась, а потому вцепилась в завязки зубами и так их рванула, что юноша вскрикнул от неожиданности, а тесьма не выдержала — и лопнула.

Незнакомец лежал, распластавшись, бесстыдно воздев к небесам знак своей божественной земной сути, но более не делая попыток прикоснуться к Ангелине, а как бы в ожидании, предоставив себя ее заботам.

Она дрожащими руками стала нежить его и гладить, однако слишком распалена была, чтобы думать сейчас о другом наслаждении, кроме своего, а потому в нетерпении вскочила на незнакомца верхом, коленями сдавив его бока... И ей почудилось, будто она насадила себя на раскаленный жезл, который вошел в нее чуть ли не до самого сердца.

Новый душераздирающий вопль огласил окрестности, и Ангелина, сорвавшись с этого обоюдоострого, окровавленного меча, почти бездыханная рухнула на песок, сжалась в комочек, зашлась в рыданиях, вдруг поняв, что боль и кровь означают утрату девичества — самого драгоценного сокровища для всякой незамужней женщины.

Сейчас она не могла понять, где были ее стыд и разум, почему она впала во грех с первым встречным... И добро бы он ее, а то ведь сама себя лишила невинности! И, осознав это, Ангелина залилась горькими слезами, которые, увы, нельзя было выплакать дедушке в плечо или бабушке в колени: все, кончилась ее девичья пора, навеки и с корнем вырвала она себя из привычного мира домашней, снисходительной любви... теперь она одна, навеки одна!

— Нет, — раздался у самого уха шепот, и теплые губы прильнули к ней ласковым поцелуем: — Не плачь! Ты не одна! Я с тобою!

И вдруг у Ангелины захватило дух, ибо она ощутила его руки и губы на своих бедрах. От радости она вся обессилела и безропотно позволила перевернуть себя на спину, всецело отдаваясь во власть незнакомца.

— Милая... — долетал чуть слышный шепот. — Милая, ненаглядная моя!

Ангелина попыталась приподняться, но тяжесть его тела не позволяла шевельнуться. Теперь Ангелина вовсе не пылала к нему жаждой мести: ведь руки незнакомца порхали по самым сокровенным уголкам ее естества и извлекали из него сладостную, томительную мелодию, в лад которой начали медленно вздрагивать и ее сердце, и ее тело. Будто желая отблагодарить Ангелину, незнакомец осыпал поцелуями ее лоно. Он нашарил языком какое-то волшебное местечко в самой его сердцевине, и Ангелина не сдержала стона изумления и восторга. Его губы сделались смелей, жарче, да и она отвечала со всей страстью: ласкала, целовала, гладила его везде, где только могла дотянуться ртом, пока трепет близкого наслаждения не сотряс ее тела. Тотчас незнакомец вновь оказался с нею лицом к лицу, чресла с чреслами, и они неистово сплелись в блаженных содроганиях, вцепились друг в друга, враз исторгнув из самой глубины сердец и тел:

— Люблю тебя!

— Люблю тебя!

—...Сколь я слышала о молодой баронессе, ей надобно сделаться общительной и обходительной, чтобы на балу не приходилось весь вечер сидеть и удалось бы составить выигрышную партию, — проговорила маркиза д'Антраге, и князь с княгинею переглянулись, удивившись, как скоро поняла и точно выразила странная гостья суть их намерений. — Поверьте, не было бы в мире человека счастливее меня, когда б я сама смогла уделить время и внимание дочери Марии! Но я здесь лишь для того, чтобы засвидетельствовать вам свое почтение... — Маркиза вновь не совладала с голосом, и Елизавета подумала, что, верно, и впрямь роковые события связывали в прошлом ее дочь с этой загадочной гостьей! А та, уняв волнение, продолжала: — Однако есть у меня на примете человек, который вам необходим. Конечно, это француженка, — она улыбнулась князю Алексею не без тонкого укора, — но в Нижнем прижилась и открыла процветающее дело. Я говорю о мадам Жизель, модистке... о нет, королеве модисток! — поправилась маркиза, заметив пренебрежительную переглядку Измайловых. — Мадам Жизель в действительности — графиня де Лоран, моя кузина, и все благородное вековое прошлое нашей семьи помогло ей создать вокруг себя такую атмосферу изящества и утонченности, которая окажет на юное существо самое благотворное воздействие... не в пример этой светской тюрьме, Смольному институту! — добавила маркиза, и эти ее последние слова оказались решающими: князь Алексей был ярым противником недомашнего женского образования, и всякий уничижительный отзыв о столичном заведении находил прямой доступ к его сердцу. Он сразу согласился доверить воспитание Ангелины неведомой мадам Жизель, ну а княгиня Елизавета стояла перед любимым мужем как лист перед травой, не выходя из его воли, — не вышла и сейчас.

Полагая, что настала пора представить маркизе ее новую протеже, княгиня Елизавета выглянула в окошко, однако ни гнедого, ни Ангелины на лужайке не оказалось. Послали горничных девок поискать барышню — нигде не нашли. А маркиза вдруг заспешила и, посокрушавшись, что так и не свиделась с дочерью Марии, отказалась от обеда и откланялась, раз двадцать повторив на прощание адрес мадам Жизель и посулив непременно свидеться с Измайловыми в Нижнем.

Ангелина так и не воротилась, хотя уже позвали к чаю.

— Поехала покататься... — предположила Елизавета.

— Нет, — досадливо покачал головою князь. — Нет, конек-то уже в конюшне. Небось сбросил ее да ускакал, а она слезы где-нибудь точит. Ох и неудаха! Но что ж делать, Лизонька! Это как у лошадей, — обратился он к любимой теме, — иноходец не скачет рысью, а рысак не перейдет на иноходь. Девонька у нас добрая, ласковая, умница... А все же снулая какая-то.

— Она красавица! — обидевшись, воскликнула Елизавета.

— Спящая красавица, — ласково усмехнулся муж.

— Да, сердце у нее спит, — с тяжким вздохом добавила княгиня, еле удержавшись, чтобы не назвать самый, на ее взгляд, большой недостаток внучки: «Она ведь, кажется, еще ни разу не влюблялась!»

...Когда Ангелина пришла в себя, она была одна на берегу, уже одетая. Пытаясь понять, сон то был или явь, она побродила, но не нашла ничьих следов, кроме копыт своего гнедого, и не поленилась снова раздеться и переплыть на другой берег. За серебристыми тальниками сырой песок был весь истоптан лошадью, а еще Ангелина нашла следы сапог и вдавленную в траву золотую чеканную пуговицу. И наверное, даже у нищего дровосека Али-Бабы не трепетало так сердце, когда он набрел на пещеру сорока разбойников, как задрожало, забилось сердце у Ангелины, когда она сжала в руке эту пуговку, поведавшую ей так много...

Ее речное божество все же было человеком — убедилась она. И хорошо, что отдала Ангелина страстно и бездумно свое девичество не какому-нибудь простолюдину — первые в своей жизни слова любви услышала она от лихого гусара! И был он вдобавок офицером и человеком далеко не бедным.

Русское дворянство всегда считало службу в кавалерии первостатейным делом. Но далеко не всем она была по карману из-за покупки собственных лошадей и дорогостоящего конного снаряжения. Устав требовал, чтобы у гусарских офицеров все пуговицы, шнуры и галуны на доломане и ментике[1] были золотыми или серебряными, лядунка — маленькая сумка для патронов — также должна была иметь крышку из чистого серебра или золота. Поэтому в кирасирских, драгунских и гусарских войсках на обер-офицерских должностях служило немало молодых людей из знатных и богатых фамилий.

Целую неделю Ангелина занималась только тем, что невзначай выспрашивала обо всех молодых соседях, бывших на военной службе, и вскоре

---

[1] Доломан — гусарская куртка, на которую накидывают ментик — верхнюю куртку, ее носили обычно на одном плече со свисавшими рукавами.

узнала, что сероглазый да светловолосый ухарь, разбивший сердца без малого дюжины дворовых девок (о количестве похищенных невинностей вообще ходили баснословные слухи), был не кем иным, как внучатым племянником старой графини Орликовой, которого даже родимая маменька за распутство у себя не держала, ибо он был малым очень добрым, но гулякою и бретером. Звали его Никита Аргамаков, и хоть не по душе было Ангелине оказаться всего лишь одной из множества кобылок, которых покрыл этот жеребец, оставалось утешаться хотя бы тем, что был он весьма знатного рода, ведущего свое начало от дьяка Василья Аргамакова[1], который еще в 1513 году прославился в смоленском походе царя Иоанна Васильевича и обрел за то потомственное дворянство.

Ангелина узнала также, что Никита Аргамаков чуть ли не в тот же день, когда любострастничал с нею на волжских отмелях, получил срочное предписание и отбыл в свой Белорусский полк. Он уехал, не было надежды встретить его опять, а все же Ангелина не могла одолеть искушения снова и снова приезжать на заветный обрыв и смотреть, как колышутся в волнах серебристо-зеленые тальниковые косы, мечтая лишь об одном: чтобы все вновь было, как тогда... И ненавидя себя за это.

Дознался ли Никита, с кем слюбился на золотистой песчаной постели? Нет, едва ли! И времени у него не было, и никаких причин счесть Ангелину чем-то большим, нежели крепостной девкой, охо-

---

[1] Аргамак — старинное название верховых лошадей самых ценных восточных пород (*тюрк.*).

чей до случайных барских ласк, не было — наверное, даже лица ее не успел разглядеть! И небось легче Волгу поворотить от Каспия к северу, чем заставить Никиту вспомнить хотя бы цвет глаз девы, которая так пылко и щедро любила его под мерный перекат волжских волн.

Это было самым нестерпимым: все время думать, что он забыл ее в тот же миг, как дал шпоры коню, и Ангелина по-настоящему обрадовалась, когда князь и княгиня объявили ей о своем намерении как можно скорее отбыть в Нижний.

Она встрепенулась и, убежав в свою светелку, несчетно положила земных поклонов Пресвятой Деве за то, что надоумила деда с бабкой уезжать, а заодно поблагодарила неведомую маркизу д'Антраге. Она торопила отъезд как могла и даже не побывала на прощание на заветном берегу, только вдруг, уже с подножки заложенной кареты, на минутку забежала в сад, припала лицом к цветущим смородиновым ветвям, близко глянув на крошечные бледные цветочки, растерла в пальцах зеленый листок, отмахнулась от толстого сердитого шмеля — да и была такова.

2

МАДАМ ЖИЗЕЛЬ

Ангелина очень любила Нижний. Конечно, Москва — колокольная, белокаменная, первопрестольная; конечно, Санкт-Петербург — столица, сплошь огромный роскошный дворец; но ни один из этих городов не стоял так вольно и величаво на могучей горе, которая воздымалась на месте слияния двух широченных рек (Ока здесь ничем не уступала Волге), господствуя над необъятными, как море, просторами вод и левобережных долин. Кремль венчал эту гору, подобно роскошной короне, по гребню вились белые стены, в некоторых местах словно вырастая из крутых склонов. Над вершинами деревьев золотились главы церквей, среди которых особенным, перламутровым светом сияли купола Михаила Архангела. Сам Нижний, не забывший жестокие набеги татарские, скрывался за горою, в извилистых улицах и улочках, среди роскошных садов, которые в весеннем цвету были подобны огромным белым облакам, спустившимся с небес и опьянившим город райским благоуханием.

В стародавние времена, когда княгиня Елизавета Измайлова еще звалась графиней Строиловой, у нее был небольшой домик в самом начале Варварской улицы, но с годами князь Алексей Михайлович выстроил новый двухэтажный дом в одном из красивейших мест города: рядом с Благовещенской площадью, повыше прежней Елагиной горы, на самом юру, открытом всем волжским ветрам, в виду вечной ослепительной волжской красы. Туда и держали сейчас путь измайловские кареты от Арзамасской заставы, по Покровской улице.

Ангелину и старую княгиню сморила дорога, они клевали носом, мечтая лишь добраться до постели; Алексей же Михайлович нетерпеливо выглядывал в оконце, торопил заморенного кучера... И вдруг с криком: «Пожар? Мы горим!» — высунулся чуть ли не по пояс, вглядываясь в огромный, до небес, костер, вспыхнувший, как ему почудилось, точнехонько на месте его дома. Но когда карета приблизилась, стало ясно: горит соседний дом, за отъездом владельца давно стоявший заколоченным и назначенный к продаже.

Дом сей частенько переходил из рук в руки и подолгу пустовал, потому что издавна пользовался дурной славой, вроде знаменитого еще в прошлом веке дома Осокиных.

И вот теперь нехороший дом пылал. Кое-где на улице замелькали полуодетые фигуры с ведрами, однако все это было пустое: все равно дом было уже не спасти, он воистину вспыхнул, как если бы в подвале его размещался пороховой склад или стены были старательно просмолены.

На измайловской крыше стояли дворовые с ведрами и баграми, готовые обороняться от шальных искр, но, по счастью, просторный сад не дал пожару перекинуться на другие дома, и наконец женщины уверились, что опасности нет, и с облегчением вздохнули, когда старый князь, отряхнув кафтан от сажи, пошел к карете... однако вдруг замер, будто выжлец[1], сделавший стойку, и со свистом и криком: «Держи поджигателя!» — ринулся на задворки сгоревшего дома. Черный четкий его силуэт, освещенный заревом, слился с другим силуэтом, метнувшимся от пожарища. Видно было, что князь и его супротивник нещадно колотят друг друга. Княгиня вскрикнула, увидев, что муж ее упал... Впрочем, он тут же вскочил и помчался за обидчи-

[1] Ищейка, гончая собака.

ком. Тот бросился наутек в обугленные кусты, но оттуда выскользнул еще один человек, выбил из рук злодея нож и так влепил ему со всего плеча, что тот рухнул наземь. Князь подбежал, навалился сверху...

Толпа, собравшаяся поглазеть на пожар, кинулась на выручку князю, да дело было уже слажено: Алексей Михайлович появился, волоча за собой какое-то закопченное существо. Невысокий человек помогал ему и нес просмоленное ведро, столь явно изобличившее деяния схваченного, что толпа взревела и приступила бы к самосуду, когда б не явилась тут пожарная бочка в сопровождении команды и еще двух городовых.

Ангелина и старая княгиня выскочили из кареты и пробрались поближе к Алексею Михайловичу. Городовые, князь и его неведомый помощник в изумлении взирали на поджигателя и слушали его с таким вниманием, с какими слушали бы слона, заговорившего человеческим голосом! Толпа тоже притихла, глазея на обожженного злодея, который бил себя в грудь и, брызгая слюной, ораторствовал... на отменном французском языке, страшными словами проклиная Россию и пророча ей скорую гибель от рук великого Наполеона.

— Что?! — взревел князь Алексей, затыкая пакостный рот такой зуботычиной, что поджигатель вновь опрокинулся навзничь, невольно увлекая с собою того, другого человека.

Князь рывком вздернул его на ноги:

— Простите великодушно! И за подмогу вашу благодарен! — Он стиснул его руку, а потом махнул городовым на преступника: — А этого — в кутузку! Да велите дать ему плетей, чтоб дознаться, по чьему наущению французскую крамолу разносит да урон городу причиняет?

Городовые подчинились князю безоговорочно и, заломив поджигателю локти, в тычки погнали его в участок. Князь, не выпуская руки незнакомого помощника, воинственно повернулся к своим дамам.

— Ну? Чего всполошились? Нешто есть еще порох в лядунке! Да вон господина благодарите... Простите, сударь, как вас звать-величать?

— Comte Fabien de Laurent[1], — ответил тот, изящно поклонясь, и толпа, услышав чужую речь, надвинулась на него со злобными выкриками:

— Да они одним миром мазаны! Вяжи и этого!

— Бей мусью!

Граф выпрямился и мгновенным движснием выхватил шпагу, однако это лишь раззадорило толпу. Ясное дело, этого изысканного, хоть и перепачканного сажей кавалера приняли тоже за поджигателя, а чужая речь стала подобна красной тряпке для быка.

Ангелина с любопытством уставилась на француза, только сейчас заметив, что он молод и хорош собою, хотя его лицо и было слишком томным. Сложения он был полноватого, что, впрочем, не мешало ему двигаться резво и проворно. Хотя едва ли даже со шпагою выстоял бы он против тройки ражих молодцов, по виду извозчиков либо грузчи-

[1] Граф Фабьен де Лоран (*фр.*).

ков, которые дружно выступили вперед, засучив рукава и обнажив устрашающие кулачищи. Да тут уж князь Алексей выступил вперед и заговорил с такой бравадою, что зачинщики мордобоя враз опешили:

— Что, своя своих не спознаша? Аль давно кулачки не почесывали? Ну что ж, выходи по одному!

Он выхватил из-за кушака длинноствольный пистолет и взвел курок, который так громко щелкнул, что один из силачей от неожиданности тоненько вскрикнул и прикрыл ладонями рыжебородое лицо.

Хохот, грянувший вслед за тем, заставил Ангелину и княгиню Елизавету зажать уши, а князь Алексей, похлопав рыжего бедолагу по плечу, двинулся к дому, не выпуская левой руки француза, в правой все еще державшего свою шпагу.

И они вошли в измайловский дом, и уселись за богато накрытый стол, и ели, пили, смеялись, изумляясь поразительному совпадению: ведь граф оказался сыном той самой мадам Жизель, о которой говорила маркиза д'Антраге. За шутками и тостами забылся и пожар, и поджигатель, и его жуткие пророчества... А между тем именно на рассвете 12 июня «Великая армия» Наполеона без предварительного объявления войны вступила в пределы России.

Однако должно было пройти еще пять дней — жарких, веселых летних дней, — прежде чем в Нижнем был обнародован царский манифест, призывавший к защите Отечества.

* * *

Беды ждали давно.

Еще год назад в Нижнем запылал страшный пожар, дотла истребивший северо-западную часть города. А в конце августа в небе, словно запоздалая искра, возгорелась комета — звезда злокрылая, как ее называли в народе. Багровая, мрачная, она ежевечерне восходила на востоке, а к утру исчезала на севере, разметая своим длинным веерообразным хвостом все прочие светила. «Не к добру эта звезда, — говорили горожане, — пометет она русскую землю!» Пророчество, однако, сбылось лишь год спустя...

На простой люд, разумеется, весть о войне обрушилась как гром с ясного неба: это тебе не турку или пана идти бить бог весть в какие пределы — ворог сам заявился непрошеный, всем миром надобно подниматься! Господа же, читающие газеты, открытия военных действий ожидали уже несколько месяцев.

Князь Алексей Михайлович считал столкновение неизбежным еще весной, и вот наконец это предгрозовое напряжение разрешилось... Читая рескрипт императора Александра о том, что Наполеон перешел Неман, многие женщины, а среди них и княгиня Елизавета, не могли сдержать слез. Церкви с утра до вечера заполнял народ, и хотя в эти дни не было престольных праздников, молились с усердием, какого Ангелине не приходилось еще видеть. Почти все, не таясь, плакали.

— Молись неустанно, — твердила, истово кланяясь, прежде вовсе не богомольная княгиня Елизавета, — лишь искренними молитвами можем мы снискать милосердие Божие!

Стоящая рядом Ангелина прилежно, до боли в руке и спине, обмахивалась крестом и отвешивала поклон за поклоном, хотя по сердцу, по натуре ей было бы не просить, а делать. Нынче на паперти, проталкиваясь в переполненную церковь, она услышала, как две бабы шептались: мол, издревле от моровой ли язвы, от чумы, от другой ли какой напасти бабы ночью, тайком, впрягаются в плуг и опахивают деревню... Вот бы, мол, всем российским бабам опахать державу от басурманской чумы, от набега! И Ангелине враз представилась невообразимо огромная Россия, вдоль границ которой, освещенные туманною луною, тянутся вереницы запряженных в плуги простоволосых, в одних рубахах, а то и вовсе нагих русских баб, старых и молодых, одна из которых мерно стучит в сковороду чугунным пестом, разгоняя злую нечистую силу. Ангелине захотелось сделаться одной из таких деревенских баб, которые каждым шагом своим спасают Отечество... Эх, неосуществима сия мечта, ну а смелая мечта нового знакомца — Фабьена — и более того. Бывши по рождению французом, он вместе со многими своими соотечественниками поступил в вечное России подданство и, желая принести себя на алтарь новому Отечеству, намерен был отправиться в ставку Барклая-де-Толли — просить, чтобы его послали парламентером к Наполеону. Фабьен решил, подавая бумаги императору французов, всадить ему в бок кинжал.

— Думаю, он хочет это сделать из желания приобрести историческую известность, хоть бы вроде Равальяка![1] — усмехнулась княгиня Елизавета Васильевна, которая относилась к политесному[2] французу скептически.

Алексей же Михайлович был к молодому графу весьма расположен и, покоренный его обаянием, смягчил свое неприязненное отношение ко всем французским эмигрантам. И хотя большинство из них по-прежнему исправляло должности гувернеров, чтецов, капельмейстеров, камердинеров, поваров, садовников, модисток и прочее, невзирая на чин и титул, встречались среди них и люди почестные, ведущие жизнь, вполне достойную настоящего дворянина.

Князь Алексей уважал деловые способности что в русских, что во французах, а потому не мог не упрочиться в своем доверии к рекомендации маркизы д'Антраге, когда увидел, чтó собой представляет салон мадам Жизель.

Слово «салон», впрочем, лишь бледная тень истины: графиня де Лоран заправляла маленьким заводиком по производству женской красоты.

Новейшие картинки и журналы приходили из Парижа, Лондона и Берлина через Москву и Петербург бесперебойно; оттуда же, с самых лучших мануфактур, исправно присылали шелка, бархат, кисею, батист, сукно и отменных сортов шерсть. Везли с Урала полудрагоценные камни, с севера — «бурмицко зерно», речной жемчуг, — наряды здесь шили богатые! На птичьем дворе выращивали пав-

[1] Убийца знаменитого французского короля Генриха IV.

[2] Галантному.

линов и фазанов, особые красильщики придавали перьям тон, нужный для каждой шляпки, которую ими украшали. Возами шла с Малороссии солома, и флорентийские шляпки с искусственными цветами, сделанными руками нижегородских искусниц, были у здешних красавиц нарасхват. В подвалах дома на Варварке бойко стучали молотками сапожники, вкусно пахло самолучшим сафьяном; здесь же шились и шелковые бальные туфельки. Под крышей трехэтажного дома сновали туда-сюда иглы белошвеек и златошвеек; стучали коклюшками и мелькали спицами кружевницы, усердствовали вышивальщицы. Два королевских парфюмера, бежавших в Россию чуть ли не с помоста гильотины, смешивали и разливали в затейливые склянки помаду для губ и волос, румяна, всяческие кремы и знаменитую лавандовую настойку. Впрочем, к ней по рецепту мадам Жизель добавлялось и розовое, и гвоздичное масло, и шалфей, и фиалка... да и еще всякая душистая всячина! А мебельные мастерские! Словом, проще перечислить, чего не делали на «заводике» мадам Жизель...

Любая провинциальная дама могла войти в дверь особняка графини де Лоран, pardon, в неглиже, а выйти не только сверху донизу одетой, обутой и напомаженной по последней парижской моде, но и причесанной в соответствии с dernier cri, ибо некий месье Жан не покладая рук трудился здесь над светлыми, рыжими и темными локонами. Да и само неглиже можно было найти здесь: и корсеты, и сорочки, и нижние юбки, и чулки, и все прочее батистовое, кисейное, шелковое и кружевное, что надевают прекрасные дамы под платья. Единственное, что непременно следовало бы принести с собою, это увесистый кошель, ибо услуги сего гнездилища соблазнов были истинно разорительны! Денег, плаченных за все эти «кружева», хватило бы на годовое довольствие иному семейству! Вдобавок дамы тут и впрямь могли окунуться в атмосферу истинно светского парижского салона; те, чей французский был, так сказать, не вполне разборчив, имели возможность его усовершенствовать; а на прелестных soirée[1] всякая дебютантка могла научиться кокетничать и флиртовать, как подобает девушке скромной, но не желающей засиживаться в девках: облетом искрометного взгляда зажигать самые холодные и самонадеянные сердца. Это ведь только купеческое сословие выбирало сыновьям невест на Софроновской площади в пору ежегодных зимних смотрин, а люди дворянского звания предпочитали присматриваться к барышням на балах. Молоденьких провинциалок французская мадам муштровала строго: спину держать прямо, веером обмахиваться, а не размахивать, ухитряться, чтобы от усталости и невыносимой духоты балов их хорошенькие личики не превращались в вакханские физиономии, туго закрученные локоны не развивались бы, платья бы не обдергивались, перчатки не промокали — и все прочее в этом же роде. Девиц учили выдержке не милостивее, чем прусский капрал учит новобранцев. Однако никто не желал сократить курс обучения. Если и сокру-

[1] Вечеринках (*фр.*).

шались втихомолку, так лишь о том, что не удастся век танцевать только с красивым, отличавшимся изяществом манер, живостью характера и непринужденностью разговора графом Фабьеном де Лораном. Он был постоянным кавалером нижегородских дебютанток на балах своей матери; танцевал, несмотря на свою полноту, божественно; и каждая девица мечтала, чтобы заученно любезный взор галантного Фабьена при встрече с ее взглядом вспыхнул огнем нежности и страсти.

Военного чина у графа Фабьена не было, однако это не убавляло его привлекательности. Но похвалиться особым успехом не могла ни одна барышня. Он отличал всех, а значит, никого особо. Наблюдательные барышни отметили, что сдержанным и молчаливым Фабьен бывал, лишь когда танцевал с молоденькой баронессой Ангелиной Корф.

Больше всех была поражена этим она сама.

* * *

Дожив до двадцати почти годочков, Ангелина прочно усвоила одну истину: она не удалась. Родившись в богатой и знатной семье, выросшая в неге и холе, окруженная самозабвенной заботой деда с бабушкой, она всегда чувствовала — смутно, безотчетно, — что ее любят не за то, какая она есть, а за то, какой ее желают видеть. То есть как бы вовсе не ее любят! От нее столько ожидали... и, вот беда, никак ей не удавалось соответствовать этим чужим мечтам!

Машенька Грацианова на детских праздниках

пребойко пела тоненьким голоском — Ангелина дичилась: пение Машеньки казалось ей смешным, — но бабушка укоризненно шепнула: «Ах, умница Машенька, а ты... экая бука!» — и этого было достаточно, чтобы раз и навсегда отбить в ней охоту петь.

«Эх, эх, бой-девка! — радостно блестя глазами, кричал дед, когда кузина Дунечка Румянцева лихо взяла первый свой барьер на английском пони. — А наша, видать, боится, что упадет!» — засмеялся он, ласково потрепав Ангелину по плечу. Она не боялась — разве что самую чуточку! — но если робость еще можно было одолеть, то ласковые насмешки — никак. Укорила матушка, глядя, как деревянную от робости Ангелину влачит по паркету учитель танцев: «Не отдави мозоль месье Фюрже!» — и с тех пор на всех танцевальных уроках Ангелина уверяла, что у нее болит нога, и даже начала ходить, слегка прихрамывая. «Ох, какие у вашей дочери волосы!» — восхищалась супруга английского атташе на приеме в русском посольстве, еще когда Ангелина жила с родителями; отец, более всего озабоченный тем, чтобы его дочка выросла примерной скромницей, прошептал, с ужасом глядя на ее буйно-кудрявую голову: «Господи, опять, поди, кудлы повылезли?!» С тех пор Ангелина полагала себя еще и самой некрасивой на всем белом свете.

Но она все же не могла не знать, что и родители, и старики за нее жизни своей не пощадят, что она воистину зеница их очей... А все ж ощущала:

они скорее жалеют ее, чем любят, а уж о том, чтобы гордиться ею, — и говорить нечего!

Ее ум, сердце и тело как бы жили порознь, а душа вовсе витала в облаках, не объединяя их, не управляя ими. Только события необыденного свойства могли разбудить Ангелину от ее зачарованного сна и придать хотя бы подобие цельности ее натуре. Первое такое событие случилось на волжском берегу... Теперь над всеми потребностями Ангелины главенствовали разбуженные плотские желания, и если днем течение жизни хоть как-то отвлекало ее, то ночью от них воистину не было спасения! Особенно когда вспоминала этот задыхающийся, счастливый шепот: «Люблю тебя!..» Но и эти воспоминания не преисполнили ее уверенности в себе: какой мужчина не набросился бы на пышнотелую, разогретую солнцем... А выдохнул он это признание из благодарности или из жалости к девчонке, столь щедро расточившей свое достояние. Жалость — это чувство Ангелина ненавидела сызмальства, а оттого, пожалуй, и сама не знала жалости к себе. Она умела только стесняться себя, даже имени своего, которое было слишком тяжеловесным: Ангелина. От Фабьена она впервые услышала прелестное французское — Анжель — и впервые поняла, каким чарующим, жемчужным именем наградили ее родители. И уж если в галантности Фабьена можно было заподозрить лишь отменное воспитание, то уж матушка его встретила ее с воистину материнской восторженной любовью. Все в Ангелине вызывало ее одобрение. «Рыжая!» — презрительно отзывались институтские барышни о золотисто-русых пышных кудрях Ангелины. «Petite Russe», — ласково называла ее графиня де Лоран. Когда какие-то па модной мазурки не удавались Ангелине или у нее кружилась от вальса голова, графиня говорила, что всем этим европейским жеманным танцам далеко до русской пляски, которая вполне удается Ангелине. Медлительная, вялая, она заслужила у подружек презрительную кличку «рыбья кровь», в доме же на Варварке ее ласково звали «La petite sirène», русалочка. Ангелина жаждала томной бледности лица, но ничем невозможно было согнать по-деревенски здоровый румянец с ее пухлых щечек — а графиня восхищалась им, сравнивала по цвету с самыми лучшими прованскими розами, воспетыми трубадурами. И Ангелине, дочери барона, внучке князя, было ничуть не зазорно выслушивать ласковые поощрения от французской эмигрантки, ибо всяк, кто был зван в ее личные покои и принят по-семейному, не осмелился бы называть иначе чем графинею эту полную достоинства, далеко не старую даму, которая погибшие на ее лице розы и лилии весьма ловко заменяла искусственными. Графиня имела характер, которому скука неведома, а значит, она была неведома и ее гостям, согласным даже терпеть ее любимых левреток, которые кусали за ноги входящих, и вкушать не по-русски необильную, изысканную пищу, проигрывать в ломбер хозяйке, которая до карт была большая охотница, — все терпеть, лишь бы вновь насладиться обаянием этого «полуденного цветка, в варварскую страну занесенного», как без ложной скромности называла себя графиня. Ангелине казалось, что мадам де Лоран с ее умом, богатством и умением держать себя должно быть невыносимым провинциальное общество, которое осаждало ее салон: противные дамы, которые так и ели глазами хозяйку, пытаясь перенять ее ужимки; их мужья, которые, подобно холостякам, пожирали хозяйку нескромными взорами; молодые люди с неуклюжими манерами, топорной речью и в вышедших из моды туалетах. Людей все учит: и скука, и досуг. И Ангелина, бывая у графини, даже начинала стыдиться своих соотечественников.

Людей общества в Нижнем Новгороде между тем поприбавилось. Уехав из Москвы от неудержимо подступающего к столице неприятеля, в Нижнем поселились самые знатные семьи московской аристократии. Тихий и скромный городок взбудоражился! Москвичи привезли с собой капиталы, привычку к шумной, рассеянной жизни, последние моды и крупную карточную игру.

Начались непрерывные праздники и балы у гостеприимного вице-губернатора Крюкова, в богатых домах. Но не только это вынужденное веселье привезено было из Москвы: с приездом людей, ощутивших, хотя бы издалека, веяние наступающей войны, умножились разговоры о ней и в Нижнем.

Здесь уже были, конечно, приняты разные меры, чтобы в случае необходимости дать отпор врагу: на окраинах города рылись канавы и спешно вколачивались в землю сошки с перекладинами, на которых раскладывались колья и рогатины; вокруг селений воздвигались заборы с заставами и сторожами в шалашах; устанавливались взятые у богатых помещиков старинные чугунные пушки, употреблявшиеся для салютов в семейные праздники; собиралось ополчение... Да, принимались меры, но до чего же все нижегородцы были бы несчастны, когда бы пришлось этими мерами воспользоваться!

16 июня оставили Вильно. 20-го потеряли Минск. Багратион отступал к Смоленску.

Мысли устремлены были у всех на берега Двины, где шаг за шагом оттеснялись неприятелем русские войска, хотя никто не сомневался: армия наша желает наступать! Однако приказы главнокомандующего Барклая-де-Толли носили иной характер: выравнивать фронт, беречь силы, вести позиционные бои.

— Барклай-де-Толли? Болтай, да и только! — честил его старый князь Измайлов. — Позиционная война невыгодна, потому что всякую позицию можно обойти. Побьют врагов под Смоленском — все могут оставаться спокойными. Бонапарте должен будет тогда помышлять о собственной безопасности. Если же прорвутся злодеи далее, то беспокоиться нам придется уже о целости и существовании нашего государства!

В эти дни на Ангелину дома мало обращали внимания: Алексей Михайлович уже порывался записаться в дворянское ополчение, а когда жена сказала веско: «Только через мой труп!» — вскричал почти с ненавистью: «Я видел стариков, которые умирают костенея. Ты что же, мне такой участи желаешь?! Я жизнь в бою провел — дай же и смерть там сыскать!» Княгиня всерьез опасалась, что муж, как мальчишка, просто-напросто сбежит из дому, и ей было ни до чего, даже не до внучки, так что та невольно тянулась туда, где ей всегда были рады: к графине де Лоран... И к Фабьену.

* * *

Теперь во многих домах в Нижнем стало тесновато от переизбытка приезжих. Не стал исключением и дом на Варварке. Ведь в город прибыли не только русские, бежавшие от войны: московский губернатор Ростопчин выслал из старой столицы всех французов, подозреваемых в сношениях с Наполеоном, и отправил их в Нижний на барке. Здесь эти люди оказались воистину в положении немцев, немых: народ был так раздражен, что чужие не осмеливались говорить на улице по-французски... Да что! На любом иностранном языке! Германского торговца чуть не побили камнями, приняв за француза. Двух русских офицеров чуть не арестовали: они на улице вздумали говорить по-французски; народ принял их за переодетых шпионов и хотел поколотить.

Когда бы ни пришла Ангелина в дом графини, она непременно натыкалась на очередного дрожащего от страха незнакомца. А как-то раз, явившись без доклада, застала графиню с охапкой окровавленных, дурно пахнущих бинтов, а из-за двери слышались стоны. Мадам Жизель неприязненно сказала, что уроков нынче не будет, потому что у нее в доме умирает доктор Тоте, которого Ростопчин в Москве заклеймил как французского шпиона, а нижегородский вице-губернатор Крюков велел наказать его на конной площади тридцатью ударами плетей и, окровавленного, бросить на четыре дня в тюремный карцер. Никакого ухода за его израненной спиной не было, а когда раны стали дурно пахнуть, Тоте вышибли из тюрьмы, и он чудом добрался до своей сердобольной соотечественницы...

Ангелина едва не зарыдала от ужаса и жалости к несчастному!

— Ох, за что, за что его так?! — вопрошала она, но мадам де Лоран ушла, унося бинты, холодно буркнув: «За то, что француз!»

Ангелина зажмурилась, не решаясь больше спрашивать. Пусть Тоте принадлежал к враждебной нации, но ведь не он жег русские села, не он стрелял в русских солдат! Впервые в жизни ей стало стыдно за то, что она русская! С этим чувством стыда она и ушла... А жаль все-таки, что ей не удалось вызнать причину столь жестокого наказания Тоте! Ведь графиня не могла не знать, что доктор-француз подвергся суровой каре за пророчества, что уже 15 августа (через полтора месяца!) Наполеон будет обедать в Москве...

3

ЛОДКА-САМОЛЕТКА

Лето 1812 года изобильно было грозами. Тут и там внезапно вспыхивали пожары: молнии били в дома, деревья, палили стога, насмерть поражали людей — грешников, как думали в старину. Ох, если бы так! Но разве грешниками были те русские люди, коих в это страшное лето поражал неисчислимыми молниями жестокосердный бог войны, все ближе и ближе подтягивая границу своих губительных владений к Москве?..

Бог войны, говорят, всегда принимает сторону сильнейшего, и совсем неважно, справедливо ли это в глазах побежденных. Вообще самое ужасное в войне то, что, пока справедливость уравновесит наконец свои весы и злодеи получат по заслугам, число невинных жертв растет неостановимо. Старинную поговорку «Человек предполагает, а Бог располагает» ныне следовало бы переименовать на новый лад: «Человек предполагает, но располагает — война». Все подчинялось ее прихотям!

Уж на что далека всегда была Ангелина от забот страны, в которой жила, но и ее жизнь переменила война. Уж, наверное, месяц она постоянно щипала корпию[1]. Теперь этим занимались все дамы и девицы. И ежели прежде превосходство одной барышни пред другой было повито аршинами кружев, украшавших ее наряд, то нынче оно возвышалось на охапках корпии: кто больше? Сие нудное и нелегкое занятие порою становилось нестерпимо. Хотелось бросить все и убежать в тот единственный дом, где она была любимой и желанной гостьей, увидеть милых ее душе мадам Жизель и Фабьена,

[1] Растеребленная ветошь, ветошные нитки для перевязки ран и язв.

однако вовсе не суровая бабушкина приглядка заставляла Ангелину вновь и вновь трудить свои пальцы, а смутная, потаенная надежда: а вдруг именно эта щепоть корпии остановит кровь, льющуюся из ужасной раны на груди сероглазого гусара... как бишь его? Никиты Аргамакова, кажется?..

Впрочем, Ангелина лукавила даже перед собою. Ей вовсе не было надобности напрягать память, чтобы вспомнить это имя: до двадцати почти лет дожила она с нетронутым сердцем. И кто знает, не случись той роковой встречи на волжском берегу, Ангелина могла бы полюбить пригожего француза лишь в благодарность за то, что он так увлечен ею. Однако теперь она видела, что Фабьен — милейший человек, но бесхарактерный, дает вертеть собою кому угодно, пляшет под любую дудку. Однако в душе у Ангелины (как и у всех женщин их рода!) жила тайная мечта о сильном, властном муже, который способен укротить женское своенравие. Она уже узнала такого мужчину и, вольно или невольно, примеряла всякого встречного на его манер. Ангелина безотчетно искала во всех мужчинах черты Никиты Аргамакова, и ежели обратиться к возвышенным сравнениям, то слова Княжнина «воспоминанием живет душа моя» были ей весьма близки.

Однако мысли и чувства свои Ангелина скрывала даже от себя самой, полагая, будто живет как живется... что наяву означало — под диктовку двух богов: любви и войны.

* * *

Князь и княгиня Измайловы были натурами весьма деятельными, и коли уж преклонные лета и неумолимая супруга не позволили Алексею Михайловичу препоясаться на брань за Отечество, то он никак не мог оставаться праздным толкователем военных событий, всякий день посвящая противопоставлению Барклая-де-Толли Кутузову. Пожертвования его на нижегородское ополчение были самыми щедрыми: до тысячи рублей! И это в то время, когда купцы вносили по сто, двести, триста... Всего, к слову сказать, в Нижнем было собрано двадцать тысяч рублей — по тем временам сумма преизрядная. Мужики измайловские по указке сурового своего князя ополчались исправно, несмотря на некоторое уныние. В деревнях тяжелая пора: множество народу отрывали от земли в разгар страды! Мужики-то не роптали — напротив, говорили, что все они охотно пойдут на француза, но бабы их были в отчаянии: стон и вопль стояли над деревнями. Алексей Михайлович от горя чужого не отворачивался: почитая себя отцом крестьянушкам своим, вместе со всеми плакал навзрыд, а потом смехом пытался развеять печаль, уверяя, будто горюют мужики оттого, что свободны они отныне от своего барина — в солдатчине крепостные сразу становились вольными!

Но пусть, говорил он, утешаются хотя бы тем, что ратников теперь не бреют, как прежде: ведь без бороды у русского мужика, по пословице, не лицо, а... ну, скажем мягко, то, что сзади.

И эти общие с народными слезы барина, и насмешка его над самим собою (князь Алексей уже лет сорок бороды не нашивал), его прямота и человечность, вся его сухощавая фигура в старомодном камзоле с кружевными манжетами, закапанными вином и воском, отважный взор его непотускневших голубых глаз, звонкий по-молодому голос — все вселяло надежду и отвагу в сердца ополченцев и ратников.

Супруга его была ему под стать. Елизавета родилась именно для него: у них была одна душа, одно стремление к добру, и пока князь хлопотал о ратниках, его княгиня тоже не сидела сложа руки, а посвятила всю себя военному госпиталю. Он существовал в Нижнем уже с десяток лет, однако теперь попечением княгини Измайловой был расширен и переоборудован. Конечно, фронт был еще далеко, а потому в Нижний попадали не те раненые, которым требовалось немедленное исцеление, а те, кто нуждался в долгом лечении и едва ли мог воротиться на войну. К началу августа в госпитале были готовы три офицерские и четыре большие солдатские палаты, человек на двести. Правда, большинство мест пока пустовало, заняты были только одна офицерская и одна солдатская, и посещение госпиталя сделалось одной из самых святых патриотических обязанностей для нижегородских дам. Девицы и молоденькие дамы находили эту обязанность также и самой приятной, особенно посещение офицерской палаты. Впрочем, Ангелина появилась здесь только однажды: убедиться, что там нет никого... знакомого, а потом держалась от офицерской палаты подальше: у ее обитателей и так было много нянек.

С изумлением Ангелина обнаружила, что не боится крови и не хлопается в обморок при виде страшных ран. Зрелище гноящегося, гниющего тела поначалу вызывало тошноту, однако уже через несколько дней она научилась подавлять эти приступы, переводя взгляд на искаженные страданием лица. Стоило только представить всю бездну мучений, в которую был брошен раненый, и тогда жалость вовсе заслоняла брезгливость, неуместную в этой обители слез и смерти. А потом она просто привыкла к чужой боли, и сострадание тоже сделалось привычкой.

Солдатская палата, несомненно, причиняла персоналу госпиталя больше тяжких хлопот, чем офицерская, и Ангелина постепенно привыкла смотреть на тамошних «сиделок» (так она называла барышень, которые день-деньской просиживали на краешках постелей то одного, то другого офицера, болтая и кокетничая) несколько даже свысока, ощущая как высший дар свою добродетель и нравственность. Она чувствовала, что наконец-то делает нечто подлинное, не зависящее от одобрения родных, знакомых. Наконец-то она делает то, за что может уважать себя! Зрелище чужих страданий и соучастие в избавлении от них окончательно сделали взрослой ее душу.

К ней (и другим сестрам милосердия) раненые тоже наконец привыкли. Склоненные хлопотливые фигуры женщин, облаченные в одинаковые простые серые платья, стали неотъемлемой принадлежностью палаты, где на топчанах, поставленных в три длинных ряда, стонали, бредили, молились и скрежетали зубами люди. «Сестра! Сестричка!» — окликали они всех женщин, молодых и старых, и те с равным усердием подавали помощь и кряжистому лесорубу-вятичу, у которого мучительно ныла и никак не заживала культя оторванной правой руки, и раненному в горло балахнинскому звонарю-ополченцу, и молодому башкиру, которому пулей перешибло позвоночник.

Иногда бывало так: приходил обоз с ранеными, а наутро половину хоронили, точно сил у этих страдальцев хватало лишь на то, чтобы донести свою боль до госпиталя, а потом, ощутив свое тело чистым, раны — перебинтованными, дождавшись мягкой постели, обильной еды, можно уж уснуть наконец последним сном... Вскоре сестры научились чуть нс с первого взгляда определять, кто из вновь прибывших не жилец на этом свете, и особой бережливой заботливостью старались продлить если не дни их, то часы, и как радовались, если ошибались и раненый все же переживал эту первую, самую тяжелую ночь — и еще другие ночи и дни! И когда Ангелина впервые увидела Меркурия, тоже сперва подумала, что не видать ему больше солнечного света.

* * *

Обыкновенно по ночам дежурили две сестры, но в тот раз Ангелина осталась одна: Зиновия Василькова, ее напарница, вдруг почувствовала себя так плохо, что ее почти на руках унесли из госпиталя. Она была на третьем месяце беременности: в начале июня вышла замуж, через две недели капитан Васильков, артиллерист, отбыл в свой полк, и вскоре до Зиновии дошла весть, что муж ее погиб под Минском. Выплакав все слезы, молодая вдова трудилась в госпитале, не щадя себя. Но силы человеческие не беспредельны — и вот Ангелина осталась одна. Она вышла проводить Зиновию и долго еще стояла на крылечке. Ангелине вспомнилось поверье, будто в такие вот светлые лунные ночи сама Царица Небесная в венце из блестящих серебряных ландышей появляется иногда пред теми, кому готовится какая-то нечаянная радость.

Упоенная мечтами, Ангелина схватилась за сердце, когда вдали вдруг послышалось какое-то движение и воздух задрожал, но тут же она сообразила, что чудо нынешней ночи кончилось, настала суровая действительность: приближается обоз с ранеными! Ночью! Худшее, что может быть! Ангелина бросилась в дом поднимать тревогу.

Ночь и впрямь выдалась тяжелая, два врача, нянечки и санитары забегались, Ангелина тоже сбилась с ног, хотела было послать за бабушкой, да вспомнила, что той нездоровилось, и, с трудом преодолев себя, пошла искать помощи в офицерской палате, где нынче пополнения не случилось, а в углу, в кресле, дремала дежурная сестра Нанси Филиппова.

Эту особу Ангелина терпеть не могла. Была Нанси бойка на ехидное слово и презирала Ангелину тем презрением, какое испытывают рано выскочившие замуж девицы к подругам-перестаркам. Хотя Ангелина предпочла бы вековать в девках, лишь бы не стать женою угрюмого и скупого (хоть и весьма состоятельного) полковника-интенданта Филиппова. Ангелина поражалась: почему эта вздорная ленивица пошла трудиться в госпиталь? Не стоит добавлять, что Нанси удостоила своим обществом только офицерскую палату (ее барская спесь не дозволяла жалеть простой народ), и Ангелине стоило немалых трудов уговорить ее.

Раненых снимали с телег, обмывали, перебинтовывали, подавали спешную помощь — в передней комнате, потом уносили на топчаны. Ангелина стояла у повозок, Нанси распоряжалась в палате. Нынче пришло четыре телеги, в каждой по пять раненых, больше двух телег к крыльцу не могли пристать, остальным приходилось ждать в отдалении. Ангелина прошла вдоль тех телег, сказала несколько ободряющих слов; сама немного успокоилась, услышав общее: «Ништо, сестрица, мы потерпим... долее терпели!» Но из последней телеги она вдруг услышала такую злобную брань, что едва уши не зажала. И что самое дикое — голос изрыгал проклятия не французу-супостату, не боли своей, даже не докторам и сестрам, заставляющим его бесконечно долго ждать, а соседу, недвижимо лежащему в той же телеге.

— Ты что разошелся? — возмущенно выкрикнула Ангелина. — Кого клянешь? Постыдился бы!

Черные злые глаза блеснули так, что Ангелина осеклась.

— А ты мне кто — совестить? Почитай, какую уж неделю в пути я в телеге этой, а он-то все одно балабонит: лодка-самолетка да лодка-самолетка.

А, будь ты неладен! Тут и у Господа Бога терпенье бы лопнуло, коли тебе с утра до ночи в ухо одно и то же бубнят!

Злость Ангелины прошла. Этот бородач был совершенно измучен, находился на пределе сил. Его можно было только пожалеть! Она наклонилась, желая рассмотреть того, кто его так разозлил, — и отшатнулась, когда холодный лунный свет отразился в неподвижных серых глазах, заострил чеканные черты лица. Никита!.. И он мертв!

Понадобилось несколько мгновений, чтобы понять: она ошиблась. Этот юноша не Никита Аргамаков — и он еще жив. Вот именно — еще!

У него было худое, строгое, почти иконописное от му́ки лицо, но в размахе бровей и твердых губах таилась скрытая сила, и когда Ангелина вновь осмелилась заглянуть в его глаза, она ощутила, как сжалось сердце. Он смотрел словно бы уже из некоей запредельности. Она чувствовала его горячечное дыхание, слышала бессмысленный шепот: «Лодка-самолетка. Лодка-самолетка...» — а взгляд его летел к ней издалека. Чудилось, душа этого юноши уже покинула тело и лишь последний ее отблеск сверкает в глазах.

Ангелина поняла, что это последний взор жизни! Последнее биение ее!

Она со всех ног бросилась за санитарами. Уже через полчаса обмытый, с перевязанной грудью и бедром раненый, чей тихий бред так и не прекращался, был внесен в палату и уложен у окна.

Тяжелая ночь длилась долго, но Ангелина несколько раз улучала мгновение, подбегала к этому топчану и слышала все те же слова: «Лодка-самолетка. Лодка-самолетка...»

Яркая луна печально глядела в измученное лицо, высвечивая каждую его черточку. Ангелина прижала руку к горлу, где копились слезы. Не затем ли она положила этого незнакомца к окошку, чтобы еще раз поддаться лунному обману и хоть в воображении вновь увидеть то незабываемое лицо? Но это был другой, совсем другой человек. И все же Ангелина знала: ни за что не отдаст его смерти.

* * *

Всякое свободное мгновение она теперь проводила рядом с ним, слушая все то же тихое бормотание. Теперь Ангелина знала, что его «лодка-самолет ка» и впрямь имеет вид огромной ладьи с крыльями, плывшей по синим волнам небесного океана. По двадцать человек сидят вдоль бортов, управляя этими крыльями, а вместо паруса над лодкой под нят преогромный шар, наполненный горячим воздухом. И еще в бреду все чаще звучало название какой-то деревни — Воронцово — и два имени: Ростопчин и Леппих.

Ангелина не знала, кто такой Леппих и где находится Воронцово, однако фамилия всесильного московского губернатора заставила ее насторожиться. Это уже мало походило на безумный бред, и она решила завтра же привести в госпиталь деда, чтобы и он послушал эти странные слова, однако внезапно бред прекратился. Наступил кризис. Сутки раненый пролежал пластом, молча, смертельно бледный, и Ангелина то и дело подносила к его губам зеркальце, пытаясь уловить слабое дыхание.

Лежащие по соседству раненые поглядывали на нее участливо, шепча слова ободрения, и только черноглазый бородач, который никак не мог простить, что «этого губошлепа» положили на самое лучшее место, у окна, не стесняясь, выражал свою радость, что уж завтра-то он займет освободившийся «на воздушке, на солнушке» топчан.

Ангелина едва сдерживалась, чтобы не обрушить на его голову проклятия. Но вдруг забыла обо всем на свете: на ней остановился внимательный взгляд серо-голубых, на диво ясных глаз того самого раненого, которого она уже почти оплакала.

Он очнулся! Он вернулся из своего далека! И, вся во власти безмерного счастья, Ангелина схватила его за руку и пробормотала:

— Как тебя зовут?

Будто именно это сейчас было самым главным!

* * *

Его звали Меркурий. Позже, когда смерть и впрямь отступилась от него, Ангелина спросила, почему его назвали в честь римского бога и вестника богов. Он усмехнулся:

— Нет. Мой святой — мученик Меркурий Смоленский, воин. Слыхала о нем?

Ангелина пожала плечами, и тогда Меркурий поведал ей быль о русском ратнике, в одиночку побивавшем несчетные полчища татар, подступавших к Смоленску во времена достопамятные. После одной такой битвы Меркурий нес ночную стражу, но сморил его сон, и тогда подкрались к нему враги, навалились всем скопом и обезглавили. Татары не сомневались, что уж теперь-то путь на Смоленск им открыт. Но пока они упивались предвкушением победы, мертвый Меркурий встал и, держа в руках свою отрубленную голову, двинулся потайной тропою к городу. Он дошел до ворот, и голова его кровавым языком провещала тревогу, после чего Меркурий безжизненно рухнул наземь. Но защитники смоленские уже изготовились к обороне — и столь удачно отбили вражий натиск, что татары надолго забыли путь на Смоленск, где и погребены были святые мощи Меркурия-воина.

Ангелина с внутрснней дрожью выслушала эту странную историю и долго потом не могла смирить биения сердца. Во всем обликс Меркурия было для нее нечто неотразимо влекущее и вместе с тем отстраняющее — непостижимое сочетание, подобное блеску солнца на ледяной глади реки. И в его взгляде Ангелина тоже видела мучительное влечение к нсй как к женщине — и отрешенное спокойствие схимника, воспретившего себе всякую надежду на счастье.

И все же они сдружились. Меркурий даже поведал Ангелине тайну своего происхождения: молоденькая крестьянка в муках родила его у стен монастыря — и замерзла на ноябрьском морозе. Монахи подобрали дитя, окрестили его по имени святого мученика, коего поминали в тот день, и Меркурий вырос среди них готовым для монастырской жизни, однако два года назад — ему едва исполнилось семнадцать — скончался ключарь[1], брат Арсентий, и перед смертью признался, что именно он, тогда еще просто смиренный инок Арсентий, соблазнил красавицу Татьяну, а потом, убоявшись содеянного, бросил ее на произвол судьбы чреватою, так что монастырский приемыш Меркурий — чадо греха и его, Арсентия, сын.

Эта история потрясла юношу и отвратила его от монашеской стези. Он мечтал о страданиях для искупления греха, доставшегося ему по наследству, а потому, прибавив недостающие лета, пошел в рекруты взамен сына хозяйки дома, где как-то раз остановился на ночлег во время странствий. Началась война. Полк, где служил Меркурий, стоял под Москвою — об этой поре своей жизни он почти не упоминал, — потом спешно был двинут на фронт. В первом же сражении Меркурий, тяжело раненный, уже не сомневался в скорой своей кончине, но, очнувшись и увидев прямо перед собою синие девичьи глаза, исполненные тревоги, почувствовал, что Господь простил ему родительский грех и в знак этого послал своего ангела. Ангелина с первого взгляда растрогала его сердце, а узнав ее имя, Меркурий взглянул на нее с каким-то суеверным ужасом — и она вновь ощутила необъяснимую связь меж их душами и судьбами.

Впрочем, наяву в Меркурии не было ничего

[1] Духовное лицо, заведующее ризницею и церковной утварью.

мрачного: ну, ранен, ну, изнурен, а духом бодр, нравом покладист, приветлив, поддерживает излюбленные рассуждения старого князя Измайлова о том, что, слава богу, Кутузов в армии, продли Господь его жизнь и здравие, вместе с соседями он пел даже разудалую частушку про француза-супостата:

Летит гусь
На Святую Русь,
Русь, не трусь.
Это не гусь,
А вор — воробей!
Русь, не робей,
Бей, колоти
Один по девяти!

Чуть Меркурий пришел в сознание, он напрочь забыл о «лодке-самолетке», образ которой неотступно преследовал его в бреду.

Общение с ним было приятно не только Ангелине. Удостаивали его своим вниманием и сестры из офицерской палаты, особенно Нанси, и даже — что было всего поразительнее! — сама мадам Жизель.

* * *

Чем сильнее разгорался пожар войны, тем настороженнее становилось отношение к французам. Гостеприимного дома мадам теперь избегали прежние завсегдатаи, даже Ангелине было как-то неловко, днем ухаживая за русскими ранеными, проводить вечера с соплеменницею тех, кто вверг в страдания их — и всю Россию. И вот в один прекрасный день, одетая в простое холстиновое платье, с волосами, смиренно убранными под платок, мадам Жизель явилась перед княгиней Елизаветою с мольбою допустить ее до работы — пусть и самой черной! — в госпитале. Княгиня согласилась — более от изумления, нежели от восхищения таким порывом. Так ли, иначе — мадам Жизель оказалась в солдатской палате и довольно прилежно принялась за дело.

Раненые сперва дичились ее, да и она то и дело тянула носом из табакерки, не в силах скрыть брезгливость. Однако за несколько дней с ней произошла диковинная перемена: нарумяненная кокетка бесследно исчезла, а на смену ей явилась приветливая «матушка Жиз» — еще не старушка, но вполне почтенная, заботливая, приветливая женщина, которая умела успокоить самого расходившегося раненого своими песенками про пастушка Жана, или про Жаннет и белую козочку, или про разбитое сердце юного рыцаря... Песенки пелись то по-французски, то на каком-то вовсе непонятном языке, однако «матушка Жиз» весьма ловко перелагала их на русский, и эти баллады, и ее приятного тембра голосок успешно соперничали с разглядыванием множества лубочных картинок, на которых изображалось, как ополченцы Гвоздила и Долбила колошматили французов; надписи под картинками гласили: «Вот тебе, мусье, раз, а другой — бабушка даст!» Или: «Не дадимся в обман, не очнешься, басурман!» Песенки матушки нравились всем. Кроме Меркурия.

Юноша вызывал у мадам Жизель явную симпатию, но сам он питал к ней неприязнь, с трудом скрываемую лишь из вежливости. «Матушка Жиз» обожала выслушивать рассказы раненых об их воинских доблестях, но стоило ей подступиться с расспросами к Меркурию, как он замыкался в себе, а то и просто отворачивался к стене.

Как-то раз мадам Жизель пожаловалась Ангелине:

— Этот солдат слишком дик! Он видит во мне la espionne[1]. Но, ma foi, il voit le diable on n'existe pas![2]

Ангелина искренне любила мадам Жизель, но ей нетрудно было понять Меркурия, который не желал принимать помощь и говорить на одном языке с соотечественницей врага, опустошавшего его страну.

Возможно, осердясь на Меркурия, «матушка Жиз» сперва оставила свои расспросы, а потом, сказавшись больной, и вовсе исчезла из госпиталя. Раненые скучали по ее веселым песенкам; черноглазый бородач пенял Меркурию — мол, это его нелюдимость отпугнула ласковую матушку. Меркурий отмалчивался, сосредоточенно глядя в окно. Ангелине чудилось, что он разговаривает искренне только с нею. Лишь она знала о непрестанной внутренней борьбе, которая терзала Меркурия: христианин в нем не хотел ненавидеть врагов — однако Меркурию казалось, что ни в древней, ни в новой истории не сыщешь поступков, подобных действиям Наполеона против его Отечества. Он видел нищету, отчаяние, пожары, голод, все ужасы войны и с трепетом взирал на землю, на небо и на себя. Нет, он слишком болезненно воспринимал

---

[1] Шпионку (*фр.*).

[2] Клянусь честью, ему мерещится черт там, где его нет! (*фр.*)

раны, нанесенные России, чтобы вытерпеть здесь положенное для лечения время.

Ангелина знала, что Меркурий томился по ней, но никому не поверял своей тоски; ходил по ночам в саду один, пугая сонных птиц, а как-то раз она увидела свое имя вырезанным на коре березы. Но предрассудки света тиранствуют меж людьми, и как ни тянулись друг к другу молодой солдат и баронесса, они все же оставались теми, кем были.

Да и с Ангелиной сделалось нечто диковинное. Оставайся Меркурий распростертым на предсмертном одре, она, быть может, и полюбила бы его той нежной, заботливой, сестринской любовью, которая ему вовсе была не нужна. Однако видеть страсть в его взоре, слышать стук его сердца и дрожь голоса — нет, это почему-то вдруг стало ей немило. Два месяца войны изменили ее. Теперь некогда неуверенная, слабая девочка духовно окрепла, сердце ее исполнилось сурового, терпеливого спокойствия, и если она прежде мечтала только о внимании со стороны неведомого сильного существа — мужчины, то за время работы в госпитале она слишком много видела слабых мужчин, чтобы по-прежнему быть готовой подчинить всю себя их прихотям. Меркурий уж очень долго от нее зависел, чтобы она отважилась теперь зависеть от него. Суровое смирение было ей чуждо: вся ее натура выказала себя в тот жаркий полдень на волжском берегу! Тихое, ровное свечение самоотверженного сердца? Нет, только не это! Вот так и случилось, что Меркурий сделался ей как бы братом, хотя мог стать... Бог весть, кем мог бы он стать! Но судьба распорядилась иначе.

* * *

Как-то раз в госпитале появился незнакомец. Это был невысокий сухощавый капитан-артиллерист с суровыми чертами неулыбчивого лица и цепким взглядом. Никаких особенных знаков отличия и наград на его мундире не было, однако стоило ему присесть на топчан какого-нибудь раненого и сказать несколько слов своим тихим, скрипучим голосом, как тот, казалось, готов был вскочить и с беспрекословной готовностью исполнить всякое слово неведомого капитана.

Нанси Филиппова однажды попыталась сделать капитану выговор за то, что, дескать, тревожит он слабых и немощных, однако тот, взглянув на нее с видимой скукою, обронил, почти не разжимая губ:

— На войнс, мадам, каждый делает свое дело, и не след мешать исполнять мне мой долг!

Чудилось, незнакомец в одно мгновсние увидел Нанси насквозь: с ее ленью и брезгливостью, с ее сноровкой увиливать от тяжелой работы и умением «выставляться», коснувшись лба красивого выздоравливающего и обойдя невзрачного умирающего. Более того: Ангелине почудилось, что эти слова, взгляд капитана и ее тоже вмиг поставили на место. Кому жс сщс ходить за хворыми, как не ей? К тому же они утратили силы и здоровье, пытаясь остановить врага, тянувшего свои кровавые лапы ко всякому русскому человеку — стало быть, и к Ангелине тоже. Чем же ей особенно гордиться? Заноситься — с чего? Надобно делать свое дело и не мешать другим выполнять свое — правильно говорит капитан!

А он, переговорив с каждым обитателем офицерской палаты, перешел в солдатскую, и первый, кого увидел, был Меркурий.

Капитан изумленно смотрел на Меркурия, на лице которого, будто в зеркале, отразилось то же самое выражение.

— Муромцев, брат! Неужто ты?!

— Ваше благородие?! — И Меркурий принял стойку «смирно», а капитан бросился дружески хлопать его по плечу.

Капитан с Меркурием тихо обменивались короткими репликами, половину которых Ангелина не расслышала, поскольку занята была другим. Потому она только с пятого на десятое поняла, что еще в первые дни войны Меркурий служил под началом сего капитана Дружинина в том самом селе Воронцове, которое столь часто связывалось с его бредом о лодке-самолетке, немало там в службе своей преуспел, а оттого капитан рад-радешенек этой встрече и имеет на Меркурия некие виды. О сем речь велась, впрочем, очень и очень туманно, Ангелина только и сообразила, что дело требует великой секретности.

4

КОГО ИСКАЛА СМЕРТЬ?

В общем-то, ничего особенного в хождениях капитана Дружинина по госпиталю не было: просто-напросто в Нижний днями прибывал какой-то важный груз военного назначения, вверенный попечению капитана и требующий охраны. А поскольку людей, годных к службе, после отбытия на фронт нижегородского ополчения в городе сыскать было трудно, капитан и набирал команду среди выздоравливающих. Он и прежде знал служебные качества солдата Меркурия Муромцева — понятно, что и доверял ему более, чем прочим.

Теперь за Меркурием что ни день прибывала закрытая повозка — черная и весьма приметная своими малыми размерами и удобством. Принадлежала она военному ведомству, а потому всегда была запряжена сытыми бойкими лошадьми — правда, рыжей масти, столь нелюбимой князем Алексеем. Ангелина слышала от него с раннего детства: «Продай лошадь вороную, заботься о белой, сам езди на гнедой... но никогда не покупай и не запрягай рыжую лошадь!» Впрочем, и рыжие лошади послушно шли в упряжке, подчиняясь армейскому кучеру Зосиме с диковинным отчеством — Усфазанович, коего все называли просто Усатычем, для удобства произношения и по правде жизни, ибо он взрастил и взлелеял на своем маленьком худеньком личике такие усищи, что они составляли главную примету его тщедушного облика. Усатыч исправно отвозил Меркурия на окраину города, к Арзамасской заставе, где, обнесенный высоким забором, спешно строился огромный сарай, а в нем сооружались какие-то загадочные приспособления, за чем надзирал капитан Дружинин и в его отсутствие — Меркурий.

Ни к плотницкому, ни к строительному ремеслу Ангелинин подопечный не имел отношения. По простоте душевной она так прямо и спросила: неужто не сыскалось в Нижнем Новгороде более сведущего в сем деле человека, чем едва живой после раны солдат?! И была немало удивлена, когда всегда откровенный Меркурий вдруг начал что-то невнятное плести: мол, капитан верит только тем, кого знает по службе, — и при этом он отводил глаза, краснел... словом, вел себя так глупо, что Ангелина невольно задумалась над сутью происходящего.

Любопытство Ангелины разгорелось, однако не пытать же ей Меркурия! У чужих людей спрашивать не хотелось: мало ли какие секреты у капитана Дружинина, время все-таки военное. Тащиться просто так к Арзамасской заставе было неохота. Она дожидалась удобного случая — и дождалась!

Как-то раз вышла на крылечко после ночного дежурства, глядь — поздний август затянул небо серою завесою дождя, а измайловской кареты на месте нет. Ангелина, и пешком до дому пробежавши, ног бы не сбила и под дождиком не растаяла, однако, увидев знакомые усы и рыжих лошадей, она тут же прикинулась такой беспомощной и растерянной и так жалобно запричитала, что ей всенепременно нужно навестить болящую Зиновию Василькову, а как же быть, ежели нет ее кареты?! И Меркурию, который как раз в это время собирался ехать по обычному маршруту, ничего не оставалось, как подвезти Ангелину. Им было по пути: Зиновия Василькова жила в самом конце Покровской улицы, а это было совсем недалеко от Арзамасской заставы! Правда, еще предстояло уговорить Меркурия довезти ее до пресловутого строительства... Ну ничего, она придумает какой-нибудь предлог, как-то исхитрится!

Однако ломать голову над предлогом ей не пришлось. Чуть только съехала черная карета с госпитального двора и запрыгала по ухабистому переулку, как вдруг что-то резко треснуло сзади, карета накренилась и начала медленно, но неостановимо заваливаться набок.

— Что?.. — воскликнул Меркурий, но больше ничего не успел сказать.

С козел донеслись вопли Усатыча, испуганно ржали, бились кони, еще больше раскачивая карету. Меркурий попытался поддержать Ангелину, но тут опять что-то затрещало — и карета кубарем покатилась в обрыв.

* * *

Ангелина ни на миг не теряла сознания: все мысли и чувства словно бы съежились в ней, как съежилась и она сама, даже не пытаясь защитить себя от толчков и ударов, а просто подчинившись каждому броску обезумевшей кареты. А когда та замерла на дне оврага, замерла вместе с нею, недоверчиво прислушиваясь к окружающему — неужто все кончилось?!

У Ангелины кружилась голова, но даже страха не было, а только изумление: надо же, вокруг нее хаос, небо с землей поменялись местами, сиденья кареты оказались над головой, днище разошлось, и оттуда торчит зеленая листва, а внизу кто-то стонет. Понадобилось время, чтобы она поняла: это стонет Меркурий — и осознала весь ужас случившегося, но следом и порадовалась: если стонет — значит, жив!

В карете было темно, Ангелина ощупью стала искать Меркурия, но тут до нее долетел чей-то быстрый шепот:

— Le cocher est mort![1]

Говорили по-французски, и это поначалу так ошеломило Ангелину, что она даже не сразу осознала смысл фразы: кучер мертв... но кучер — это ведь Усатыч?!

Она в отчаянии заколотила кулаками в стенку кареты, и ей откликнулся тихий напряженный голос, почему-то показавшийся Ангелине знакомым:

— Bien. C'est lui! Le tirez! Vite![2]

В то же мгновение в стенку кареты, возле которой притулилась Ангелина, врезалось острие огромного ножа, потом щель с треском расширилась, и сквозь нее просунулись две руки, схватившие Ангелину — и тут же отпустившие ее, словно обжегшись. Раздался изумленный вопль:

— Une femme est là![3]

— Une femme?![4] — вновь раздался знакомый голос, и в зияющем отверстии возникло лицо, при виде которого Ангелина радостно воскликнула:

— Фабьен? Слава богу!

Слава богу, что он каким-то чудом очутился здесь!

---

[1] Кучер мертв! (*фр.*)

[2] Так. Это он! Вытаскивайте его! Быстро! (*фр.*)

[3] Там женщина! (*фр.*)

[4] Женщина?! (*фр.*)

Она враз обессилела от счастья близкого спасения, а вместе с тем на нее наконец обрушился страх от того, что свершилось. И когда Фабьен наконец вытащил ее наверх, она вцепилась в него и зашлась отчаянными рыданиями. Ангелина не помнила, кто и как поднимал карету, выносил Меркурия, уносил мертвого кучера, выпрягал переломавших ноги, жалобно стонущих лошадей, — она все рыдала, прижимаясь к Фабьену и думая только об одном: ах, кабы ее вечно обнимали эти теплые руки, вечно шептал бы слова утешения и любви этот ласковый голос!

* * *

Чуть не на полдня Ангелина отправилась в церковь, била поклоны, молилась, чтобы избавиться от всякой дряни, прилипшей к душе. Она вышла из храма, чувствуя себя гораздо легче, словно бы омылась в водах покаяния. Она прибежала в госпиталь, мечтая о завале работы, когда не то что грешным мыслям предаваться — дух перевести некогда, однако именно сейчас настало в палатах малое затишье, и ничто не отвлекало ее от воротившегося пагубного томления... кроме воспоминаний о пережитом ужасе, о голосах, подавших надежду, о том успокоении, что охватило ее в объятиях Фабьена...

Вот же лукавый как обводит! Все начинается сызнова!

* * *

В госпиталь не замедлил явиться капитан Дружинин: нахмуренный, с поджатыми губами. Так глянул на Ангелину, что она поняла: капитан едва сдерживается, чтобы не обвинить в случившемся ее глупое девичье любопытство — вроде как рыболовы-волгари, которые во всякой малости винят женщину, оказавшуюся на судне.

Однако вскоре выяснилось, что угрюмость господина Дружинина имеет и другое происхождение: почти в то же время, когда перевернулась карета, едва не погиб и он сам! Произошло сие случайно: шел капитан мимо складского двора неподалеку от заставы. На том дворе сверху бросали тюки да мешки. Обыкновенно при погрузке стеречь проходящих должен махальщик, а тот, верно, не пожелал мокнуть — сеял дождик — да и спрятался под навес. Капитан шел в задумчивости, и вдруг один тюк пролетел у его виска и бухнулся наземь, треснув по швам. Грузчики ахнули и завопили, откуда ни возьмись выскочил махальщик с криком: «Ну, господин, видно, Бог вас бережет!»

Что было делать Дружинину, как не дать махальщику в ухо со словами: «Ты, сукин сын, не тогда прохожего остерегай, когда ему мешок на голову упадет, а хоть за минуту до этого».

Словом, несчастливый выдался денек, что и говорить!

Спустя еще три дня Меркурий оправился настолько, что проявил желание отправиться на Арзамасскую заставу пешком — «чтобы не искушать судьбу». От Дружинина явился за ним сопровождающий солдат — и оба потопали потихоньку. Вечером воротился Меркурий смертельно усталый, но бодрый духом: им удалось сегодня сделать то, что прежде никак не удавалось. Однако тотчас усталость взяла верх, и он, чуть не со слезами прошептав: «По слухам, решено Москву сдать, не сегодня, так завтра!» — сонно поник головою.

Они с Ангелиною сидели на крыльце: была глубокая ночь, все спали в госпитале, поэтому юная баронесса не стала никого тревожить, а сама принесла Меркурию из кухни хлеба и кувшин молока.

От слов его Ангелина задрожала. Едва подавив готовое сорваться всхлипывание, она огляделась испуганными глазами, словно не веря, что вокруг нсс простирается тот же мир, что и минуту назад... мир, в котором русская столица будет отдана врагу!

— Ох, душа болит... — прошептал Меркурий, прижав руки к груди, словно пытаясь утишить эту боль. — Знаете, Ангелина Дмитриевна, вот у нас в полку... У каждого солдата была смертная рубаха: чистое исподнее, чтоб перед страшным боем облачиться. Как-то раз, под Смоленском, готовились мы в дело. Ну, думаю, если придет последний час, предстану перед Господом во всем чистом. Раскрыл свою котомку — а смертной рубахи моей нет. Потерял, думаю, или украл кто? И пошел в бой в том, что на мне было. Помню... схватились врукопашную... замахнулся француз штыком, а у меня нога подвернулась — я и упал. И мусью пронзил вместо меня другого нашего... Но я вскочил да положил ворога на месте, а потом склонился над тем, кто мой удар принял, рванул окровавленный ворот его мундира, чтобы помочь... А исподняя-то рубаха на нем — моя! С пятнышком приметным у ворота... Он ее взял и смерть мою принял на себя! Вот так же в тот день душа моя разрывалась и рыдала от боли!

Ангелина молча погладила его руку.

Ночь обнимала их: ясная, лунная; звездный дым струился в вышине. Громко трещали кузнечики, а издали доносилось упоенное лягушачье кваканье. Однако слышалась и настоящая музыка: она долетала с Печерской улицы, где было здание городского театра, построенное князем Николаем Григорьевичем Шаховским. И так вдруг нестерпимо стало Ангелине сидеть на крылечке, слушать шум берез, в котором словно бы еще раздавалось эхо слов Меркурия: «По слухам, решено Москву сдать... по слухам...» Она встала и, потянув за собою понурого Меркурия, побежала через двор, потом по кромке осклизлой дороги — прямиком к большому сараю из грубо тесанных бревен без обшивки: такой неказистый внешний вид имел городской театр. Впрочем, и внутри был он не больно-то уютен. Представление было уже в разгаре, даже служители не упустили случая поглядеть на сцену, потому что в очередной раз давали драму Крюковского из нижегородской жизни — «Пожарский».

Все в зрительном зале было погружено во тьму — только светились огоньки рампы да несколько фонарей горело в проходах, и в их неверном свете можно было рассмотреть два яруса лож, предназначенных семейным помещикам и богатым горожанам.

Внезапно Ангелина увидела князя Шаховского: он стоял, облокотясь на барьер ближней к сцене ложи, и о чем-то быстро говорил со зрителями, сидевшими там.

В ложе горел огонек, едва освещавший породистый профиль старика Шаховского. Рядом с ним востроглазая Ангелина разглядела знаменитого писателя Карамзина: он жил в доме нижегородского старожила Аверкиева близ Сретенской церкви. Ангелина до дыр зачитала карамзинские романы «Бедная Лиза» и «Наталья — боярская дочь», мечтала быть представленной Карамзину, но понимала, что это невозможно. Ее восторг перед ним усилился, когда ей передали новое изречение Карамзина: «Наполеон пришел тигром, а уйдет зайцем!»

По слухам, он писал здесь главы своего исторического труда, относящегося к Смутному времени 1611–1612 годов.

Тем временем на сцене князь Димитрий, воздев руку, обратился к «ополчению»: «То чувство пылкое, творящее героя, покажем скоро мы на поле боя!» — и Карамзин первым закричал: «Браво!» — а зал разразился рукоплесканиями.

Стоявший рядом с Ангелиной Меркурий прерывисто вздохнул, и, покосившись, она увидела, что лицо его исполнено той же печали, которая тяжелым камнем лежала на сердце Ангелины.

— Они ведь ничего не знают, — пробормотала она, закрыв лицо ладонями. — Они еще ничего не слышали про Москву!

Ей было так тяжело, словно все горе отступающей, побеждаемой России лежало сейчас на ее плечах и пригибало к земле. У Ангелины подкашивались ноги, и она с облегчением повисла на руке Меркурия, когда тот осторожно повлек ее вперед:

— Пойдемте. Вы едва стоите. Я отведу вас домой.

Ангелине стало стыдно. Мысль о привычных хлопотах заставила ее встрепенуться:

— Нет, пошли скорее. Тебе надо лечь, отдохнуть хорошенько. Завтра небось Дружинин опять придет за тобою?

— Завтра? Ох, завтра... я и забыл совсем! — воскликнул Меркурий. — Завтра ведь ее уже привезут!

— Кого? — равнодушно спросила Ангелина. Но она запнулась, когда Меркурий шепнул горячечным, задыхающимся шепотом:

— Самолетную лодку!

В первую минуту Ангелина невольно потянулась ладонью ко лбу Меркурия: не жар ли у него?

Но Меркурий раздраженно отбросил ее руку и пошел к госпиталю, да так споро, что Ангелина едва поспевала за ним. Войдя во двор, Меркурий неожиданно обогнул крыльцо и, даже не простившись, зашагал куда-то в сторону.

— Ты куда?! — испуганно вскрикнула Ангелина, уверившись, что у Меркурия в голове помутилось, но тут же сообразила, что обидевшийся Муромцев просто-напросто идет к окну, под которым стоит его топчан, не желая пробираться через спящую палату.

Луна стояла в вышине, и Ангелине было хорошо видно, как Меркурий подтянулся к подоконнику, занес ногу, чтобы перебраться через него, но вдруг замер, словно пораженный неожиданным ударом, — и медленно сполз обратно во двор, свалился под окном на траву. Ангелина подбежала, упала рядом на колени и разобрала тихий шепот:

— Убили... убили меня!

Она не закричала только потому, что голос у нее пропал. Приникла к Меркурию, зашарила руками по его плечам, груди, отыскивая кровавую рану, потом сжала ладонями побледневшее лицо с закатившимися глазами.

— Что? Что?! — вымолвила сквозь рыдания.

Меркурий с трудом поднял веки, едва шевельнул губами:

— Он там лежит... там... — И опять бесчувственно поник.

Еще раз ощупав Меркурия и убедившись, что он не ранен, Ангелина решилась заглянуть в окно.

Она увидела, к своему изумлению, что на топчане Меркурия лежит какой-то человек и, чудится, крепко спит. В лунном свете она без труда узнала чернобородого ругателя, и вдруг тускло проблеснуло лезвие ножа, вонзенного в его горло...

Ангелина мешком свалилась во двор, припала к Меркурию, вся дрожа. Кровь бухала в ушах, но какое-то неведомое чувство вдруг подсказало ей: нет, это не сердце колотится, а раздаются чьи-то шаги — крадущиеся, почти беззвучные... оглушительные!

Она безотчетно пошарила вокруг, ища орудие защиты, хоть палку, хоть ветку, и не поверила ушам, услышав знакомый голос:

— Барышня! Где вы, отзовитесь! Князь меня за

вами послал, я уж все глаза проглядел! Домой извольте ехать, барышня!

Господи милостивый, да ведь это не тать нощной, душегубец — это Филя, их кучер!

Ангелина враз обрела силы, окликнула его, велела помогать — поднять Меркурия, отвести его в коляску, да скорее, да тише!

Ее не оставляло ощущение злобного, недоброго глаза, вперившегося в спину, — и она перевела дух, лишь когда кони зацокали копытами по мощеному двору измайловского дома и в окне показался со свечой в руке князь Алексей, ворчливо окликнув:

— Куда это ты запропала, Ангелина?!

От звука родного голоса она чуть не закричала, желая скорее сообщить о случившемся, как вдруг прихлопнула рот руками, пораженная догадкой, будто молнией: ведь чернобородый, воспользовавшись отсутствием Меркурия, постарался-таки заполучить топчан, который давно привлекал его завистливую душу, но заодно получил и участь, уготованную Муромцеву... В точности как тот человек, что надел перед боем его смертную рубаху.

5

ЛЮБОВНОЕ СВИДАНИЕ В УКРОМНОМ УГОЛКЕ

Самые страшные слухи подтвердились: после кровопролитного сражения на Бородинском поле Наполеон вошел в Москву.

Смятение в умах царило неописуемое. Люди отказывались верить очевидному, предполагая в этом распространяемые французами измышления.

Всех изумляли причины, побудившие Кутузова дать бой при Бородине, хотя русское войско было гораздо слабее неприятельского и потому не могло надеяться на победу. Однако невозможно ведь было отступать долее! Кутузов желал воротить армии веру в себя, уже подорванную после бесчисленных позиционных маневров прежнего главнокомандующего.

По скупым сведениям, распространившимся в обществе, задача Кутузова состояла в том, чтобы подействовать на настроение обеих армий и умов в Европе (несокрушимый Наполеон изранен, изнемогает, обливается кровью!), — но так или иначе, а сдача Москвы была предрешена.

Все так, все логично и постижимо умом... но непостижимо сердцем. Древняя Москва для русских не просто город, но мать, которая их кормила, тешила и обогащала, а блестящий, нарядный Петербург значил почти то же, что все другие города в государстве.

По рассказам очевидцев, несколько недель зарево пылающего града освещало темные осенние ночи, а окрестности могли бы послужить живописцу образцом для изображения бегства библейского! Ежедневно тысячи карет и телег выезжали во все заставы и направлялись одни в Рязань, другие в Ярославль, третьи в Нижний Новгород, и вслед за прибытием новых и новых беженцев спокойствие окончательно покидало провинцию. Всяк ощущал одно: мы живем, не ведая, что ждет впереди, не смея даже задумываться о будущем, ибо, если Господь не сжалится над Россией и не пошлет ей свою помощь, такое понятие, как «будущее», исчезнет и для нее, и для ее обитателей.

Князь Алексей называл уныние грехом и приказывал своим домочадцам не грешить, приводя многочисленные примеры из древней истории и из жизни собственной и своей княгини. Ангелина и рада бы не унывать, но, как ни вооружайся храбростью, а, слыша с утра до вечера лишь о погибели да о разорении, невозможно же не принимать к сердцу всего, что слышишь!

Да еще эта страшная история с Меркурием... Его самого чуть было не заподозрили в убийстве чернобородого, немалые досады ему чинившего! Да спасибо Ангелина защитила его правдивым свидетельством, что весь вечер и начало ночи Меркурий был под ее приглядом. Вдобавок обнаружилось, что сбежал из госпиталя санитар Михайло. Теперь кто-то припомнил даже, будто он был некогда кучером, да, попав однажды во власть белой горячки, едва не зарезал обоих своих седоков ножом, насилу, мол, его умилостивили. Припомнили, что сей Михайло с бородачом нередко лаялся — вот, верно, и не стерпело у него ретивое, разум его помрачился: зарезал он обидчика, да и ушел бог весть куда.

Однако никак не могла Ангелина себя убедить, что все так и есть, что не покушался некий злодей именно на Меркурия!

Зачем? Какая такая важная птица этот монастырский приемыш? Кому столь нужна его жизнь — вернее, его смерть? Не знала Ангелина, а все ж вещая женская душа покоя не находила. Черные мысли терзали ее, а поделиться было не с кем: старый князь с княгинею не верили, что кто-то решился бы причинить зло тишайшему Меркурию, а самого его в доме Измайловых уже не было. Сразу после странной той ночи приехал за ним Дружинин и увез его на Арзамасскую заставу, куда уже прибыли сто тридцать тяжело груженных подвод в сопровождении многочисленного конвоя. Востроглазые зеваки успели увидеть, как усталые солдаты переносили во двор какие-то шары, странные сооружения из стальных прутьев, рулоны тафты и множество вовсе непонятных вещей, причем руководил ими не только капитан Дружинин, но и Меркурий. Более он к Измайловым не возвращался, только передал Ангелине с оказией, на словах, свой сердечный привет и просьбу — о нем более не тревожиться.

Легко сказать!

Ангелина обиделась. Она одна, можно сказать, спасла Меркурия от смерти, выходила его, утешала после того ночного кошмара — и вот он отвернулся от нее, как от ненужной вещи, и ушел заниматься своими таинственными делами.

Меркурий в ее глазах стал еще одним мужчиною, который получил от нее все, что хотел, — и бросил ее. Никита Аргамаков взял ее тело, ее страсть. Меркурий — ее дружбу и привязанность. Оба взяли ее как могли — и бросили. Отшвырнули!

И в том состоянии глубочайшего оскорбления,

в коем пребывала Ангелина, для нее благотворным елеем явилось приглашение Фабьена пожаловать к ним в дом, на бал, даваемый в честь его именин.

* * *

Впрочем, надо отдать Ангелине справедливость: чуть только оскорбленное тщеславие ее было удовлетворено, она осознала всю щекотливость своего положения.

Мало что идет война! Армия разбита, враг в Москве. И сейчас идти плясать под веселую музыку в доме соотечественников Наполеоновых? Как бы радоваться вместе с ними страшному поражению России?! Вежливый отказ Ангелина написала сама, даже не сочтя нужным обременять деда с бабушкою, однако отослать свое письмо не успела: в доме Измайловых объявилась нежданная гостья — маркиза д'Антраге.

Она была все такая же: таинственная и очаровательная. Засвидетельствовав свое почтение Измайловым и преодолев первую натянутость, познакомилась со своей заочной протеже — Ангелиною — и передала несколько комплиментов от мадам Жизель уму, красоте и нраву молодой баронессы. Ангелине было приятно, хотя и стеснительно. Тактичная маркиза сменила тему и принялась рассказывать о путешествии по России, которое предприняла в разгар войны знаменитая французская писательница мадам де Сталь.

— Насколько мне известно, ее болтливость отчасти стала причиною поимки королевской семьи в Варенне?[1] — сухо произнесла княгиня Елизавета.

— Mon Dieu![2] — в ужасе вскинулась маркиза. — Это нонсенс! Слишком многие были осведомлены о плане бегства королевской семьи. Может быть, госпожа де Сталь и проболталась кое-кому об этом в Национальном собрании... Но это не помешало королевской семье ускользнуть из Тюильри! Впрочем, о том вам известно лучше, чем мне! — тонко улыбнулась маркиза, и Елизавета не могла не улыбнуться с гордостью в ответ, ибо среди тех, кто, рискуя жизнью, пытался спасти королей-мучеников, была ее дочь баронесса Корф.

Ангелина скромно сидела в уголке, слушала с интересом и думала, что, пожалуй, она прежде ошибалась, составив о госпоже де Сталь невысокое мнение из-за двух ее романов. Коринна[3] казалась Ангелине сумасшедшей, безнравственной особою, место которой — в доме умалишенных за ее бегание по Европе в намерении отыскать своего дурака Освальда. Дельфина была и того хуже.

Непонятно почему маркиза с таким восторгом говорит о даме, пишущей столь неприятные вещи. И все-таки Ангелина не могла понять, зачем появилась маркиза и к чему клонит. И вдруг все разъяснилось.

---

[1] Речь идет о попытке Людовика XVI и Марии-Антуанетты бежать из охваченной революцией Франции в июне 1791 г. Королевская карета была перехвачена в местечке Варенн, король и королева с позором возвращены в Париж.

[2] Бог мой! (*фр.*)

[3] Героиня одноименного романа де Сталь.

— Мадам де Сталь поражена великодушием русских, — сказала маркиза, глядя на хозяев дома с каким-то странным, почти умоляющим выражением. — Она говорила на языке врагов, опустошающих вашу страну, однако говорила о своей ненависти к монстру Бонапарту — и ее в гостиных Петербурга принимали как родственную душу. Ах, мне известно, сколь сурово обошелся с моими соотечественниками граф Ростопчин, но это случай особенный и тем более оскорбительный, что французы, нашедшие убежище в России, и впрямь почитают ее своей родиной, готовы жизнь за нее отдать!

Князь и княгиня вежливо согласились, что всех мерить на один аршин негоже, вот взять хотя бы графиню де Лоран, которая столько сил положила в госпитале: там до сих пор добром ее вспоминают...

— О, как вы бесконечно добры! — перебила маркиза д'Антраге, и в ее глазах проблеснули слезы. — Так, значит, я могу сказать моей кузине, что вы принимаете ее приглашение быть на балу в честь именин Фабьена?

Измайловы откровенно опешили. Одно дело — признавать несомненные достоинства мадам Жизель, и совсем иное — плясать на балу в ее доме в тяжкую годину войны с французами!

А маркиза, вмиг почуяв их замешательство, тут же перешла в наступление:

— Я прошу вас... умоляю не отказать, поддержать нас всех! Прошу вас быть на балу во имя милосердия, во имя исполнения клятвы Марии, наконец!

— Клятвы Марии? — вскинула брови Елизавета. — О чем вы?

— Однажды ваша дочь дала мне слово исполнить всякую мою просьбу. Это было более двадцати лет назад, но ни разу я не напоминала о том обещании... напоминаю только сейчас!

Елизавета невольно потупилась. Как ни много рассказывала ей дочь о своей жизни во Франции, в этих откровениях оставалось еще много темного, неясного. Кто знает, чем была некогда Мария обязана этой загадочной маркизе, какую клятву могла ей дать!

— Будь по-вашему, — сказала Елизавета. — Мы примем приглашение!

Если князь и хотел поспорить с женою, то не успел: маркиза набросилась на них с такими бурными изъявлениями благодарности, так ловко перевела беседу в иное русло, поведав о своем намерении уже скоро быть в Лондоне, увидеть Марию, что Измайловы думали теперь только о дочери и о том, какие слова привета передаст ей от них маркиза.

Ангелина тоже чувствовала облегчение, что не придется наносить тяжкую обиду мадам Жизель и Фабьену, однако ее не оставляло ощущение, что маркиза д'Антраге достаточно ловко обвела их всех вокруг пальца... А зачем ей это понадобилось — бог весть.

* * *

Непонятно какие причины побудили многих именитых нижегородцев принять приглашение графини де Лоран, однако собрание в ее доме оказалось весьма оживленным, но почтенных лиц явилось весьма мало: все больше молодежь, как если бы все родовитые горожане откупились сыновьями и дочерьми, подобно Измайловым, которые не нашли в себе сил быть у француженки, однако Ангелину отпустили беспрекословно.

Танцы следовали один за другим беспрерывно. Все танцевали как ошалелые — чему во многом способствовало шампанское, щедро разносимое лакеями.

Фабьен сбился с ног, пытаясь оказать равное внимание всем дамам, но чаще прочих танцевал все-таки с Ангелиной. Все нежнее от танца к танцу сияли его глаза, крепче сжимали ее талию его руки. Его возбуждение росло, и, оказавшись прижатой к нему в сумятице котильона, Ангелина ощутила бедром его напрягшуюся плоть.

Она испуганно уставилась в темные глаза Фабьена, и в них вдруг вспыхнул такой пожар, что Ангелина опешила. По его лицу прошла судорога с трудом сдерживаемого желания, и хриплый шепот: «Je vous aime! Je vous desire!»[1] — поверг Ангелину в полное смятение. Казалось ей, все увидели, что творится с Фабьеном, все услышали его слова. На балу столько девиц, но только к ней, Ангелине, он осмелился обратиться так непристойно. Опять она опозорилась, опять оказалась хуже всех!

Едва сдерживая слезы стыда, Ангелина вырвалась из рук Фабьена и ринулась прочь.

Какое-то время Ангелина стояла в углу, силясь

[1] Я вас люблю! Я вас хочу! (*фр.*)

отдышаться, тупо глядя на толпу танцующих и слушая болтовню молодых людей.

Какой-то франт захлебывался от наслаждения, перечисляя прелести парижской жизни, и в глазах его светился фанатичный пламень. Так же сияли только что глаза Фабьена, однако это был свет любви, свет страсти. На балу столько девиц, но только Ангелине, ей одной открыл он свое сердце, она одна смогла взволновать его! Почему же она так испугалась?

Приподнявшись на цыпочки, она вглядывалась поверх голов, пытаясь отыскать Фабьена, и наконец увидела, как он торопливо уходит через дверь, ведущую, как было известно Ангелине, в личные покои хозяйки.

Движимая желанием догнать Фабьена и попросить у него прощения, Ангелина кинулась через зал, пробираясь меж прыгающими парами, провожаемая удивленными взглядами, и вот перед ней протянулся темный коридор. Ангелина замедлила шаги, пытаясь сообразить, где сейчас может быть Фабьен.

Ни одна портьера не шевелилась, ни одна дверь не скрипела. Слабый свет просачивался из бокового окна, и, мельком взглянув в него, Ангелина увидела трех рослых баб в платках и широких юбках, с узлами в руках, которые торопливо пересекли двор и поднялись по черной лестнице. Может быть, это прачки, принесшие белье, или поденщицы, нанятые убрать после бала? Такие-то крепкие да высокие бабы любую работу потянут!

Вдали по коридору зашаркали шаги, и сгорбленный слуга, отворив дверь, впустил теток с узлами, а потом провел их в какую-то комнату и удалился прочь.

Найти Фабьена уже не казалось Ангелине таким важным, воротился прежний холодноватый ужас перед внезапной вспышкой его страсти, и она повернулась, чтобы поскорее вернуться в зал, как вдруг новое движение во дворе привлекло ее внимание.

Медленно отворилась низенькая калиточка, и сквозь нее проскользнула во двор высокая худощавая фигура. Это был парень, одетый во все поношенное, в затрапезном картузе, надвинутом на глаза. Продравшись сквозь колючие ветки смородиновых кустов, он осторожно двинулся вдоль забора, не страшась даже высокой крапивы. Ангелина не сразу сообразила, что он намерен пробраться в дом тайком.

Да это какой-то воришка норовит воспользоваться бальной суматохой и поживиться! И направляется он к заднему крыльцу, а лакей, впустив баб с узлами, не запер дверей!

Ангелина бесшумно побежала по коридору, надеясь успеть опустить засов прежде, чем вор войдет в дом, как вдруг слуха ее достигли два слова, которые, как никакие другие в мире, способны были вышибить из ее головы все прочие заботы: «Лодка-самолетка».

* * *

— Эту летательную машину, это чудо человеческого гения русские называют «лодка-самолетка».

Говорили по-французски, однако последние слова произнесены были по-русски, с акцентом, но вполне разборчиво! Ангелина так и припала к дверям.

— Вы ее видели? — спросил другой мужской голос.

— Мне удалось увидеть сие великое изобретение еще в Воронцове. Я случайно встретил в Москве Франца Леппиха и стал наводить справки. Выяснил, что он называет себя доктором Шмидтом и живет под Москвою, где возглавляет фабрику земледельческих орудий. Ну а в Москве Шмидт будто бы появился, чтобы забрать свой заказ с фабрики Кирьякова: пять тысяч аршин тафты.

— Что? — засмеялся женский голос, по которому Ангелина без труда узнала маркизу д'Антраге. — Пять тысяч аршин тафты для сельскохозяйственных орудий?! Плуги под парусом? Нонсенс!

— Вы столь же умны, сколь очаровательны, сударыня, — ответил тот же мужской голос. — Эта нелепость поразила и меня. Я не мог забыть того разговора Леппиха с императором, при коем присутствовал: изобретатель уверял, что для воздушного шара ему необходимы именно пять тысяч аршин тафты.

«С императором? — глухо стукнуло сердце Ангелины. — О Господи Всеблагий, да уж не с Наполеоном ли Бонапартом?! Но каким образом здесь мог очутиться человек, который накоротке с этим супостатом?!»

— Словом, я ринулся в Воронцово, — продолжал рассказчик, и Ангелина вся обратилась в слух. — Никакой фабрики земледельческих орудий там, разумеется, не было. Мне удалось дознаться, что здесь находится секретная фабрика для изготовления новоизобретенных пушечных снарядов, и ее охранял сначала полицейский унтер-офицер с шестью солдатами, а потом стража была многажды усилена.

— Даже и эти сведения, месье Ламираль, могли быть бесконечно полезны императору, — сказала маркиза. — Вы же совершили истинное чудо!

— Да уж, — поддакнул новый мужской голос: пронзительный, неприятный. — Не будь я Пьер де Сен-Венсан! Услышав имя Леппиха, император сначала не мог сдержать усмешки. «Что? Сумасшедший немец Франц Леппих? — воскликнул он. — Безумец, получивший в британских войсках чин капитана? Он хочет завоевать мир, но для этого, пожалуй, надо быть только капралом![1] Он и мне досаждал своими бреднями, да я выгнал его. Леппих переметнулся в Германию и обратился к русскому посланнику при штутгартском дворе, предложив свои услуги России. Неужели Александр клюнул на эту приманку?!» Такова была первая реакция императора, но ваше новое донесение повергло его в шок.

— Да, Леппих оказался человеком, устремленным к воплощению своих химерических замыслов. Его увлеченностью двигался сей проект и трудолюбием русских, следует отдать им должное! Когда мне удалось добыть копию описания «Леппихова

---

[1] Наполеон сам начинал с этого звания, его так всю жизнь и называли в шутку — «маленький капрал».

детища», как называл его Ростопчин в секретном письме государю, я был вне себя от бешенства. Как мог император оказаться таким недальновидным!

Маркиза д'Антраге осуждающе вскрикнула, а чей-то тяжелый голос, еще не слышанный Ангелиной, произнес с угрозою:

— Придержите язык, Ламираль! Порочить великое имя я вам не позволю!

— Не позволите? — истерично выкрикнул тот. — Да кто вы такой, Моршан? Грязный доносчик, шпион! Вы не давали хода моей информации, зная, что император не сможет оставить ее без внимания, а значит, обратит благосклонный взор на меня. Это было вам нестерпимо! Будь ваша воля, император и по нынешний день не узнал бы о новом оружии, пока зажигательные снаряды с летательной машины Леппиха не посыпались бы на Париж!

— Все это сказки! Сказки русских старух! — запальчиво пробурчал Моршан.

Какое-то мгновение царила тишина, потом маркиза холодно произнесла:

— Не будьте идиотом, Моршан!

— Сударыня! — рыкнул тот. — Благодарите Господа, что вы принадлежите к слабому полу...

Он не договорил — его перебил Ламираль:

— Роскошный помещичий дом в селе Воронцове был превращен в мастерские. Перед окнами висела раззолоченная гондола и расписные крылья. Я видел это. Видел, как осторожно наполняли горячим воздухом огромный шар. Движением крыльев его можно было направлять во всякую сторону. Летательная машина могла поднять до сорока человек и ящики с разрывными снарядами...[1]

Ламираль говорил еще что-то, но Ангелина уже не слышала.

Так, значит, Меркурий не бредил! И загадочный груз, доставленный несколько дней назад на сотне подвод, не что иное, как чудесная летательная машина. Все эти снаряды, сброшенные с высоты на неприятельскую армию, могли произвести в ней страшное опустошение! Неудивительно, что француз говорит об этом так встревоженно!

Ангелина вдруг поняла, что бородача убили вместо Меркурия, теперь она в этом не сомневалась! И на капитана покушались, потому что он тоже был связан с «лодкой-самолеткой». А опрокинувшаяся карета? Меркурия вон еще когда хотели убить, и не окажись поблизости Фабьена, кто знает, какая участь ждала бы и Меркурия, и саму Ангелину. Фабьен...

Это имя вернуло Ангелине способность связно мыслить. Как могло статься, что в доме, известном своими прорусскими настроениями, какие-то люди (и в их числе подруга ее матери!) упоминают Наполеона не с осуждением, а с восхищением, запросто обсуждают военные тайны русских? Кто они?

---

[1] Попытка сооружения в 1812 г. в подмосковном селе Воронцове летательного аппарата по проекту Франца Леппиха, а после сдачи Москвы эвакуация аэростата в Нижний Новгород — исторический факт (см.: Родных А. История воздухоплавания и летания в России).

Чуть раздвинув портьеру, Ангелина ухитрилась заглянуть в комнату. Она увидела маркизу д'Антраге, а еще трех тех самых рослых баб, которых несколько минут назад впустил сюда лакей, в вольных позах рассевшихся по креслам и говорящих мужскими голосами!

— Не могу больше! — пророкотала басом одна из «баб», сдирая с головы платок. — Я умираю от жары!

Узнав по голосу Моршана, Ангелина сунулась вперед, чтобы получше разглядеть его лицо, но нечаянно наступила на портьеру, споткнулась... И представила, как она сейчас ввалится в эту комнату... И пока она балансировала, ослепленная этим ужасным видением, чьи-то руки вдруг вцепились в ее плечи и так дернули, что Ангелина резко развернулась и оказалась плотно притиснутой к чему-то твердому и теплому, а ее готовый закричать рот был зажат чем-то горячим.

Целая вечность прошла, прежде чем Ангелина поняла: она прижата к мужскому телу, а к ее рту — мужские губы.

* * *

Из этого плена Ангелина не могла высвободиться. Сознание ее то гасло, то прояснялось, и во время этих просветлений она понимала, что, не разжимая объятий, не прерывая поцелуя, ее ведут, подталкивают куда-то, и она подчиняется незнакомцу не только потому, что нет сил сопротивляться. Она мечтала умереть в этих объятиях, она боялась только одного, что ноги подогнутся — и ей волей-неволей придется оторваться от этих губ, перестать вдыхать дикий, чуть горьковатый и пряный запах этого тела — запах ветра, травы, леса — запах страсти!

Безвольно отступая, Ангелина на что-то наткнулась, и в тот же миг сильные руки приподняли ее и посадили.

И снова она не испугалась — страх был заглушен безумной жаждой наслаждения. Она вся была одно сплошное желание, мужское вторжение в себя она ощутила как благодать, и исторгли ее губы только стон блаженства, слившийся со стоном услаждавшего ее человека.

Ангелина не открывала глаз. Она сделалась жертвой предательства своей изголодавшейся плоти, но любила сейчас не какого-то незнакомца — она снова была на волжском берегу с тем сероглазым безумцем.

Блаженная судорога внезапно опоясала ее предвестием близкого восторга. И в этот миг Ангелина ощутила, что его руки уже касаются ее висков, легонько, но настойчиво трогают веки. Он ничего не говорил, но эти прикосновения как бы принуждали: «Открой глаза. Открой!»

Она изо всех сил зажмурилась, давая понять, что ни за что не подчинится, и тут же с ужасом ощутила, что он прекратил свои сводящие с ума удары и выходит из нее!

Испуганно вцепившись ногтями в его бедра, Ангелина послушно открыла глаза — и забилась в ошеломляющих содроганиях, ощущая внутри себя огненную реку, в которую слились два устремленных навстречу, наконец-то извергшихся потока страсти. Это был призрак или явь — Ангелина не знала, однако ее обнимал сейчас Никита!

Впрочем, она не удивилась. Ведь это и мог быть только он!

И вдруг все разом кончилось. Пронзительный женский крик прорезал тишину, и Ангелина почувствовала, как неведомая сила оторвала от нее Никиту, а вместо его просветленного любовью лица над нею склонилось искаженное злобой лицо Фабьена.

Крики, удары, звон разбитого стекла, топот ног... Ангелина лишилась чувств и не знала, что было дальше.

6

СТЕКЛЯННАЯ СТЕНА

— Почему вы не звали на помощь? — в исступлении твердил Фабьен. — Почему не звали?!

Мадам Жизель молчала, нервно покусывая губы. Но пристальный немигающий взор ее был испытующе устремлен на Ангелину, и та вдруг впервые заметила, как ошеломляюще похожи глаза мадам Жизель и маркизы д'Антраге. Воспоминание о маркизе было таким мучительным, что Ангелина вскинулась:

— В вашем доме заговорщики! Они говорили о летательной машине Леппиха! Я слышала, видела... Там еще была маркиза!

Мадам Жизель нахмурилась:

— Чепуха. Маркиза еще вчера отбыла в Санкт-Петербург.

— Я видела маркизу, говорю вам! — кричала Ангелина. — С ней были три долговязые бабы... их звали Сен-Венсан, Ламираль и Моршан. Я помню: Моршан рыжий, у него такой тяжелый голос, будто чугунный.

Мадам Жизель взглянула на нее, вскинув брови.

— Вы бредите, Анжель! — прошептала она непослушными губами. — Три бабы — или мужчины?! Это от потрясения... Вас изнасиловали, у вас жар, горячка. О Mon Dieu, и это случилось в моем доме?!

Ангелина заморгала. Ее изнасиловали? Нет! Она оправила на себе смятое платье. Счастье, что она надела этот синий шелк! Легчайшая дымка ее летних бальных платьев была бы изорвана нетерпеливыми руками Никиты. А они? Заметили они его?

— Кто это был? — шепнула она осторожно. — Вы видели?

— Какой-то мерзкий ремесленник, — с ненавистью ответил Фабьен. — Грязный, оборванный... Как он пробрался в дом — не знаю. Верно, что-то хотел украсть!

Ангелина на миг перестала дышать.

Ремесленник, вор — не тот ли самый, кого она видела через окошко?

Ох, боже ты мой, ей все привиделось! Это был не Никита!

Ангелина залилась слезами, и при виде ее отчаяния Фабьен вовсе потерял голову:

— Проклятый вор! Воспользовался суматохой бала, прокрался в дом, чтобы ограбить... И ограбил-таки, похитил невинность той, которую я люблю!

Он яростно рванул шелковую скатерть со стола, на котором совсем недавно «проклятый вор» так грубо обладал невинной Анжель, и вдруг перехватил взгляд матери, устремленный на эту смятую скатерть, где, кроме пятен пролившегося семени, не было больше ничего... никаких следов похищенной невинности.

И Ангелина, изумленная страстным признанием Фабьена, тоже поймала взгляды матери и сына — и похолодела: ее тайна открыта!

— Так, так, — проговорила мадам Жизель. — Похоже, отстирать эту скатерть будет куда легче, чем мне казалось!

— Да, — растерянно кивнула Ангелина, от страха не понимая, что говорит. — Наверное... Я очень рада...

— Рада? — мадам Жизель тихонько рассмеялась. — Ты слышал, Фабьен? Наша humble violette[1] очень рада! Он доставил тебе удовольствие, этот мужик? И кричала ты от страсти, а не от страха, верно?

Ангелина отшатнулась от грубости последней фразы, от враз изменившегося, словно постаревшего лица мадам Жизель.

— Maman, — осторожно вмешался Фабьен, — сейчас не время...

— Вот как? — дернула плечами графиня. — От-

[1] Скромная фиалка (*фр.*).

чего же? Самое время! Ты уже давно должен был залезть к ней под юбку, а не ждать, пока это сделает дохляк Меркурий!

— Меркурий?! — взвизгнула Ангелина. — Да вы с ума сошли?!

— Что, не он был первым? — искривила накрашенный рот мадам Жизель. — А кто? Капитан Дружинин? Или еще раньше, в Любавине? Держу пари: пока твоя бабка жаловалась мне на твою замороженную натуру, ты валялась на сене или на песке с первым попавшимся гусаром!

Ангелина открыла было рот, но захлебнулась своим возмущением. А что возмущаться-то? Графиня хоть и груба, да почти во всем права. Даже про гусара угадала. Но что ей до Ангелининой утраченной невинности? Или впрямь имел на нее серьезные виды Фабьен?

— Да вы же сами, maman, — с болью выкрикнул Фабьен, — наказывали мне быть осторожней с Ангелиною, мол, она дочь своей матери, от нее всякого можно ожидать!

— Она-то дочь своей матери, а ты словно бы и не сын своего отца! — запальчиво возразила мадам Жизель. — Ты разрушил все мои планы своим надуманным благородством! Счастье, что твой отец так и не узнал, какой тряпкой оказался его отпрыск!

Фабьен побагровел и так решительно шагнул к матери, что Ангелине показалось, будто он сейчас ударит ее. Однако графиня не отшатнулась, а только рассмеялась, подбоченясь:

— Неужели? В кои-то веки ты решил со мной

поспорить? Желаешь поступить как мужчина и наследник своего достойного отца?

— А также вашего достойнейшего брата! — словно безумный выкрикнул Фабьен. — Вы упрекаете меня в слабости нрава и робости, но дети, родившиеся от кровосмесительной связи, не отличаются силою духа!

— Придержи язык! — закричала мадам Жизель. — Будь ты проклят, если скажешь еще хоть слово!

Ангелина в жизни не слышала таких страшных, непонятных слов... вдобавок она не знала ничего о кровосмесительных связях. А лицо мадам Жизель испугало ее более всего. Белила, румяна, сурьма, прежде казавшиеся наложенными столь естественно, теперь делали ее похожей на грубо размалеванную куклу. И когда мадам Жизель уставилась на нее безумными, невидящими глазами, Ангелину затрясло, ибо она вообразила, что графиня сейчас набросится на нее, изорвет в клочья своими скрюченными пальцами с острыми когтями. Но та не двинулась с места; и хотя все еще не сводила с Ангелины глаз, в них медленно угасал пламень безумия. Наконец она шумно перевела дух и, на миг прикрыв лицо ладонями, взглянула с ласковой улыбкой на взъерошенного, ожесточенного Фабьена.

— Прости меня, сын, — произнесла она голосом столь мягким, что сторонний зритель зарыдал бы от умиления перед этой картиною нежной материнской любви. Но Фабьен и Ангелина смотрели на графиню с прежним настроением: он — с обидой и гневом, она — с ужасом. А мадам Жизель продолжала столь же проникновенно: — Ты мне дороже всего на свете, и я не могла не страдать, зная, на какой пьедестал ты возносишь сие недостойное создание!

Фабьен открыл было рот, чтобы возразить, но мадам Жизель успела прежде.

— Вспомни, как погиб твой отец, — произнесла она с такой силой неизбывного горя, что Фабьен отшатнулся, как от удара, и упал на диванчик.

Мадам Жизель повернулась к Ангелине — и вновь ужас поверг ту в дрожь; однако на губах графини порхала ласковая улыбка, а глаза были ясны и приветливы. Переворошив горку шелковых подушечек, разбросанных по широкой тахте, графиня нашла среди них маленькую книжку в сафьяновом переплете красного цвета. Ангелина успела поймать взглядом имя автора: «Фанни Хилл», а дальше не разглядела.

— «Мемуары женщины для утех», — пояснила мадам Жизель. — С таких книг я бы рекомендовала начинать эротическое образование юных девиц, чтобы они сразу знали: от мужчины следует ожидать не только быстрых телодвижений, но и наслаждения! Послушай-ка. Где это... а, вот!

И, перевернув несколько страниц, графиня своим красивым звучным голосом начала читать.

Ангелина поежилась. Все-таки мадам Жизель, несомненно, не в себе, если от такого припадка злобы так быстро перешла к чтению вслух столь неприличной книжки. Ладно, пусть читает, а уж потом, когда графиня и ее сын поутихнут, Ангелина найдет способ выбраться из этого дома и рассказать деду про странный разговор о летательной машине Леппиха!

— «Молодой джентльмен был высок и крепок, — читала между тем графиня. — Тело его — ладно скроенное и мощно сшитое, а мужская прелесть, казалось, вырывалась из густых зарослей вьющихся волос, которые разошлись по бедрам и поднялись по животу до самого пупка; вид у той прелести крепкий и прямой, но размеры меня прямо-таки испугали...» А ты хоть успела увидеть то, чем была уничтожена твоя невинность? — сладчайшим голоском проговорила мадам Жизель, и Ангелина не сразу поняла, что это уже вопрос к ней, а не продолжение заманчивого чтения, ибо, чего греха таить, сии «Мемуары» показались ей необычайно увлекательны. Вся кровь бросилась ей в лицо, стоило лишь понять, что мадам Жизель заметила этот интерес! — Действие происходит в одном из лондонских maisons de joie[1], — пояснила мадам Жизель. — Для лучшего образования глупеньких девиц там была устроена просмотровая комнатка. В Париже мне приходилось бывать в домах, где в стене имелось особое оконце, занавешенное гобеленом. Когда собирались гости, хозяйка вдруг сдвигала в сторону гобелен — и взору ничего не подозревающей публики представала еще более прелестная картина, чем та, которую убрала хозяйка. Двое молодых и красивых любовников, мужчина и женщина, — или трое, четверо, или только женщины, или только мужчины, — добавила хозяйка, вызвав у Анге-

[1] Домов веселья (*фр.*).

лины новое сомнение в здравости ее рассудка: да разве такое бывает? Разве не вдвоем женщина и мужчина предаются любви?! Что за наваждения бесовские?! — играли друг с дружкою в постели, да столь умело и талантливо, что это действовало на публику покрепче élixir d'amour![1] Малознакомые люди уже через миг срывали друг с друга одежды и, подражая зрелищу за стеклянной стеною, образовывали на ковре настоящую кучу-малу, причем самые скромницы громче других поощряли сразу нескольких мужчин, ублажавших их. Ты ведь тоже слывешь за скромницу, не так ли? — обратилась мадам Жизель к Ангелине, и та отпрянула, уверенная, что от проницательной француженки не укрылось, что Ангелина сейчас словно видела эту сладострастную игру на роскошном ковре — и себя, распростертую под тяжестью мужского тела... тел?

Но господи, о чем она? Как удалось мадам Жизель вдруг внушить ей, что самая завидная участь — стать жертвою пылких страстей?!

— Ах, Анжель, как загорелись твои глазки... — маняще рассмеялась мадам Жизель, но руки ее, стиснувшие ладони Ангелины, держали ее мертвой хваткой. — Как приятно будет тебя обучить, дорогая! Если ты так разохотилась только от слов, то что же начнешь вытворять, когда к тебе прикоснутся знающие свое дело мужчины?.. Как ты полагаешь, Фабьен?.. Прекрати, что ты трясешься, как институтка? — с досадой прикрикнула она на сына, все еще сидевшего, сжавшись, в углу. — Тебе

---

[1] Любовного напитка (*фр.*).

же нравятся такие «живые картины», глядишь, и сам распалишься настолько, что сможешь взять свою ненаглядную Анжель.

Она залилась клокочущим хохотом, и Ангелину вновь стала бить дрожь. Надвигалась опасность!

Не раздумывая, она сорвалась с диванчика и проворно метнулась к двери. Но, прорываясь сквозь портьеры, Ангелина с силой ударилась обо что-то и, не удержавшись на ногах, упала.

Какой-то мужчина тут же вздернул ее с полу и принялся разглядывать с похотливой улыбкой.

— А, та самая не в меру любопытная крошка?! Это она хочет обучиться премудростям любовной игры? А непременно нужно разделить ее на троих, а, графиня? Я ведь и сам вполне могу играть акт за актом, без отдыха. И даже если пущу в ход только руки, любая женщина будет умолять о продолжении. Сами знаете, мадам! — Он выразительно взглянул на графиню, а Ангелина задохнулась от ужаса. Она узнала этот грубый голос, эти рыжие волосы.

Она в руках Моршана!

* * *

— А где же Ламираль и Сен-Венсен? — нахмурилась графиня. — Бал идет к концу, гости вот-вот начнут расходиться, а мне нужно достаточное число зрителей!

— Не извольте беспокоиться, мадам, — раздался сдавленный голос, и в комнату вступили еще двое мужчин, причем один из них зажимал окровавленным платком нос.

— Мы пытались поймать негодяя, — пояснил второй, и Ангелина узнала Ламираля, уже без женских тряпок, — но, увы, у этого русского оказались преизрядные кулаки, а бегает он, как английская скаковая лошадь... И так же берет барьеры: перескочил забор с места — да еще задел ногой беднягу Сен-Венсена.

Ангелина от всего сердца поблагодарила «этого русского», оставившего кровавый след на физиономии французского шпиона. К тому же, кем бы ни был «этот русский», он даровал ей несколько мгновений неземного блаженства.

О господи, да в уме ли она?

Если Ангелина правильно поняла графиню, ей сейчас даруют свои милости сразу трое!

Она забилась, пытаясь вырваться, но Моршан держал крепко.

— Да, Сен-Венсен, тебе не повезло, — произнес он с нарочитой грустью. — Внаклон ты теперь работать не сможешь, так что девчонка достанется нам с Ламиралем.

— Ну вот еще! — делано обиделся Сен-Венсен. — Я тебе не уступлю!

— Никто никому не будет уступать! — умиротворяющим тоном проговорила графиня. — Вы ляжете втроем на ковре — и наша русская бабочка будет порхать с одного на другого, как с цветка на цветок.

— Со стебелька на стебелек! — поправил, усмехнувшись, Моршан и так внезапно вздернул платье и сорочку Ангелины вверх до пояса, что она даже не успела вскрикнуть.

А потом голос у нее пропал, ибо то, что она в этот момент ощущала и видела, было невозможно...

Сен-Венсен живо расстегнул штаны и повалился на ковер, дурашливо хихикая и задирая ноги.

Ламираль помирал со смеху, глядя на причуды приятеля, и никак не мог справиться с пуговицами штанов. А Моршан бесцеремонно шарил у Ангелины между ног, хрипло дыша ей в ухо и бормоча непристойности. От всего этого у Ангелины ослабли колени, томительная боль расползлась по чреслам, и предательская мысль: «А вдруг это будет не страшно, а приятно?..» — уже не показалась ей отвратительной. Краешком сознания она успела понять, что плоть предает ее, что жажда наслаждения, разбуженная некогда Никитою, безраздельно властвует над ее чувствами, однако эта отрсзвляющая мысль тотчас отлетела, ибо руки Моршана и впрямь знали толк в женском естестве.

— Остановитесь, господа! — послышался резкий, с командирскими интонациями, голос мадам Жизель, и Ангелина поразилась той власти, которую эта женщина имела даже над опьяненными желанием мужчинами. Сен-Венсен приподнялся, Ламираль оставил возню с пуговицами, а Моршан так вовсе отпустил Ангелину — и она неминуемо упала бы, словно тряпичная кукла, не окажись рядом Фабьен, который успел подхватить ее и усадить на диванчик.

— Одну минутку, господа, — сказала мадам Жизель. — Вы-то люди искушенные в подобных забавах, а вот наша дебютантка, кажется, не поняла моих намеков и не все знает о спектакле, где ей предстоит играть. Ей неведомо самое главное...

Она обернулась к Ангелине, и та изумилась той ненависти, что сверкнула в агатово-черных очах мадам Жизель.

— У этой пьесы будут зрители, — промурлыкала она и, подойдя к гобелену, изображавшему пасторальную сцену, приподняла его край... за которым открылась комната, полная людей.

Это были гости графини, отдыхающие после бала в маленькой гостиной, которая отделена от сей комнаты стеклянной стеною. Точь-в-точь как в тех домах в Париже, о которых рассказывала мадам Жизель!

* * *

Ангелина зажмурилась от ужаса. Так вот почему графиня завела эти непристойные разговоры! Она решила устроить для своих гостей бесовское развлечение!

Но это же глупо. Ангелина с надеждою открыла глаза, готовая к борьбе: разве могут благородные люди, увидев, как девушку из знатной семьи насилуют трое негодяев, оставаться равнодушными, не прийти на помощь?!

А вдруг графиня поднимет гобелен как раз в тот момент, когда Моршан и его присные заставят Ангелину метаться в приступах безрассудного, темного блаженства? Зрители решат, что Ангелина сама пришла сюда, — и она будет опозорена навеки! И что бы она ни говорила потом, мол, ее завлекли обманом, опоили, одурманили, — ничто не поможет!

Прижав руки к горлу, Ангелина всматривалась в лица людей за стеклом, беззаботно болтающих и смеющихся, и отчаяние леденило ей душу. Здесь были собраны самые недостойные, никчемные людишки из нижегородского общества. Все сплошь или недоброжелатели ее деда, или просто люди завистливые, известные своим злоречием. От них не жди пощады! Чужая беда для них — награда!..

Графиня по ее лицу, как по раскрытой книге, прочла все ее надежды и понимание полной безнадежности... Ангелина все смотрела в эти черные глаза, торжествующие, горящие, — глаза победительницы!

— Застегните штаны, господа! — опустив край гобелена, скомандовала мадам Жизель с грубой прямотою армейского капрала. — Представление отменяется. Девочка все поняла, не так ли?

Ангелина кивнула:

— Да... да, поняла! Вы отпустите меня? Я могу уйти?

— Не прежде, чем дашь слово молчать! — произнесла мадам Жизель, и Ангелина пролепетала в ответ:

— Нет, нет, я никому не скажу... Как я могу... Это же позор, позор!

— Дура, — беззлобно бросила мадам Жизель. — Разумеется, ты промолчишь о том, как чуть не кончила только от пальца Моршана!

Ангелина отшатнулась. Каждое слово хлестало

ее по лицу. И поделом, поделом ей, она все это заслужила!

— Не реви! — прикрикнула мадам Жизель. — Ты должна дать мне слово, что не обмолвишься ни словом не только о них, — она мотнула головой в сторону мужчин, — а главное... — она помедлила, — о маркизе д'Антраге!

— Значит, она и впрямь была здесь?! — не сдержалась Ангелина — и съежилась от презрения, прозвучавшего в голосе мадам Жизель.

— О господи, Анжель, да ты еще глупее, чем я предполагала! И что ты нашел в ней, Фабьен, что?! Впрочем, ее мать тоже не отличалась особым умом, однако же твой отец воистину потерял от нее голову, чем и погубил себя!

В голосе графини зазвучали истерические нотки, и Моршан предостерегающе взял ее за руку:

— Сударыня... сейчас не время предаваться воспоминаниям! Вы хотите отпустить девчонку? Но кто поручится, что она прямо отсюда не бросится к своему деду или к капитану Дружинину, не расскажет им все, что слышала здесь?..

— Вы недооцениваете меня, друг мой! — Мадам Жизель надменно вздернула голову. — Кто поручится, что она будет молчать? А взгляни-ка сюда, Анжель! — Она выхватила из шкатулки пачку бумаг и сорвала перевязывавшую их ленточку.

Она тыкала бумаги в лицо Ангелине, и та не сразу поняла, что перед нею — долговые расписки.

Мелькали знакомые имена — имена тех людей, которых Ангелина только что видела за стеклянной стеной. А суммы... О господи, да на что можно потратить такие деньги?!

Впрочем, не это должно ее заботить сейчас. Не случайных зрителей собрала мадам Жизель за стеклянной стеной! Все они в ее руках — и, чтобы не разгневать ту, что к ним так щедра, пойдут на любую ложь без раздумий.

— Они у меня вот где! — подтверждая ее догадки, мадам Жизель показала сжатый кулак. — И по одному моему слову они так вываляют тебя в грязи, что ты вовек не отмоешься... И не только ты! Навеки будут опозорены твои дед с бабкою. В Лондоне — твои родители. Дипломатическая карьера твоего отца рухнет. Велико искушение напомнить о себе Марии таким образом... Но нет, Моршан прав: еще не время!

Графиня хрипло рассмеялась, но через несколько мгновений смех ее стал обычным — беззаботным и веселым. Она напутствовала Ангелину почти дружески:

— Иди, Анжель. Хорошенько отдохни после нашего веселья, и пусть наутро тебе покажется, будто стеклянная стена, и три бабы с узлами, и маркиза, и воришка, который тебя услаждал, — все только сон, который нужно забыть поскорее! Проводи ее до кареты, Фабьен!

Она почти вытолкала их из комнаты.

Фабьен пытался что-то сказать, но словно утратил дар речи. Да и Ангелина перевела дух, лишь забравшись в карету и крикнув кучеру Филе погонять.

Позор, страх, стыд, раскаяние давили, гнули ее

долу. Хотелось одного: забиться в угол, зарыться в подушки, уснуть! И как велела мадам Жизель — забыть. Все забыть!

Ангелина знала, что не посмеет ослушаться графиню, что ни слова никому не скажет. Слишком сильно было потрясено все ее существо открытиями нынешнего дня. Но самым ужасным оказалось осознание того, что все беды, обрушившиеся на нее сегодня, являются следствием давней неизбывной ненависти, которую мадам Жизель питает к ее матери — баронессе Марии Корф!

7
ХОЖДЕНИЕ ПО ПОТОЛКУ

Женщины в семье Ангелины никогда не были особенно близки между собой, так уж повелось, а потому Ангелина о жизни своей матери во Франции знала еще меньше, чем княгиня Елизавета — о своей дочери, и знание это сводилось к следующему: баронесса Мария, пусть и редкостная красавица, не отличающаяся особым умом, не испытывающая тяги ни к добру, ни к злу, никакая не героиня, но оказалась вовлечена судьбою в потрясающую драму, изменившую жизнь целого государства: Французскую революцию. Уж, наверное, сталкивалась она со множеством людей, появились, надо думать, у нее и враги. Но что же произошло между нею и графиней де Лоран, если эта дама стала люто ненавидеть Марию, не в пример своей кузине маркизе д'Антраге? А впрочем... Что, если разглагольствования маркизы о дружбе с Марией Корф —

всего лишь притворство? Что, если она заманивала Ангелину в дом своей кузины, сладкими речами усыпив опасения князя и княгини? Такой оборот представлялся сейчас Ангелине вполне вероятным. После кошмарной ночи она и не в такое была готова поверить, столь круто изменилось в один миг мирное течение ее жизни! Ангелина смежила усталые глаза, лишь когда поблекли перед рассветом и звездные очи. Сон ее был краток и тяжел, не дал никакого исцеления ни сердцу, ни уму.

Одним рывком вырвалась Ангелина из сна своего, пребольно при этом ударившись коленями, ибо слетела с кровати на пол.

Полуденное солнце засматривало в окошко. Ангелина кликнула девушку, велела подать умыться и заварить кофею, после чего уселась под окошко, невидящими глазами глядя на пышный сад с затейливо построенными флигелями, и задумалась.

Беда случилась оттого, что Ангелина сболтнула о «трех бабах», говорящих про лодку-самолетку. Выходило, по их, что лодка-самолетка — это и впрямь нечто вроде ковра-самолета. Ну, в цирке можно такое чудо показывать вместе с женщиной без костей, глотателем шпаг и огня... Что же, Франции с Россией из-за цирковых чудес соперничать? Наполеону бесноваться из-за изобретателя забавных поделок? Нет, все не так просто. Для чего-то же нужна эта лодка-самолетка! Если в нее сядутся люди, как рассказывал Ламираль, стало быть, она может поднять и груз и перелететь с этим грузом, куда надобно... скажем, бочки с горючей смолою опрокинуть над позициями французов... нет, это слишком уж седая древность, времен Олеговых походов, — скорее какие-нибудь разрывные снаряды... Нет, от всего этого свихнуться нетрудно! Надобно как можно скорее посоветоваться со сведущим человеком.

Может, деда невзначай на разговор навести? Но, уже схватившись за ручку двери его кабинета, Ангелина с досадою замедлилась: до нее донесся азартный голос князя:

— Помню, больше всех понравился мне жеребец у Загряжского: бурый, большого роста, широкий, ноги плотные, а шея лебединая... Хвост и грива жиденькие, но зато мягки, как шелк, — признак породы. Конечно, дорого: меньше чем за восемьсот рублей не отдавали, да еще пришлось давать на повод, однако делать было нечего — купил...

Ангелина не стала ждать продолжения разговора: это надолго! А впрочем, нет худа без добра: ну как объяснишь деду свой внезапный интерес к воздухоплаванию? Вопрос о лодке-самолетке можно задать только одному человеку — Меркурию.

Ангелина опрометью ринулась на конюшню (у коновязи нетерпеливо переминался длинноногий рыжий жеребец с белым пятном во лбу — не его ли хозяин сейчас у деда лясы точит?), велела закладывать, но узнала, что коляску бабушка сегодня отдала госпиталю. Ангелина с укоризной прищелкнула языком: в госпитале она не была уже три дня! Позорище, о господи! А ведь раненых, наверное, море... Одно утешение: после сдачи Москвы в желающих исполнить свой долг и поухаживать за ранеными не было больше недостатка.

Выскользнув неприметно из дому, Ангелина кликнула извозчика и велела везти ее к Арзамасской заставе.

— Балаган поглядеть желаете? — улыбнулся «ванька», трогая с места. — Туда весь народ валом валит!

«Балаганом» Ангелина сочла то сооружение, кое воздвигнуто попечением капитана Дружинина над лодкой-самолеткой, и не стала спорить, однако каково же было ее изумление, когда еще на подъезде к заставе разглядела она матерчатые красно-сине-полосатые, туго натянутые шатром стены преогромного циркового балагана! На щитах наклеены были афиши, возвещавшие, что нынче же вечером всемирно известный вольтижер Транже покажет свое невиданное искусство на высоте в пятьдесят футов[1] и будет ходить по потолку вниз головой. Зеваки наблюдали за возведением балагана, и к мастерским капитана Дружинина нельзя было приблизиться иначе, как пробравшись сквозь немалую толпу. Ангелина уже хотела отпустить извозчика, чтобы пройти туда пешком, да вдруг в толпе мелькнула рыжая голова, проблеснули вострые глаза, показавшиеся знакомыми...

Глухо стукнувшее сердце подсказало ответ: да это же Моршан! Ей-богу, Моршан... В одежде мастерового. Ангелина загородилась косынкою и велела «ваньке» немедля гнать обратно. Ей оставалось только гадать, заметил ли ее Моршан, понял ли, зачем она приезжала. Сама она сейчас была не спо-

[1] Фут — около 30,5 см.

собна здраво мыслить — ее охватил всевластный ужас при воспоминании о похотливых губах и руках Моршана...

Не скоро она смогла отвлечься от мыслей о своем вчерашнем позоре и понять: мадам Жизель ей не доверяет, и не иначе проклятущий Моршан сейчас выслеживал ее, Ангелину. Не поверил, что сможет она смолчать, затаиться... И он не отступится от слежки за нею! То есть запросто к Меркурию не подступиться. А как?

Хорошо бы подыскать помощника, человека стороннего — и благородного, чтобы на веру принял слова Ангелины о срочности и опасности, а вопросов лишних бы не задавал. И чтоб был он человек военный, быстро думающий и действующий... Ангелина горько усмехнулась: а где взять такого человека? Не к первому же встречному обращаться!.. Может, проще к тому гусару, что квартирует у них? За обедом выведать о нем у деда что можно, а то, глядишь, и повезет — незнакомец окажется приглашен к барскому столу.

Нет, не повезло: Измайловы обедали сам-третей[1], без гостей. Ангелина невзначай упомянула незнакомца на рыжем коне — и в ответ услышала: был то военный курьер, баловень судьбы, привезший деду с оказией письма от друзей. Дед знал курьера мало, известно только, что у него преизрядное состояние, но если он будет продолжать играть, то скоро продует все свое богатство! Курьер всякий вечер проводил в притонах за картами, а

[1] Сам-третей — сесть за стол втроем, без гостей.

потом рассказывал князю, что пирушки таковы разгульны были, таково в крови играло цимлянское, что доходило и до драк: вчера он воротился за полночь, с подбитым глазом, прихрамывая. Однако костяшки пальцев в кровь ободраны — знать, и сам кому-то приложил знатно!

Ясное дело: к такому бретеру и гуляке Ангелине обращаться не стоит. Вот и выходит, что не на кого ей надеяться, кроме как на себя!

И чем больше она думала об этом, тем больше ей сия мысль нравилась. Ежели никак нельзя днем попасть к Меркурию, стало быть, надо к нему идти затемно. А поскольку балаган привлекает к себе массу народу, то и Ангелине надо в это торжище замешаться и из балагана выскользнуть в тот самый миг, когда Транже начнет свои хождения по потолку и всякий будет увлечен им. А еще следует появиться там переодстой по-простому... Хоть бы в платье и косынке милосердной сестры! Вот заодно и приличный предлог выскользнуть нынче вечером из дому: отправилась, мол, в госпиталь — и все дело!

Сказано — сделано. Чуть стемнело, Ангелина была уже за воротами — и быстрые ноги понесли ее к Арзамасской заставе. К счастью, на полпути ей удалось остановить извозчика, так что к началу представления она не опоздала.

* * *

Народу собралось — не сочтешь. А скольким еще не досталось мест! Но Транже, выйдя на арену, успокоил публику: мол, завтра все увидят еще более красочное представление — и бесплатно. В публике начался ропот: выходит, сегодня понапрасну деньги плачены?! Но вот забили барабаны — и представление началось.

Возможно, сей Транже и впрямь слыл превеликим жонглером, вольтижером и акробатом: зрители стонали от восторга, когда он устраивал вокруг себя круговерть из множества летающих предметов, совершал прыжки и кульбиты; а после раскачался и бросился в повешенный перед ним бумажный тамбур — и выскочил оттуда переодетый старухой.

Ангелина, надо признать, уделила представлению небольшое внимание: оглядывалась, силясь высмотреть Моршана, зная, что он где-то здесь. И ругала себя, что не воспользовалась мгновением и не ускользнула раньше...

И предчувствия ее не обманули: она увидела-таки Моршана!

Транже возвестил, что начинает смертельный аттракцион, гвоздь программы — хождение по потолку, — и нагнулся, цепляя к ногам железные крючья, похожие на длинные когти.

В это время два высоких человека, доселе помогавшие ему — то канат натягивали, то подавали обручи, сабли, кубы, необходимые для его жонглерского мастерства, и прочее, — теперь взяли каждый по охапке готовых к зажжению факелов и двинулись по лестничкам наверх, под самый купол, чтобы лучше осветить зрителям это самое хождение по потолку. На них Ангелина доселе не обращала никакого внимания, а сейчас, бросив мимолетный взгляд, едва не закричала: прямо к ней шел... Ламираль! Переодетый под циркового служителя, в остроконечном колпаке, меняющем, конечно, его лицо, но не до неузнаваемости. Но как не взбрело ей в голову на служителей раньше посмотреть?! Этот — Ламираль; второй, что поднимается сейчас по другой лестничке, — Сен-Венсен. А где же Моршан? На арене никого нет, кроме Транже... И тут Ангелина узнала наконец Моршана, и сердце ее приостановилось. Ну да, ведь все представление она пялилась куда угодно, только не на Транже. Весь вечер дорога к Меркурию была вовсе свободна, а она, Ангелина, повинуясь собственной глупости, держала себя на привязи!

И вот теперь-то ей не ускользнуть, Ламираль ее как пить дать увидит!

Она заерзала на доске, служившей сиденьем, но не было никакой возможности исчезнуть с глаз Ламираля! Вдруг чьи-то руки схватили ее за плечи и так дернули, что Ангелина едва не опрокинулась навзничь, а в следующее мгновение к губам ее прижались чьи-то горячие губы; и хоть она была ошеломлена почти до потери сознания, все-таки оставшейся толики его хватило, чтобы понять: Ламираль прошел мимо, не узнав Ангелину, а развязный молодчик спас если не жизнь ее, то уж репутацию — наверное. Ангелина, одним рывком высвободившись из наглых рук, обернулась и в негодовании только закипела: «Ты смеешь?..» — как осеклась, уставившись в узкие серо-стальные глаза, глядевшие на нее сурово, точно приказывая что-то... В незабываемые глаза, хоть видела она их в жизни всего только дважды, сначала на волжском берегу, а потом в закутках дома мадам Жизель, — глаза Никиты Аргамакова, ибо рядом с нею сидел не кто иной, как он.

* * *

— Быстро! — шепнул Никита. Он стиснул ее руки до боли. — Беги за ним! Смотри, что будет делать! Только тихо, ради Христа!

И он так пихнул ее в бок, что Ангелина едва не слетела с лавки, однако удержалась и послушно ринулась вверх, вслед за Ламиралем, который куда-то сгинул.

Потрясение, испытанное при виде Никиты, было велико, однако в его голосе звучала такая тревога, команда его была такой властной, что изумление Ангелины отступило, сейчас было не до него: сейчас надо искать Ламираля. Поначалу ей почудилось, что он вышел на круговую галерейку, однако, углядев какую-то щель сбоку, а сквозь нее — зыбкое свечение, она тотчас догадалась, что там — свет факела. Она неслышно проскользнула на крышу. И сразу увидела своих знакомцев: Ламираль подсвечивал факелом Сен-Венсену, который стоял на коленях возле небольшой пушечки, чей ствол был направлен прямиком на крышу мастерских. Намерения французов не оставляли никаких сомнений! Ангелина замешкалась: то ли броситься с криком на разбойников, то ли воротиться к Никите, как вдруг услышала его истошный вопль:

— Надули, басурманы! Так он же крючьями за

крючья цепляется — вы только поглядите! А врал: ходить буду по потолку голыми, мол, ногами! Этак-то и я могу по потолку ходить! На крючках-то!

— И я! И я могу! — подхватил чей-то бас, а к нему присоединился уже целый хор возмущенных воплей:

— Надул, французишка проклятый! А деньги плачены!

— Держи его! Пускай деньги ворочает! — перекрыл все голоса крик Никиты, и в балагане поднялась такая буча, что Ламираль и Сен-Венсен замерли возле своего орудия, не зная, то ли кидаться на выручку Моршану, то ли самим бежать, то ли продолжать свое таинственное дело.

Впрочем, они недолго пребывали в задумчивости: за забором мастерских замелькали огоньки, послышался топот, оклики. Там поднялась тревога, и любое враждебное действие было бы замечено! Затем и учинил Никита такой шум в балагане. И тут заходили ходуном щелястые доски, и рядом с Ангелиной появилась высокая фигура мастерового с растрепанными светлыми волосами. Одним прыжком он бросился на французов, растолкал их, выхватив факел у Ламираля, так что осветилось дерзкое светлоглазое лицо «мастерового». И тут раздался яростный крик Сен-Венсена:

— C'est toi? Oh, mon nez![1]

У Ангелины дыхание перехватило. Выходит, Никита и был тот русский, что так крепко приложил Сен-Венсена по носу, убегая из дома мадам

---

[1] Это ты? О, мой нос! (*фр.*)

Жизель. Значит, все-таки с Никитой предавалась она любви, сердце ее не обмануло!

Никита приложил Сен-Венсена кулаком в нос, отчего тот опрокинулся навзничь. Никита мощным рывком своротил с места пушечку, а потом кинулся к Ангелине и потащил ее за собою на галерейку. Плохо сбитые ступеньки прыгали под их ногами, как клавиши, но все же беглецы успели опередить своих преследователей и прежде их оказались на земле, после чего Никита засвистел — и из ворот мастерских выбежало несколько темных фигур.

— Держи воров! — заблажил Никита не своим голосом, указывая на узенькую лесенку, где четко, подобно силуэтам театра теней, вырисовывались в лунном свете фигуры Сен-Венсена и Ламираля. Французы тотчас перескочили через перила и скрылись в темноте, сопровождаемые топотом множества ног, криками: «Держи, лови, хватай!» — и разбойничьим посвистом Никиты, который все-таки успел на миг припасть к губам Ангелины, шепнув в поцелуе:

— Иди домой! Жди! Приду!

Затем сорвал с дерева повод рыжего жеребца — Ангелина только ахнула, увидев знакомую проточину во лбу, — взлетел на него — и исчез, словно сам обратился в эту свистящую, звенящую топотом копыт, полную опасностей и страхов ночную тьму.

* * *

Ангелина еще постояла, крепко держась за дерево, с трудом усмиряя дыхание, и по мере того как спокойнее колотилось сердце, трезвее становились и мысли, так что полная невнятица происшедшего несколько прояснилась, а разорванные ниточки — события последних дней — сплелись в ровненький клубочек.

Этот конь, вчера плясавший у измайловского крыльца, — конь Никиты. Получается, что именно Никита — разудалый жилец флигеля. Курьер воинский! Курьер-то он, может быть, и курьер, но вечера уж точно не в игровых домах проводит. Значит, пьяные драки и одежда мастерового — только маска... прикрытие? Ах, как хотелось бы верить его поцелуям, его шепоту! Кончится война, скинет Никита маску — и останется сердце, любящее Ангелину. И она любит его — можно ли в том сомневаться? Но до сего еще должно пройти время. Не зря же Никита выслеживает французов.

Затем, наверное, он и был в доме мадам Жизель!

Не принадлежит ли мадам к числу тех иностранцев, которые телом — в России, а душой преданы другому государству? Не секрет, что правительство Наполеона присылало в Россию шпионов под видом купцов, которые должны были вербовать эмигрантов и поднимать их на скрытную войну с приютившей их страной. Но Фабьен, Фабьен с его страстной влюбленностью, с его мягким, бархатным взглядом черных очей... И он же спас деда, а потом Ангелину с Меркурием...

И тут она замерла: все высветилось, все прояснилось вдруг! Ведь поджог заброшенного дома свершен был в ознаменование нападения Наполеона на Россию! И Фабьен оказался в том саду не случайно: он был пособником поджигателя, а выказал себя, чтобы завоевать доверие князя Измайлова. Значит, Фабьен заранее искал случая завоевать расположение князя, а случай более благоприятный едва ли мог представиться! Но к чему все это? Откуда такая забота о семействе Измайловых? Да, верно, маркиза д'Антраге рекомендовала мадам Жизель Измайловым.

А маркизе-то какая польза в сей протекции?

Укрепить положение в городе своей кузины?

Кузины?..

Ангелина вспомнила столь схожие черные глаза, вспомнила голоса: звонкий, выразительный — мадам Жизель и чуть глуховатый — маркизы. Глуховатый? Ну да, его приглушает неизменная вуаль, скрывающая шрам. А если представить, что шрама никакого и нет? Если снять вуаль — не окажется ли, что под нею откроется лицо все той же графини де Лоран, мадам Жизель, которая явилась к Измайловым под именем подруги их дочери? Легковерные же Измайловы приняли за истину объявленную им ложь!

Как вчера сказала мадам Жизель?.. «Ну, Анжель, ты еще глупее, чем кажешься!» И правда! Все они оказались глупы как пробки, поверив басням мадам д'Антраге, графини де Лоран... Нет, едва ли — у нее наверняка совсем другое имя, но выяснить его возможно, только заглянув во времена Французской революции, когда мать Ангелины пыталась спасти королевскую семью — не на сем ли пути столкнулась она с мадам Жизель? Перешла ей дорожку, вызвала ее ненависть, а ведь женская злоба далеко превосходит мужскую! А может... Нет, ответ знают только Мария Корф и «графиня де Лоран». Или Фабьен.

Фабьен! Он, конечно, замешан во все дела своей матери. Надо думать, и возле опрокинувшейся кареты он не просто так очутился... Да и карета не просто так опрокинулась. Мог ли Усатыч сломанную чеку проглядеть? Фабьен и его сообщник охотились за Меркурием, и прикончить его помешала только Ангелина: на нее Фабьен не смог руку поднять.

И скорее всего, тогда у Фабьена возобладала не забота об Ангелине, а трезвое опасение: смерть своей внучки Измайловы без отмщения не оставят. Или графине де Лоран нужна была живой дочь Марии Корф, чтобы сделать ее своим послушным орудием? Ведь превратила же она в тряпку собственного сына!

И тут до Ангелины дошло, что не только на свою голову она навлечет беды, если развяжет язык и проболтается о «трех бабах». Пусть даже мадам Жизель пустит в ход выдуманные слухи и грязные сплетни о ней! Да ведь у всякого-любого, их услышавшего, сразу же возникнет вопрос: что же это за комната со стеклянной стеной в доме почтенной француженки? И что за люди те зрители, кои наблюдали сцену позорную, никак в нее не вмешиваясь?

Конечно, только такая глупая курица, как Ангелина, могла принять на веру угрозу мадам Жизель и не подумать, что каждое злодейство француженки рикошетом воротится к ней же!

Ангелина расправила плечи и, зажмурясь, подставила лицо теплому ночному ветерку. Воистину — тишина царствовала над миром. Это просто чудо... просто чудо, что сотворило с Ангелиною появление Никиты, уверенность в его любви! Неизъяснимые силы пробудились в ней, жизнь обновилась, и все теперь казалось по плечу, все возможно! Конечно, она пойдет домой, к ней придет Никита; они вновь предадутся любви — уже не таясь друг перед другом, не стыдясь того огня, который возжигают друг в друге. И может быть, потом Никита попросит ее руки...

Ангелина встряхнулась. Мечты и прежде, случалось, заводили ее слишком далеко... Судьба рассудит, суждено ли им стать явью. А пока осталось исполнить последний долг: зайти в мастерские и все рассказать Меркурию и Дружинину.

Она не знала и не могла знать, что, воротись сейчас домой, вся жизнь ее — и не только ее, но и Никиты, и Меркурия, и еще десятков людей! — сложилась бы совсем иначе. Но никому не дано предвидеть судьбу свою, а к счастью, к несчастью ли — одному Богу известно.

8

МУЧЕНИК МЕРКУРИЙ, ВОИН

В мастерские Дружинина пускали по паролю, но Ангелина его не знала. Поэтому она пошла вдоль забора, осторожно ведя по нему ладонью, твердо зная: нет на Руси такого забора, в котором не отыскалась бы сломанная доска!

Идти, однако, пришлось долго. Ангелина не раз и не два вздрагивала от причудившихся совсем близко шагов, но стоило остановиться ей — стихали и шаги: это, верно, было всего лишь эхо ее собственных. Мерещилось ей и чье-то запаленное, тяжелое дыхание, но оглядывалась — ни души! Она изрядно удалилась от ворот и уже подумала, что этот забор — исключение из российских правил, как вдруг нащупала широкую щель. Она осторожно сунула голову в щель, озираясь, да и ахнула так, что сердце чуть не выскочило из груди, а из глаз искры посыпались: кто-то пребольно вцепился ей в волосы. Ангелина взвыла в голос; руки чуть ослабили хватку, раздался изумленный вскрик:

— Девка! Ей-пра, девка! — а потом те же руки подтащили ее к фонарю, и Ангелина, с трудом разлепив склеенные слезами глаза, увидела конопатую физиономию, имевшую выражение самое ошарашенное. Впрочем, службу свою конопатый все же знал: не выпуская Ангелининой косы, свистнул в два пальца, и в то же мгновение невдалеке раздался топот ног, и из тьмы вынырнули две фигуры, в которых Ангелина с восторгом узнала капитана Дружинина и Меркурия. Но если первый при виде Ангелины и вцепившегося ей в косу солдата замер, как соляной столб, то второй действовал решительнее: вмиг вырвал Ангелину из немилостивых лап, а стражник повис над землей, воздетый Меркурием за шкирку. Бывший инок уже готовился двинуть со всего плеча в зажмуренную физиономию сторожа, но тут Дружинин опамятовал и сделал что-то такое, от чего Меркурий отлетел в одну сторону, а солдат — в другую.

— Вольно, Ковалев! Я полагал, ты заснешь на посту, а тут гляди что приключилось: мало спалось, да много виделось! — проговорил Дружинин сдавленным голосом, с трудом сдерживая смех. — Но теперь мы уж тут сами как-нибудь...

Солдат поспешно отступил в темноту, и Дружинин грозно воззрился на Ангелину. Однако не сдержался и разразился хохотом.

— Простите великодушно, сударыня, но... какими судьбами?

Ангелине больше всего на свете хотелось сейчас повернуться к наглецу спиной и с достоинством удалиться, но сквозь щель в заборе этого не сделаешь, к тому же подскочил Меркурий с выражением такой радости от того, что видит ее наконец вновь, что она позабыла обиду и вспомнила, зачем сюда явилась. Однако стоило ей рот раскрыть, как поодаль затрезвонил колокольчик, послышались взволнованные голоса, скрип ворот.

— Еще кто-то! Ну и ночка выдалась! — воскликнул Дружинин.

Меркурий быстро шагнул вперед, заслоняя собой Ангелину. Впрочем, дай ей волю, она бы сейчас пожелала вовсе исчезнуть, ибо в сопровождении часовых к ней приближался не кто иной, как долговязый мастеровой... В миру, так сказать, Никита Аргамаков.

* * *

— Ну что? — взволнованно спросил Дружинин, подавшись к нему. — Повязали разбойников?

— Да нет, черти бы их драли! — горячим, злым голосом ответил Никита, вытирая со лба кровь и пот. — Ушли, проклятые!

— Что?! — заклекотал возмущенный капитан. — Да вы понимаете, сударь, что вы...

— А подите вы сами, сударь! — досадливо отмахнулся Никита. — Нечего на меня наскакивать! Вы лучше на Массария наскакивайте! Да-да, на Массария Франца Осиповича, на его ямы, кругом вырытые, на его кур, которым несть числа, на его псарню проклятущую! Заняться бы этим собачником! Пока мы их миновали, злодеев уж след простыл.

— Что?! — львом заревел Дружинин. — Что вы несете, Аргамаков?!

На первый слух Никита нес сущую околесицу, но коренному нижегородцу в его словах все было ясно как белый день, а потому Ангелина поспешила заступиться за своего милого и, выскочив из-за спины Меркурия, воскликнула:

— Да это же Массариевы клады! — и осеклась, ибо ее перебил взволнованный мужской голос.

Не тотчас до нее дошло, что тот самый часовой, что ее задержал, Ковалев, тоже решил объяснить капитану, в чем дело. Запинаясь и перебивая друг друга, они торопливо рассказывали, что Массарий прославился в Нижнем не только любовью к охоте с гончими, но и тем, что в сны и приметы верил, как деревенская старуха, и однажды привиделось ему, что нашел он клад за околицей своей усадьбы. Согнал он крестьян, и рыли они землю две недели, забыв про сбор урожая. С тех пор в Нижнем бытует поговорка: «Массарий землю роет, а мужик волком воет!»

Постепенно солдатик в рассказе начал главенствовать; Ангелина же стушевалась и бочком-бочком двигалась от фонаря в тень, а Никита, глядевший на нее тяжелым взором, безотчетно подвигался за ней, не замечая, что Ковалев примолк и вместе с Меркурием и капитаном с величайшим любопытством следит за этими маневрами. И все трое громко ахнули, когда Никита, сделав стремительный бросок, цапнул Ангелину за руку и рванул ее к себе.

— Ты почему домой не пошла, как я велел? — спросил он тихо, но в голосе его слышалась гроза, отчего Меркурий взвился и выкрикнул звенящим голосом, повинуясь зову ревнивого сердца:

— Да как вы смеете так разговаривать с дамой, господин поручик?!

И эта вспышка почему-то никого не удивила, тогда как дальнейшие слова Никиты: «Да вот уж смею, коли я жених ей! Люблю ее, если надобно, всему свету об том сказать готов!» — исторгли единодушный вскрик изумления и у Ангелины, и даже у капитана... И только Меркурий, побледнев так, что это было видно даже в зыбком свете фонаря, постоял мгновение, а потом пошел на неверных ногах куда-то в темноту.

У Ангелины сердце защемило, и, бросив умоляющий взгляд Никите, она торопливо погладила его пальцы — и была несказанно счастлива, когда он — медленно, нехотя — разжал руки и выпустил ее.

Между ними все было сказано сейчас: она принадлежала Никите душой и телом и не могла шагу более ступить без его согласия, однако ей было непереносимо, что в этот миг величайшего счастья друг ее Меркурий останется несчастен и безутешен, а потому долг ее сейчас — пойти за ним и примирить с неизбежным. А Никита как бы ответил ей, что любит ее и за эту жалостливость, и за милосердие, а все же пусть она не забывает, что принадлежит ему телом и душой, впрочем, как и он ей.

* * *

Луна-предательница царила на чистом, без единого облачка небе, и Ангелина тотчас нашла, кого искала.

Меркурий плакал, уткнувшись лицом в грубо тесанные доски забора, и это укололо Ангелину прямо в сердце, она сама чуть не зарыдала от его страдания.

— Ох, ну что ты? — прошептала беспомощно. — Не надо, бога ради... Ну не молчи, скажи что-нибудь!

— Говорится: от избытка сердца уста глаголют, а у меня от избытка сердца уста немолвствуют, — не оборачиваясь, брякнул Меркурий.

Ангелина невольно улыбнулась: ее разумный друг верен себе!

— Ты не сердись, — ласково прошептала она. — Я его давно люблю, еще с весны! — «Ничего себе — давно», — подумалось тут же; и все же «с весны» означало — «до войны», а это будто целая жизнь с тех пор прошла.

— Как я смел бы сердиться? — шепнул в ответ Меркурий, кося на нее заплаканным блестящим глазом. — Счастия аз недостоин. Все по воле Господа свершилось, тем паче...

Он не договорил. Его перебил чей-то голос, и звук его, и нерусский выговор, и то, что он произносил, — все это было так внезапно, так ужасно, что Меркурий и Ангелина замерли, будто пораженные громом.

— У каждого своя добродетель и своя правда! Как различить, кто более угоден Богу или дьяволу: ты, праведник, она, эта дешевая шлюха, — или я, который сейчас убьет вас?

И в то же мгновение из густой тени забора вышел человек, и луна ярко высветила двуствольный пистолет, и саблю в его руках, и его распухшее, в кровь разбитое лицо. И кровью залитые рыжие волосы...

Моршан!

— Нет... — прошептала Ангелина, и Моршан в ответ щербато оскалился:

— Да!

При этом щелочки глаз его неотрывно следили за Меркурием; острие сабли стерегло каждое движение юноши, и, повинуясь выразительному жесту Моршана, Ангелина и Меркурий вошли вслед за ним в непроницаемую тень, где к боку Ангелины тотчас приткнулся пистолет, а к шее Меркурия прижалось лезвие сабли.

— Да, это я! — прокаркала тьма голосом Моршана. — Кулаков нескольких пьяных русских мужиков маловато, чтобы меня прикончить.

По-русски этот француз говорил очень недурно. Только вот акцент...

— Кстати, Ламираль и Сен-Венсен тоже здесь! — сообщил Моршан. — Да, да, мы все трое здесь... И все благодаря тебе.

— Что? — выдавила Ангелина, и Моршан с явным удовольствием ответил:

— Ты, красотка, указала нам путь! Ты нашла эту щель в заборе, эту ловушку для дураков, возле которой хитроумный капитан поставил часового. Сунься туда кто-то из нас — всему бы делу конец, но часовой схватил тебя... И пока вы орали друг на друга, мы без помех вошли. — Заметив, как Ангелина повернула голову, Моршан сказал: — Нет, нет, они не здесь! Они в том сарае, где гондола. Ваша «лодка-самолетка».

Меркурий шумно вздохнул, и Моршан резко повернулся в его сторону:

— Стой тихо, не то лишишься головы! Я был лучшим рубакой в старой гвардии императора, а еще до этого с полувзмаха снес головы не одному десятку проклятых «аристо» у нас в Шампани.

Он говорил и говорил, словно в каком-то опьянении, и Ангелина вдруг поняла, что это и впрямь опьянение победой: Моршан чудом избег смерти, его сообщники тоже живы, и дело, которое он уже считал проваленным, похоже, выгорит.

— Вы сожгли Москву, чтобы наша армия подохла там с голоду, — с ненавистью прошипел Моршан. — А мы сожжем ваш корабль, эту надежду старика Кутузова, а заодно устроим хороший костер в этом паршивом русском городе. Вы ведь, кажется, говорите: «Нижний — брат Москвы ближний»? Ну так оба брата обратятся в пепел.

Ангелине его угрозы казались сущей нелепостью: как это — трем французам сжечь целый город?! И тут она услышала стон Меркурия:

— Баллон... баллон наполнен горючим газом!

«Ну и что?» — хотела спросить Ангелина, которая даже и слова-то «газ» отродясь не слыхала, однако в голосе Меркурия звучал такой ужас, что ее тотчас же забило мелкой неудержимой дрожью.

— Да, мы знаем, что сегодня Дружинин намерен увести аппарат Леппиха в Санкт-Петербург. К подъему шара все готово. Да вот!.. — Голос Моршана вдруг сорвался на хрип: — О Пресвятая Дева Мария! Я не мог и вообразить...

Он умолк, околдованный зрелищем, которое внезапно открылось перед ним.

В безоблачно-ясном темно-синем небе, под огромным белым диском луны вдруг возвысился над землею огромный шар и завис, едва подрагивая от легчайшего прохладного ветерка, словно красуясь перед всем миром своими округлыми боками, на которых серебряно играли лунные блики, — рвущийся в вышину, прекрасный, живой, невообразимый летучий зверь!

Безмолвие владело крепко спящим городом, и Ангелина с детской обидою подумала вдруг, что завтра никто, даже дед, даже княгиня Елизавета, не поверит ее рассказам. Чтобы поверить, надо увидеть своими глазами, а завтра воздушный корабль уже будет далеко...

О Господи, но наступит ли завтра?

Она невольно застонала, и, как громкое эхо, ей отозвался крик Меркурия:

— Капитан! Уводите корабль! Скорее! Ско...

Он не договорил, и Ангелину обожгла мысль, что крик его мог быть не услышан, не понят... И тут почти тотчас же невдалеке послышались торопливые шаги и голос Никиты:

— Ангелина! Где ты?!

— Молчать! — прохрипел Моршан, и ледяное дуло уткнулось в горло Ангелины. — Молчать, не то — смерть!

Меркурий рванулся... Потом резко, коротко просвистела сабля, и горячие капли обожгли руку Ангелины.

Острый, пряный запах крови вдруг ударил в ноздри, тошнота подкатила к горлу... И никогда, даже впоследствии, не могла Ангелина распознать наверняка, явью или кошмаром помраченного рассудка было то, что она увидела в следующее мгновение.

Из густой тени забора выкатился какой-то круглый предмет, тускло блеснули остекленевшие глаза и оскаленные в предсмертном крике зубы, а потом — о Господи! — обезглавленный Меркурий рванулся на яркий лунный свет, воздев руки, словно взывая о помощи, сделал три неверных шага... И рухнул, успев и мертвый предупредить об опасности товарищей.

Ангелина еще успела услышать стук его тела, тяжело павшего на деревянные мостки, и этот звук слился в ее ушах с многоголосым криком ужаса... Все замелькало в глазах, шар взмыл, заслоняя собою луну... А потом земля и небо поменялись местами, и для Ангелины настала темная, беспросветная ночь беспамятства.

Часть II
ДОРОГА СТРАДАНИЙ

1
ЦЕНА УЖИНА В СОСНОВОЙ РОЩЕ

Минуло более месяца. На дворе стоял октябрь, и угрожающий призрак бесконечной русской зимы уже не таился за низкими серыми тучами, а сделался явью. Несколько раз выпадал снег, который уже и не таял; однообразным белым покрывалом сровняв и ухабы, и берега неширокой речонки, укрыл туши околевших лошадей, и замерзшие трупы, и проселочную дорогу, по которой медленно тянулась длинная колонна; и сторонний наблюдатель мог бы подумать, что сошел с ума или оказался на пути в чистилище, ибо путники сии напоминали призраков всех времен, народов и сословий. Рядом с шелковыми, всевозможных цветов шубами, отороченными дорогими русскими мехами, брели пехотные шинели и кавалерийские плащи. Головы путников были обмотаны платками всех цветов — оставалась лишь щелочка для глаз. Тут и там мелькала шерстяная попона с отверстием посередине для головы, ниспадавшая складками к ногам. То были кавалеристы, ибо каждый из них, теряя лошадь, сохранял попону; эти лохмотья были изорваны, грязны, прожжены. Теплая одежда стала едва ли не главным мерилом ценностей в том людском скопище, что еще недавно называлось Великой и непобедимой французской армией. Теперь в этой армии не осталось ни наград, ни чинов, ни званий. Невозможно было отличить генералов и офицеров; как и солдаты, они надели на себя что под руку попалось. Их всех — командиров и рядовых — перемолола Россия.

Наполеон полагал, что занятие Москвы не замедлит привести к миру, условия которого будут продиктованы им самим. Эта мысль страшно беспокоила Кутузова: извещая императора Александра об оставлении Москвы, русский главнокомандующий особенно настаивал на том, чтобы не вступать в переговоры с врагом. И Александр доказал, что умел быть твердым, когда хотел. Он готов был удалиться даже в Сибирь, лишь бы не вступать в переговоры с Наполеоном.

Ну что же, француз утешался тем, что если не получил мира, то получил Москву! Однако этот богатый город с большими запасами продовольствия и удобными квартирами вобрал в себя вражескую армию, как губка — воду, и более месяца держал Наполеона в полном бездействии. А русской армии как воздух была нужна эта передышка.

За это время в ходе войны без каких-либо заметных событий произошел перелом — так трофей превратился в ловушку.

Вялое продвижение тех, кто составлял некогда гордость Франции, было внезапно нарушено взрывом, разметавшим по белому снегу кровавые клочья.

Толпа заметалась. Пешие кинулись врассыпную.

Молодой драгун, давно растерявший и остатки былого блеска, и все свои честолюбивые мечты, но сумевший сберечь коня, а вместе с ним — и надежду на спасение, сейчас изо всех сил пытался усмирить обезумевшее от страха животное. Гнедой плясал под ним, крутился как угорелый, норовя затащить туда, где кучно ложились ядра. Едва справившись с конем, драгун дал ему шпоры и вдруг почувствовал, как кто-то вцепился в его ногу мертвой хваткой.

Оливье де ла Фонтейн (так звали молодого драгуна) уже готов был освободить себя ударом сабли от этого опасного объятия, как вдруг увидел молодого человека, одетого в лохмотья. Волочась на коленях за всадником и устремив на него свои горящие глаза, тот восклицал:

— Убейте меня, убейте меня, ради бога!

В этом аду, где каждый молил о самом ничтожном глотке жизни, такая просьба буквально вышибала из седла, а потому Оливье спешился и нагнулся к незнакомцу. Тот дышал, но был полумертв. Даже у видавшего виды Оливье подкатила к горлу тошнота, когда он узрел бок несчастного, взрезанный, будто острой косой, осколком ядра до самого позвоночника... Его страдания представлялись невообразимыми.

Внутренне содрогаясь при мысли о том, что ждало этого беднягу, Оливье вновь вскочил на коня, пробормотав:

— Я не могу помочь вам, мой храбрый товарищ, и не могу больше оставаться здесь! Простите меня.

— Но вы можете убить меня! — исторг из себя раненый не то крик, не то стон. — Единственная милость, о которой я прошу вас! Ради бога! Ради... моей матери!

Он сделал слабое движение головой, и Оливье только сейчас увидел двух женщин, с мольбой простиравших руки к нему, будто к последней надежде. Точнее говоря, простирала руки одна — немолодая, схожая с умирающим юношей тем сходством, какое бывает только у матери и сына. Ее глаза были наполнены слезами, которые неостановимо скатывались на увядшие щеки. Ее руки, протянутые к Оливье, дрожали, а губы твердили одно:

— О сударь! Сударь...

Вторая женщина сидела в снегу, понурясь, однако не плакала, словно окаменела от скорби. Из-под ее капора выбивались золотисто-рыжие пряди, и Оливье невольно подобрался в седле, когда по нему скользнули самые прекрасные синие глаза, какие ему только доводилось видеть. Впрочем, молодая женщина едва ли замечала Оливье — она устремила безучастный взор куда-то вдаль, туда, где корчился от боли придавленный деревом солдат.

Оливье, мысленно попросив прощения у Бога, выхватил один из своих пистолетов и рукоятью вперед подал его несчастному.

Немолодая женщина дико вскрикнула:

— Фабьен! О Фабьен!..

Больше она ничего не успела сказать, ибо черные глаза юноши сверкнули дикой радостью, и он пустил себе пулю в висок с проворством поистине замечательным у человека штатского, каким он, несомненно, являлся, судя по одежде.

В это мгновение ядро ударило в землю совсем рядом, и конь Оливье, сделав безумный прыжок, унес своего хозяина на изрядное расстояние от страшного места.

Оливье не хотел оборачиваться, но все-таки обернулся.

Юноша лежал навзничь, тут же простерлась его мать. Оба были присыпаны снегом и вывороченной землей. А молодая женщина все так же сидела в сугробе, безучастно глядя вдаль, в заснеженный российский простор, в котором теряется все: и города, и люди, и русские, и французы, и смерть, и жизнь...

И тут веер нового взрыва закрыл от Оливье эту картину.

* * *

Маман отчаянно рыдала, уткнувшись в мертвое тело, а Анжель по-прежнему смотрела вдаль. Боже мой, вот и нет Фабьена... А как же его любовь, которая, как он клялся, будет жить вечно? Умом она понимала, что вечно должна быть благодарна мужу и его маман, спасшим ее от толпы разъяренных русских; и вообще Фабьен был хороший, добрый человек, но Анжель знала, что для любви-власти он оказался слаб, эта любовь превратила его в тирана, который пытался утвердить над Анжель свою волю — словами, постелью, даже побоями. Он пускал в ход руки без раздумий — с молчаливого благословения маман, чьи черные глаза сияли еще ярче, когда она видела страдания Анжель от его пощечин.

Но почему, за что? Иногда Анжель думала, что, наверное, чем-то крепко досадила этим двоим — иначе с чего бы им так сладострастно мстить ей?

Судя по их рассказам, они были французы, некогда нашедшие в России приют от ужасов революции, но не утратившие связи с родиной и мечтавшие вернуться туда. Однако жестокие русские чинили им в том всяческие препятствия и однажды даже похитили Анжель и подвергли ее насилию. После этого она и лишилась памяти. Их жизнь подвергалась опасности, поэтому они ночью бежали в чем были из города, где жили, и долго скитались, пока не добрались до французской армии, расквартированной в русской столице. Однако бог войны оказался к ним немилостив: Москва сгорела, удача перешла на сторону врага, французы спешно отступали, вернее, бежали... И графиня д'Армонти с сыном и невесткою пополнили ряды беженцев.

Сначала Анжель плакала, металась, пытаясь понять, почему так холодно и одиноко сердцу возле двух этих самых близких для нее людей, но на этот вопрос они ответить не могли, хотя на всякий другой ответ был готов без задержки.

— Почему я так плохо говорю на родном языке, что поначалу попутчики даже с трудом меня понимали? — удивлялась Анжель, и ей поясняли, что ее родители давно умерли, а ее взяла на воспитание русская семья; люди невежественные, они были рады сбыть ее, бесприданницу, с рук, когда за нее посватался Фабьен.

— Почему именно я сделалась жертвою неистовой злобы русских? — недоумевала Анжель, и маман, брезгливо поджимая губы, уведомляла, что Анжель еще в девичестве весьма несдержанно вела себя с неким русским вертопрахом, настолько диким и необузданным, что даже родная мать выгнала его из дому. Этот разбойник соблазнил Анжель, а потом отказался жениться, возомнив, что она и без того всегда будет с радостью удовлетворять его низменные потребности. Когда великий Наполеон покорил Россию, развратник отправился в армию, а воротясь, нашел Анжель замужем — и поклялся осквернить ее и отомстить всему семейству д'Армонти, что ему вполне удалось сделать!

— Отомстил ли Фабьен негодяю, поругавшему мою честь? — гневно воскликнула Анжель — и тут же поняла, что вот этот-то вопрос задавать не следовало, так помрачнело лицо Фабьена, так разъярилась маман, таким количеством упреков осыпала она Анжель.

«Зачем же он на мне тогда женился, коли я так нехороша?!» — чуть не выкрикнула в обиде Анжель, но поостереглась. Конечно, Фабьен женился против воли матери, хотя к чему это? Какие такие супружеские радости он обрел? Анжель по ночам, пытаясь ублажать мужа, чье мужское достоинство восставало за ночь до пяти раз, да что толку, коли он сникал, едва соединившись с женою, и плакал от бессилия и неудовлетворенности, и принуждал ее снова и снова возбуждать его, да все опять кончалось пшиком, — так вот, по ночам, вконец умаявшись, Анжель иной раз позволяла себе вообразить, каков был мужчина тот русский злодей, что лишил ее невинности, а потом подверг насилию. Однажды она проснулась от собственных блаженных стонов и была несказанно изумлена, обнаружив, что любострастничает сама с собою: ей снилось, что некто невидимый страстно ласкал языком и пальцами ее естество, доведя ее во сне до мучительно-радостных содроганий. Распаленная, она попыталась утишить свой жар с мужем, позволив повторить эти смелые ласки. Бог ты мой, что тут было!..

— Ты вспомнила? — яростно кричал Фабьен — так, что разбудил графиню, спавшую за перегородкой в той же избе. — Что ты вспомнила? Говори? Говори, ну?!

Тогда он впервые ударил Анжель. Она рыдала безудержно, ничего не понимая, в чем провинилась... И с тех пор эти опасные сны больше не посещали ее, хвала Пресвятой Деве.

А тот... чудовище-русский... он иногда мелькал в сновидениях: широкие плечи, стремительная походка, растрепанные светло-русые волосы. Но она так и не видела отчетливо его лица, и только иногда проблескивала улыбка и сияли серые глаза... Ох, какие ласковые глаза!

Но зачем бы Фабьен и маман стали лгать Анжель? Она должна верить им! А снам верить нельзя. Вот ведь иногда мучает Анжель кошмарное видение: человек с отрубленной головой делает три шага — и выходит из глубокой тьмы на слепяще-яркий лунный свет, и воздевает руки, словно зовет кого-то на помощь, и рушится наземь — и Анжель просыпается от своего крика...

Но это было давно, еще в самом начале пути. Тогда она боялась мертвых, немного их валялось при дорогах; ну а потом, по мере того как свирепела зима и смелели русские казаки, их становилось все больше, и Анжель привыкла к торчащим из сугробов оледенелым конечностям. Тот, обезглавленный, больше не возникал в ее сновидениях. Анжель привыкла видеть кровь, раненых и умирающих; сердце ее застыло; оголодавшая плоть устала страдать; жизнь едва теплилась в ней... Потому она и смотрела неподвижными глазами в заснеженную даль, словно и не слышала за грохотом канонады одиночного пистолетного выстрела, прервавшего жизнь графа Фабьена д'Армонти и сделавшего ее вдовой.

* * *

Анжель думала, что судьбой ей предопределено застынуть в этом перепаханном ядрами сосновом лесу, но графиня наконец, тяжело поднявшись, побрела вперед, даже не глянув на мертвого сына. Анжель прикрыла тело Фабьена тремя траурно-зелеными сосновыми лапами, а потом, увязая в сугробах, пустилась догонять маман, недоумевая, куда это она так вдруг заспешила. Впрочем, алое закатное солнце уже почти сползло в мглистые тучи, так что пора было подумать о ночлеге.

Ах, как ей хотелось все время есть! Голодный озноб непрестанно сотрясал ее тело, и она дивилась графине, которая даже из своей скудной доли половину отдавала Фабьену. Анжель завидовала ему — не только из-за лишней ложки несоленой каши, ломтя мерзлого хлеба, куска плохо вываренной конины, а из-за той истинной, всепоглощающей любви, которой любила мать своего сына.

Что же сделалось с нею от страшного потрясения, если, даже не закрыв мертвому сыну глаза, она ринулась на запах дыма — костра, еды?!

Да еще и неизвестно, пустят ли их к огню. Все-таки Фабьен чего-то стоил, если мог сносно устраивать на ночлег обеих своих женщин и раздобывать им какой-никакой кусок у мародеров...

Чем ближе женщины подходили к костру, тем резче становился запах жареной конины. Анжель скрутило приступом голодной тошноты, и она едва не зарыдала, когда здоровенный кавалерист лениво поднялся и шуганул от костра графиню д'Армонти, словно приблудную собачонку. Но маман проглотила обиду молча и побрела к другому костру; Анжель, еле передвигая ноги, побрела за ней, чтобы увидеть, как она снова убралась от второго, третьего, четвертого костра...

Ну что ж. Теперь надо подождать, когда у маман кончится терпение и она решится залезть за пазуху, где пришит был объемистый кошель с золотыми монетами и драгоценностями: этот немалый запас графиня расходовала крайне бережно, ибо не хотела явиться во Францию нищенкой, он и позволил им до сих пор не умереть с голоду.

Вот графиня приблизилась к новому костру. Анжель видела, как один из сидевших у огня взял горящую ветку и близко поднес к лицу графини. Маман замахала руками, а потом повернулась в сторону Анжель, и та даже на расстоянии почувствовала на себе внимательные взгляды сидевших у костра мужчин.

— Иди сюда, Анжель! — крикнула графиня. — Да побыстрее, если хочешь, чтобы нам достался хоть кусочек!

При упоминании о еде ноги Анжель сами собой понесли ее к костру. Стоило ей подойти, как высокий плотный мужчина приблизил к ее лицу факел, но она даже не почувствовала опаляющего дыхания огня, ибо во все глаза смотрела в котелок, где пузырилось густое белое варево. Это была мука, без соли и жира, просто сваренная в воде. Вкус ее не назвал бы приятным даже умирающий с голоду, и все же Анжель сейчас не отказалась бы от нескольких ложек мучной похлебки.

Ее усадили поближе к огню, сунули в руки ложку и дали еще кусочек снаружи обгорелого, а внутри полусырого мяса. Анжель с ожесточением жевала его и в конце концов почувствовала себя почти сытой.

Графиня о чем-то переговаривалась с тем человеком, который освещал их факелом. И Анжель сквозь свое полусонное, полусытое оцепенение улавливала обрывки фраз.

— Это непомерная цена! — горячилась маман. — Ужин-то был не ахти какой!

— То-то вас, сударыня, невозможно было за уши от него оттащить! — усмехнулся мужчина.

От звука его голоса дрожь ужаса пробежала по спине Анжель. Голос был груб, неприятен, но ей не хотелось думать о неприятном, поэтому она уставилась в костер. Вот мелькнули перед нею чьи-то ласковые серые глаза — Анжель улыбнулась, вот проплыло в клубах дыма мертвое, присыпанное снегом лицо Фабьена — Анжель затрепетала, застонала во сне...

— По рукам! — вдруг громко произнес мужчина, и Анжель испуганно вскинулась. — Ты будешь получать еду каждый день, если сумеешь меня найти!

И, гробовым смехом заглушив возражения графини, он вскочил и ринулся в сторону, волоча за собою Анжель.

Ужас от того, что предстояло уйти от этого живого огня, был настолько силен, что Анжель начала упираться — слабо, но достаточно ощутимо, чтобы мужчина повернулся к ней.

Его недобрая улыбка заставила ее затрепетать, черты его чумазого лица показались ей ужасными, а взгляд маленьких темных глаз — злобным, как у зверя.

Анжель решила, что он сейчас ударит ее, но мужчина усмехнулся:

— А ведь ты права, клянусь ключами святого Петра! Почему нам нужно уходить с этого тепленького местечка? В конце концов, это я развел огонь — значит, он мой!

И он с грозным видом повернулся к трем сотоварищам.

— Ну? Чего уставились? Зря смотрите, вам ничего не перепадет.

— Ну вот, я так и знал! Московский купец! — простонал один из них и едва успел отпрянуть, когда огромный кулак придвинулся к его лицу:

— Только посмей еще раз назвать меня так, merde![1]

— Это несправедливо, Лелуп! Все-таки мы все хотим того же! — воскликнул другой солдат, не сводя с Анжель жадного взгляда.

— Что? Ты еще не забыл слов égalité, fraternité, liberté[2], под которые так и летели наземь головы аристократов? — хохотнул Лелуп[3] («Волк! Его имя — Волк!» — содрогнулась Анжель). — Но мы не на баррикадах сейчас. Убирайтесь от костра, живо. Разведите свой. А чтобы высечь искру, возьмите с собою эту старуху. — Он с усмешкой глянул в сторону графини.

Черные глаза свекрови сверкнули так яростно, что Анжель на миг почувствовала себя отомщенной. Обрадованные солдаты схватили графиню за руки и за ноги и утащили куда-то в темноту, откуда вскоре раздались жуткие ухающие звуки, заставившие Анжель похолодеть.

Между тем Лелуп развязал свой тюк и бросил на сосновые ветки два или три плаща, попоны,

---

[1] Дерьмо (*фр.*).

[2] Равенство, братство, свобода — лозунги Французской революции.

[3] Le loup — волк (*фр.*).

одеяла, а потом схватил Анжель и швырнул ее на это ложе с такой бесцеремонностью, словно она тоже была подстилкой — всего лишь еще одной подстилкой.

Потом он рухнул на нее, задрал ей юбки. Ощутив его близость, ошеломленная Анжель выкрикнула имя — она не знала, чье это имя, но в нем воплотилось все самое ужасное и постыдное в ее жизни... В той, прошлой, забытой жизни.

— Моршан! — закричала она.

И тотчас поперхнулась, ибо тяжелая рука легла ей на горло.

— Забудь о нем. Скажи: Лелуп... Ну!

Рука надавила сильнее, и Анжель, задыхаясь, прохрипела:

— Ле-лу-уп...

— Вот так, — удовлетворенно выдохнул он, с такой силой вдавливая в нее свое мужское естество, словно сваи забивал.

Анжель захлебнулась криком, слезы лились неостановимо... На ее счастье, изголодавшийся по женщине Лелуп насытился удивительно быстро. Он скатился с Анжель, продолжая, однако, крепко держать ее.

— Только посмей шевельнуться, — услышала она, засыпая. — Твоя мать продала мне тебя за сегодняшний ужин. Ничего, держись за меня — может, жива останешься!

И он захрапел, не ослабляя своей железной хватки.

2

РУССКИЕ АМАЗОНКИ

Через день Анжель возненавидела Лелупа. Еще через день она продала бы дьяволу душу, лишь бы избавиться от него. На третий день она готова была умереть для этого.

Нрав, поступки, лицо, фигура, голос — все в нем было гнусно и отвратительно.

Более того: его ненавидели даже те, с кем вместе он мародерствовал. Когда Анжель узнала, что Лелуп принадлежал к старой гвардии Наполеона, был с ним еще в Египте, то поразилась, сколь низко ценится во французской армии славное боевое прошлое.

Многие солдаты откровенно высказывались, что если бы в день Бородинского сражения император двинул на смену усталым войскам свою свежую гвардейскую кавалерию, то исход сражения был бы другой и русская армия была бы полностью уничтожена. Но император хотел вступить в Москву со своей гвардией, столь же многочисленной, как и при ее выступлении из Парижа.

В Москве гвардия всем завладела, отодвинула всех прочих и жила в полном довольстве, так как после пожара, вернувшись на развалины домов, гвардейцы рылись в подвалах, в которых жители припрятали провизию, вина и вещи; и они открыли для своих же, французов, торговлю чем только можно. Это настроило против них всю армию, которая в насмешку называла их «московскими купцами» или «московскими жидами». Неприязнь эта сказалась во время отступления, и солдаты за все злоупотребления гвардии жестоко отомстили «московским купцам». Отставая от своего корпуса, что случалось с воинами и других частей, гвардейцы были совершенно одинокими, и отовсюду, куда бы они ни пристраивались — к костру или какому-либо приюту, — их грубо отгоняли.

Однако Лелупа прогнать никто не мог, потому что он увел с собой из Москвы маленький фургончик, куда успел загрузить множество продуктов — от галет до рома и вина.

Кроме этого, он раздобыл себе кучу русских мехов, да вот незадача — русский снаряд уничтожил «склад» Лелупа, и теперь весь его припас умещался в двух вьючных мешках; однако в условиях отступления и это было настоящее сокровище, позволявшее ему диктовать свои законы на привалах и даже время от времени покупать себе женщин. Анжель случайно узнала, что была четвертой в этом походном гареме, однако все ее предшественницы умерли, не снеся то ли тягот пути, то ли неизбывной ненависти Лелупа ко всему миру. Анжель чувствовала, что вся гнусность натуры Лелупа ею еще не познана, самое страшное впереди... Так оно и произошло.

* * *

День с утра до полудня был ясный и даже теплый, однако достаточно было одного сильного порыва ветра, чтобы тотчас зима, в который раз уже, дала понять, что в этой стране она истинная хозяйка, суровая к незваным гостям. Все ждали чего-то ужасного — и внезапно разыгрался буран.

Многие сходили с дороги, ложились прямо в сугробы, закутавшись с головою в плащи и шубы, надеясь переждать русскую пургу, как некогда пережидали аравийские песчаные бури. Таким уже не суждено было подняться! Самые упрямые и сильные брели по сугробам, силясь разглядеть за снеговой завесою подобие человеческого жилья. И вершиною счастья было увидеть блокгауз.

При победоносном наполеоновском марше для обеспечения тыла через каждые двадцать-тридцать верст были устроены этапы: на площади, огороженной рвом и забором, возводились бараки, то есть блокгаузы. Такой-то блокгауз и высматривал сейчас с надеждою всякий глаз.

Бредущая среди небольшой группки сотоварищей и прихлебателей Лелупа Анжель все чаще чувствовала под ногами не утоптанный твердый зимник, а рыхлые сугробы. Она понимала, что они сбились с дороги, да и другие понимали, но все послушно брели за Лелупом, который, ведя в поводу навьюченного коня, все круче забирал в дремучую чащобу, и вдруг из метели выступили темные бревенчатые стены, иссеченные снегом, и все наконец увидели то, что давно уже высмотрели волчьи глаза Лелупа, а может быть, почуял его звериный нюх: убежище!

Однако это был не блокгауз. Строение оказалось русской церквушкою, каких немало пожгли эти люди — ну а если не пожгли, то беспощадно осквернили.

— Allons, enfants de la patrie![1] — с издевкою в голосе пропел Лелуп и первым вошел в широкие двери.

Страха, усталости, печали — как не бывало! Все с наслаждением отряхивали с одежды снег, раскладывали для просушки вещи, тащили для растопки деревянные раскрашенные доски с ликами русских святых.

Анжель знала, что эти доски называются иконы, что русские поклоняются им, и испытывала какое-то странное тревожное чувство, когда смотрела на них. Она понимала: эти диковинные доски нельзя жечь! Богу, который еще властен в этих стенах, сие вряд ли придется по нраву!

Впрочем, Богу тут уже не оставалось места. Следы на полу и на стенах, общая картина человеческой мерзости ясно указывали, что тут ставили лошадей, забивали птицу и скотину, извергали нечистоты... Казалось, нельзя здесь найти незагаженного уголка, и Анжель с тоской в глазах бродила по церквушке, ощущая страшную тяжесть на сердце и мысленно прося у кого-то прощения.

Вдруг на закопченной стене мелькнуло светлое пятно. Анжель увидела косо прибитую иконку с изображением женщины в серебристо-белом одеянии, с младенцем на руках. Анжель вдруг безотчетно подалась вперед, прижалась губами к ручке младенца и, только отстранившись и осенив себя троекратным крестом, удивилась своему поступку. Крестилась она справа налево, а пальцы ее руки были сложены щепотью, но отнюдь не в два пер-

[1] Первая строчка «Марсельезы», гимна Французской революции: «Вперед, сыны Отчизны!»

ста, как крестились французы. Верно, это память о русском воспитании, подумала Анжель и неприметно прикрыла икону грязным лоскутом, валявшимся на полу.

Чтобы не привлекать внимания к этому месту, Анжель прошла вдоль стены. Какой-то узор был вырезан на дереве, Анжель с изумившей ее саму легкостью прочла: «Приидите ко мне... И аз упокою вы...» Да, верно, это тоже гудит забытая память, если слова чужого языка понятны ей, но эти слова понял бы сердцем человек любой нации! Бог — последнее пристанище, где в пору и не в пору человек преклонит травнический посох свой. Анжель простерла руки к надписи, умоляя Всевышнего простить ее за все, что содеяно на этой земле, в храме сем...

Короткий вздох прервал ее мольбу. Анжель, встрепенувшись, успела увидеть, как темная фигура проворно отпрянула в тень, однако и из тьмы достигал лица Анжель жгучий взор незнакомца. Она не сдержала короткого вскрика, но тут же, спохватившись, зажала рот ладонью. Поздно — Лелуп уже оказался рядом.

Он видел в темноте, подобно дикому зверю, и ринулся вперед, в непроницаемую тьму. Послышались звуки потасовки, набежали на шум другие французы, и Лелуп вскоре появился в свете костра, утирая окровавленные губы и чудовищно ругаясь, а за ним его сотоварищи волокли какую-то высокую фигуру в рваной черной рясе. Сквозь лохмотья проглядывало поджарое мускулистое тело, однако, не замечая своей полунаготы, монах старательно прикрывал капюшоном лицо.

— А ну, чего прячешься? Покажи-ка свою рожу! — рявкнул Лелуп, однако Туше схватил его за руку:

— Черт с ним! Может, у него обет скрывать лицо? Помните, в Испании мы сожгли монастырь, в котором все монахи дали обет молчания на всю жизнь? Ну уж и орали они, когда горела их обитель!

— Ты предлагаешь его сжечь? — усмехнулся Лелуп, и Анжель передернуло.

— Нет, — вкрадчиво протянул Туше. — Я предлагаю взглянуть на его крест. Я знавал в Москве двух-трех русских толстобрюхих священников, у которых кресты были украшены очень и очень недурными камешками.

— Видать, религия — твой конек. Надо полагать, ты не замедлил забрать эти кресты? — Лелуп проворно обшарил рваную рясу, но не нашел ничего, кроме потемневшего от времени серебряного крестика, который отшвырнул с презрением. — Осечка! — хмыкнул Лелуп. — Ну-ка, Туше, напряги мозги, что ты еще знаешь о монахах?

Туше пятерней поскреб засаленную голову.

— Что тебе сказать? — произнес он раздумчиво. — Помнится, одному священнику мы спалили бороду, чтобы лучше расслышать, где он прятал церковные сокровища.

Глаза Лелупа сверкнули:

— А вот мне кажется, что этому придурку мешает говорить капюшон на его башке. Что, если снять с него рясу, но, дабы рук не пачкать, зажечь ее?

Анжель тихо ахнула, и быстрый, как молния, взгляд из-под капюшона пронзил ее. Сердце забилось в горле, да так, что она едва могла дышать, с трудом разомкнув губы, чтобы вымолвить:

— У-мо-ляю вас...

Лелуп обернулся к Анжель:

— Что я слышу?! Ты наконец-то разинула рот, девка?

— Да брось ты, Лелуп! — захохотал Туше, и к нему присоединились остальные французы. — Не далее вчерашнего вечера я слышал, как твоя мадемуазель орала во всю мочь — вот только не понял, от радости или от страха.

— А мне что за дело до ее радости? Быть с ней — все равно что в сугроб толкать, так эта сучка холодна. Ну, конечно, я помял ей бока, чтобы хоть ноги раздвинула пошире!

Анжель на мгновение зажмурилась. Ей было невыносимо стыдно перед монахом. Его взгляд жег ее, как огонь, хотя она не видела его лица.

— Стыдись! — Туше обращался к Лелупу, но при этом похотливо поглядывал на Анжель. — Ты позоришь знамя французской галантности! Уверяю тебя, какая-нибудь московская барыня, сквозь которую подряд прошел десяток наших молодцов, с удовольствием вспомнит каждого из них, ибо они ублажили не только себя, но и даму!

— Ну, эту льдину только факелом можно растопить! — злобно ощерился Лелуп, и в глазах Туше блеснула робкая надежда:

— Если она тебе уже надоела, я не прочь попробовать свои силы...

— Да и на меня дамы никогда не обижались, — подал голос Толстый Жан, а ему вторили еще трое.

Анжель поднесла руку ко лбу. А ведь нечто подобное уже случалось с ней... Неприкрытая похоть в глазах мужчин, насмешки — и полная безысходность!

Голос Лелупа вернул ее к действительности.

— Ты, кажется, упоминал о крестах с красивыми камешками? — спросил он.

— Ну, ты хватил, Лелуп! Не высока ли цена за девку? Мне ведь она нужна только на разочек!

— Покажи крест! — велел Лелуп, и Туше, мученически закатив глаза, принялся шарить под одеждой.

Наконец что-то блеснуло в его грязной руке, и этот блеск высек искру в прищуренных глазах Лелупа.

— Ты отдашь мне крест, — изрек он. — Но девку возьмешь не один раз, а... сколько тут камешков, пять? Ну вот, пять раз. Ладно уж, шестой — за сам крест.

— Как хочешь, но это не по-товарищески, Лелуп! — вмешался Толстый Жан. — Если бы мы знали, что ты хочешь заработать на своей девке, то смогли бы кое-что предложить. Я ведь ушел из Москвы не с пустыми руками... да и другие тоже!

— Разумеется! — поддержали его остальные. — Мы заплатим тебе, Лелуп!

— Теперь для меня ты и свободного вечерка не отыщешь? — Лелуп грубо облапил Анжель. — Между этой толпой и не втиснешься! Впрочем, я еще посмотрю, что вы там предложите. А ну, выворачивайте карманы!

Мужчины принялись торопливо рыться в своих шубах-салопах, а Туше по-хозяйски схватил Анжель за руку и потянул к себе:

— Зачем ждать вечера? Пойдем-ка, моя прелесть. Тебе кто-нибудь говорил, какие у тебя чудные глазки? Они давно зажгли огонь в моем сердце. А твои губки... О, как давно я мечтал их поцеловать! Крошка моя, да после этого поцелуя ты забудешь обо всем на свете.

— Крошка?! — захохотал Лелуп. — Да она выше тебя на голову!

Как и все мужчины маленького роста, Туше терпеть не мог подобных замечаний.

— Держу пари, что проткну ее поглубже, чем ты! — запальчиво выкрикнул он. — Мне приходилось видеть здоровяков, у которых между ног болтался какой-то жалкий червячок, в то время как у меня...

— А ну, покажи! — взревел Лелуп, принимаясь расстегивать штаны.

Анжель зажала ладонью рот. Ее вырвало от отвращения. Она с мольбой в глазах глянула в угол, где стоял монах, чая хоть какой-то защиты, однако ужаснулась, заметив, что там никого нет. Монах втихомолку скрылся!

Не рассуждая, она бросилась было к двери, однако оттуда просвистела пуля, едва не задевшая ее. Она пронзительно вскрикнула от страха.

Мужчины, стоявшие со спущенными штанами, на миг остолбенели. Однако свист пуль не прекращался, так что солдаты вмиг пришли в себя и, кое-как прикрыв срам, бросились к своему оружию.

— Казаки! — кричали они.

* * *

Казаки! Те самые, над которыми когда-то, тесня их при своем наступлении, посмеивались французы, ныне наводили ужас на всю побежденную армию, и число их при содействии русских крестьян значительно увеличилось. Вот и теперь Лелуп, бросив взгляд в узкое окошко, закричал:

— Не казаки, а партизаны!

— Черт ли, дьявол — все одно! — отозвался Туше.

Ружья, как назло, оказались у всех незаряженными, и пока французы заряжали их, нападающие успели ворваться в церковь.

Анжель смотрела на них как завороженная, однако не испытала страха. Большинство партизан были верхом на маленьких лошадках, в бараньих шубах и черных барашковых шапках. Вооружение их в основном составляли пики или просто колья с железными остриями на конце. Ружей имелось немного, зато в пистолетах недостатка не было. И четверо французов были сразу убиты.

Раненый Туше покорно поднял руки. Высокий казак походя полоснул по его шее саблей — Туше завалился на бок, захрипел.

Лелуп, которого держали трое, вдруг рванулся с такой силой, что русские посыпались в разные стороны. Он кинулся к дверям и высадил одну из створок могучим плечом... Русские бросились следом, но один из них остановил их властным движением руки:

— Да пускай бежит. Далеко не уйдет, сдохнет в сугробе. Только это им и осталось. Однако же мы сюда за другим пришли, забыли?

Анжель вслушивалась в русские слова, с изумлением сообразив, что все понимает. Но еще большим потрясением было для нее то, что голос был женский.

Да эти казаки — женщины!

Она недоверчиво оглянулась и похолодела, встретив устремленный на нее взор, столь темный и недобрый, что полудетское изумление вмиг оставило Анжель и она осознала свое положение. Ни на какое мягкосердечие надеяться не стоит: ведь одна из этих русских амазонок только что, мимоходом, перерезала горло Туше и вот теперь устремила свой ненавидящий взгляд на Анжель. Это ее враги, и она — враг им!

Русская медленно приближалась. У нее было точеное лицо с высокими скулами, маленьким круглым подбородком, крепко стиснутыми яркими губами. Анжель с жадностью уставилась в это злое и прекрасное лицо, в черные, чуть раскосые глаза под сросшимися бровями, придававшими взору женщины особенную, дикую страстность. Анжель почему-то ощутила, что русская ненавидит в ней не просто чужеземку — она ненавидит именно ее, Анжель!

— Варвара! Стой! — послышался крик. — В своем ли ты уме? Да ведь это, наверное, она!

Анжель медленно повела глазами и увидела осанистую женщину, высокую и плотную, лет тридцати восьми, красивую последней бабьей красотой, которая пронзает мужские сердца сильнее девичьей прелести. Под клетчатым платком виднелись гладко причесанные русые с проседью волосы, богатейшие ресницы бросали тень на смуглорумяные щеки. Округлые брови были нахмурены, а взгляд темно-серых глаз сурово устремлен на злую красавицу.

Та остановилась, но во всей ее осанке сквозило с трудом сдерживаемое непокорство.

— Да что ты, Матрена Тимофеевна! Чтоб за такое отребье наш барин столько радел?

Она окинула Анжель цепким взглядом, в котором была не только ненависть, но и нескрываемое презрение. Анжель словно увидела себя со стороны: нечесаные волосы, одежда грязная, почти рванье. Право же, в ней теперь нелегко распознать женщину!

— Да ты не бойся, — властно отстранив с дороги Варвару и отобрав у нее саблю, сказала Матрена Тимофеевна. — Ты должна пойти с нами. Вреда тебе не будет. Понимаешь?

Анжель робко кивнула.

— Понимает! — обрадовалась Матрена Тимофеевна, обернувшись на своих подруг. — Понимает, знать, по-нашему! А говорить умеешь? Го-во-рить? — прокричала она по складам, тыча пальцами себе в рот. Но Анжель хоть и понимала каждое слово чужой речи, но сама ни звука ее воспроизвести не могла.

— Не глухая, да немая! — злорадно усмехнулась Варвара.

— Нишкни! — замахнулась на нее Матрена Тимофеевна небрежно, будто на расшалившуюся кошку. — А ты, девонька, пойдем со мною! — Она отступила к выходу, маня Анжель раскрытой ладонью, и та покорно пошла за ней из церкви и села в розвальни, полные хрустящего сена... Сани тронулись; от резкого их движения Анжель невольно запрокинулась навзничь, но не сделала попытки подняться, так и лежала, безвольно глядя в сырое и серое небо, не в силах ни думать о чем-то, ни даже беспокоиться о будущем.

3
БАРСКИЕ ЗАБАВЫ

— Ох и закудлатилась ты! Колтун, ну чистый колтун! — в который уже раз с отчаянием воскликнула Матрена Тимофеевна, продираясь гребнем сквозь давно не чесанные волосы Анжель. Даже и смазанные маслом, они не поддавались частому гребню, и поэтому Матрена Тимофеевна беспрестанно ворчала, а из глаз Анжель струились слезы.

Варвара, сидевшая поодаль, с отвращением смотрела на масляное месиво, облепившее голову Анжель, и медленно расплетала свою толстую — в руку толщиной! — и длинную косу цвета воронова крыла, которой могла позавидовать любая женщина, но Анжель не ощутила зависти, ибо понимала: Варвара все делает напоказ, явно красуясь. «За что она меня так ненавидит?» — опять удивилась Анжель.

Наконец Матрена Тимофеевна со вздохом облегчения отложила гребень и велела Анжель следовать за нею. Тут же поднялась и Варвара, которой, как поняла Анжель, была предназначена роль ее стража.

Они все трое были в одних рубашках. Матрена Тимофеевна бестрепетно ступила из холодных сеней босыми ногами прямо на снег и пошла к приземистому бревенчатому строению, над которым поднимался дымок. Анжель в ужасе попятилась, но Варвара так пихнула ее вперед, что Анжель едва ли не сбила с ног Матрену Тимофеевну. Та оглянулась, мгновенно оценила происходящее и пропустила Анжель вперед, сурово погрозив Варваре маленьким, но увесистым кулачком. Та лишь хмыкнула в ответ, но больше не трогала Анжель. Они прошли еще немного, и вот уже перед ними открылась низенькая дверка, из которой дохнуло обжигающей влагой. Баня!

Анжель выплыла из облака душистого пара и осознала, что полулежит на мокрой лавке и все тело у нее горит — избитое, исхлестанное веником, натертое мочалкою, а волосы, аж скрипящие от чистоты, тщательно расчесанные, казались невесомыми.

— Жива, девонька? — вернула ее к жизни ласковая усмешка Матрены Тимофеевны, и она поднесла к губам Анжель деревянный жбан с квасом.

Анжель пила медленно, долгими тягучими глотками. Блаженная усталость клонила ее в сон, однако Матрена Тимофеевна властной рукой заставила ее подняться.

— Пошли отсюда, не то угоришь. — Она покрутила пальцем над головой, но Анжель и так поняла, что имеется в виду.

— Ну что, окунем ее в сугроб? — спросила Варвара с недоброй усмешкою; заметив гневный огонек в глазах Матрены Тимофеевны, досадливо отмахнулась, вдруг вырвалась из дверей предбанника и, как была, голая, распаренная, ринулась в сугроб.

И вот она уже вбежала обратно в баню, захлопнув за собой дверь, и снег таял, чудилось, даже с шипением, на ее медно-красном налитом теле. Она была словно выточена из некоего горячего камня, столь безупречной была ее стать: гладкая, поджарая, мускулистая — истинная амазонка! Рядом с ней Анжель ощущала себя какой-то рыхло-белой немочью, однако, заметив недобро сверкающие глаза Варвары, вдруг поняла, что и та разглядывает ее придирчиво-ревниво, да и Матрена Тимофеевна смотрела на них оценивающе, словно не зная, кому отдать предпочтение, ибо эти две высокие молодые женщины являли собою редкостные образцы безупречной красоты.

— Что смотришь? — прошипела Варвара, и Матрена Тимофеевна не без ехидства засмеялась:

— Поглядел бы сейчас на вас барин, на двух таких... Небось пожалел бы, что у него не две уды враз!

Варвара так и передернулась:

— Ништо! Мне и одной достанет!

— Ох, душа моя, — вздохнула Матрена Тимофеевна. — Ты все о своем!

— А что? — грозно надвинулась на нее Варвара. — Что ты думаешь, она ему в постель нужна? Зачем, когда я... — Она осеклась.

— Вот-вот, — грустно кивнула Матрена Тимофеевна. — Ты-то да, а он что же?

В черных глазах Варвары закипели злые слезы, а голос сорвался на визг:

— Я не отдам его этой девке, он мой!

— Поймай ветер в поле, — ответила Матрена Тимофеевна.

Варвара повесила голову и принялась надевать рубаху, не глядя на Анжель. Та же сидела на лавке, недоумевая — почему ей не дают одежды? Кинули только ряднушку[1] — вытирайся, мол.

— Готова? — спросила Матрена Тимофеевна у Варвары, и та мрачно кивнула. Потом окинула соперницу взглядом, невольно застонав, когда глаза ее задержались на круто завившихся золотистых локонах Анжель, — и вдруг вылетела из предбанника, так хлопнув дверью, что все вокруг заходило ходуном.

— Уезжай в деревню, Варька! — сердито крикнула вслед ей Матрена. — Сей же день уезжай! Или за Пашку выходи, не то доведешь себя до беды!

Потом Матрена Тимофеевна взяла Анжель за руку и втолкнула в какую-то дверь.

Анжель с изумлением озиралась. Она очутилась в просторном круглом зале, который был выложен бревнами, имевшими светло-золотистый свет; огоньки нескольких свечей, стоявших в светцах[2], играли и переливались, отражаясь в этих блестящих стенах и в поверхности круглого водоема, выложенного камнем и занимавшего почти весь зал.

---

[1] Ряднушка, рядно — грубый холст из пеньки.
[2] Светцы — подсвечники.

Над водой плыл духмяный травяной аромат, и Анжель, изрядно озябнув и не найдя никакой одежды, торопливо соскользнула в теплую воду.

Она немножко поплавала, исследуя этот диковинный водоем, а потом уселась на самый высокий из таких выступов, погрузившись по горло в теплую воду, а головой — в свои тревожные мысли, которые доселе гнала от себя.

Все, что она успела узнать о русских за время скитаний с отступающей армией Наполеона, сводилось к одному слову — ужас. Пепел и развалины московские навеки погребли не только славу Наполеона, но и всякую мысль о пощаде врагу — для русских. Они наводили ужас мстительностью, беспощадностью и внезапностью нападений.

О каком барине вели речь Матрена Тимофеевна с Варварою? Надо полагать, что по его приказу Анжель оставили в живых и привезли сюда. Где он мог увидать Анжель и прельститься ею? Нет, вряд ли такое возможно, ведь за время отступления она почти не видела русских — разве что казаков издали, да того монаха в разоренной церкви, да этих амазонок. И можно ли было даже издали прельститься немытой бродяжкою?! А что, если этот русский барин просто коллекционирует француженок, велит доставлять к себе любую, какая попадет в плен к его крепостным наложницам-амазонкам? Ну можно ли сомневаться, что Варвара — его наложница? Ведь она готова была на части разорвать ту, в которой заподозрила соперницу. Может статься, Анжель найдет целый гарем своих соплеменниц, помирающих от скуки в этом маленьком, но неожиданно роскошном охотничьем домике, скрытом в дремучих русских лесах. А что, если барин, подобно маркизу Синяя Борода, убивает своих женщин? Впрочем, эта догадка не вызвала особого страха у Анжель: чем меньше нитей привязывает нас к жизни, тем менее ощутим страх потери ее. Еще менее взволновала ее мысль о том, что очередной мужчина воспользуется ее телом. Наверное, он хорош. Вот ведь как взбеленилась Варвара от ревности! Небось он умеет разжечь женщину, ласки его горячи и смелы...

Невольно Анжель задышала чаще. Этот золотистый полусвет, мягкое колыхание воды, непрестанно ласкающей ее тело, будто руки робкого, но опытного любовника... Она лениво повела полузакрытыми глазами — и не поверила им, увидев и впрямь руки: одну на своей груди, другую на бедре.

* * *

Анжель оцепенела. Чем же таким ее одурманили, коли она не заметила, как рядом с нею оказался мужчина и принялся бесстыдно ласкать ее? Так это не вода возбуждала ее — это он, он... словно рожденный из этой благоухающей воды, из тускло-золотистого света, из нескромных мыслей Анжель. Нет, это, конечно, сон, ибо не может быть мужчина поглощен не своею лишь похотью, а услаждением женщины!

...И вот уже Анжель сидела у него на коленях и была пронизана им до самой заветной глубины, однако она по-прежнему не видела его лица и все, что ощущала, кроме медлительных, с ума сводящих движений внутри естества своего, так это горячее дыхание у себя на шее, твердую грудь, на которую все тяжелее откидывалась, все шире раздвигая ноги, и беспрестанные ласки внизу живота. Чудилось, десяток рук враз касается ее тела! Это взволнованная вода беспрестанно играла с нею, добавляя к его волшебным ласкам греховное и сладостное ощущение того, что с Анжель враз занимаются любовью несколько мужчин. Она вскрикнула, заметалась, но невероятным усилием сдержала свое готовое забиться в блаженстве тело и, чуть наклонившись вперед, широко раскрытыми глазами взглянула туда, где проворный палец метался меж золотистых мокрых завитков, лаская напряженный бугорок ее плоти.

Голова закружилась так, что Анжель покачнулась, а чтобы удержаться, вцепилась ногтями в твердые бедра незнакомца. Он хрипло застонал, и эхо от его стонов отразилось от бревенчатых стен, сливаясь с исступленными криками Анжель. Вовсе обезумев, она неслась на этом трепещущем скакуне в бездну наслаждений, которые бесконечно множила игривая вода. И опять... И еще раз, и снова!

Он был с нею один, но стоил десятерых.

* * *

Немалое минуло время, прежде чем Анжель осознала, что не умерла от восторга, а еще жива и по-прежнему сидит в теплом водоеме, однако теперь уже не спиной к незнакомцу, а свернувшись у него на коленях.

— Родная моя... радость моя... наконец-то я нашел тебя!

Он говорил по-русски, однако даже если бы Анжель не понимала слов, смысл их сделался бы понятен только по звукам этого счастливого голоса.

— Любимая моя, сколько же я искал тебя! Уже и надежду потерял. Думал, ты погибла...

У него перехватило дыхание, и Анжель вдруг тоже ощутила, что задыхается.

— Как же ты попала сюда? Зачем ушла, где скрывалась? Знала бы ты, сколько причинила бед! Княгиня занемогла, князь чуть с ума не сошел, когда твое письмо прочел. Но я не верил, не верил, что более не увижу тебя!

Анжель жадно глотнула воздуху.

О чем это он говорит? Кто ушел? Кого он искал? Какие князь и княгиня? Он сошел с ума, этот незнакомец, доставивший ей столько счастья, но лица которого она так и не видела!

Анжель резко откинулась назад, чуть не соскользнув с его колен в воду, но была подхвачена проворными руками.

Анжель ошеломленно смотрела на твердые ласковые губы, на ямочку в середине подбородка, высокие скулы, серые глаза вприщур под разлетом выгоревших бровей.

Серые глаза вприщур... Не воспоминание, нет — какая-то далекая тень его промелькнула, будто птица в вышине, не задев Анжель своим крылом.

— Кто вы, сударь?

— Почему ты так смотришь на меня?

Они прошептали это враз, она — по-французски, он — по-русски, но с равным испугом.

— Кто я? — Он пожал плечами. — Что с тобой? Ты не узнаешь меня?

Анжель затрясла головой:

— Месье, я не знаю вас!

Кровь бросилась ей в лицо при воспоминании о том, что случилось между ними несколько минут назад, а в его глазах мелькнула усмешка:

— Не знаешь?

— Месье, я... — Она смешалась, но все-таки с трудом выговорила: — Я не знала вас раньше!

Он смотрел пристально, недоверчиво:

— Зачем ты это говоришь? Что за игру ты ведешь со мной? Сейчас не время. Я искал тебя по всему фронту, и только чудом в этой церкви...

И тут Анжель узнала его и воскликнула:

— О, я вспомнила, вспомнила! Ну конечно!

Это восклицание осветило его лицо, как солнце освещает Божий мир; он потянулся к Анжель, но замер при ее словах:

— Я видела вас в той разрушенной церкви. О, понимаю. Вы переоделись монахом, чтобы следить за отступающей армией? Вы — русский шпион?

Анжель вдруг осознала, что именно он наслал на них полк своих баб, амазонок-партизанок, этих жестоких убийц и похитительниц, которые притащили ее сюда для его услаждения. Русский дикарь! Он забавлялся с нею, как с игрушкой, а теперь мутит ей душу какими-то бреднями. Зачем?

— О чем ты говоришь? — прохрипел он. — Да посмотри ты на меня! Да что же с тобой?!

Анжель рванулась с его колен и встала на скользкое дно водоема.

— Простите, месье, если я обманула ваши ожидания, — пробормотала она. — Отпустите меня! Позвольте мне уйти!

— Отпустить? — переспросил он таким голосом, что Анжель пробрала дрожь.

О нет, она вовсе не хотела уходить, она желала бы остаться, чтобы снова очутиться в его объятиях, однако невыносимо же осознавать: он принимает ее за другую, целовал другую, извергал свой пыл в другое лоно...

— Отпустить, говоришь? — Он внезапно перешел на французский: — Как ваше имя?

— Анжель д'Армонти.

Лицо его дрогнуло:

— Анжель?.. Ангелина?!

Она пожала плечами:

— Анжель д'Армонти.

— С кем вы путешествовали?

— С мужем и его матерью.

— С мужем? О Господи! Среди тех людей, с которыми я вас видел, был ваш муж?!

Анжель отвела глаза, вспомнив, свидетелем чего он мог быть. Да уж, неудивительно, что он владел ею, даже не сочтя нужным показаться на глаза! После того, что слышал и видел в церкви!..

— Нет, — глухо ответила она. — Муж мой давно погиб.

Давно!.. Какую-то неделю назад, а кажется — жизнь с тех пор прошла.

— А эти люди? — допытывался он.

И ей вдруг захотелось причинить ему боль, вызвать у него отвращение к себе!

— Это мои любовники, — бросила она. — Я им плачу телом за то, что они кормят меня, охраняют, помогают добраться домой.

— Где ваш дом?

— В Париже, — соврала Анжель не моргнув глазом.

И тут в голосе его вновь зазвучала отчаянная надежда:

— Где вы жили в России?

— В Москве! — выпалила Анжель, повинуясь непонятному чувству противоречия, овладевшему ею.

Ей уже нечего было терять в этой жизни, она и так потеряла все, сделалась животным, покорно лижущим всякую руку: кормящую, бьющую, ласкающую — всякую! Кто угодно мог распорядиться ее судьбой. Но все! Больше этого не будет! Она станет делать отныне только то, что захочет. И если не захочет знать, за кого принимает ее этот человек, кто он таков сам, то и не узнает.

Она рванулась, рассекая воду, к ступенькам и вскарабкалась по ним прежде, чем незнакомец успел ее задержать. Но он тут же выскочил из воды, оказался рядом и схватил ее за руку.

— Куда вы идете?

— Отдайте мою одежду, — буркнула Анжель, ожесточенно выдергивая руку из его пальцев. — И оставьте меня в покое! Навсегда.

— Кругом лес, снега... — сказал он с мягкой улыбкой. — Вам не выйти на дорогу.

— Пусть это вас более не заботит! — Анжель рванулась так яростно, что чуть не упала, но русский успел подхватить ее, она невольно прижалась к нему... И этого мгновения было довольно, чтобы он опять набросился на нее.

Ощущение его вмиг восставшей плоти было таким потрясающим, что Анжель захотелось охватить ногами его спину и прямо так, стоя, отдаться ему, но больше всего на свете она боялась его власти над собой, а потому отпрянула, распахнула дверь — и обмерла, увидев перед собою Варвару.

— Держи ее! — крикнул русский, однако Варвара отшатнулась, пропуская ее, а сама бросилась к нему с криком:

— Барин! Не трогай ее!

От изумления Анжель задержалась, оглянулась, и то, что она увидела, заставило ее остолбенеть.

Варвара рухнула перед барином на колени, хватая руками и губами его бедра, его готовое к бою орудие, шепча умоляюще:

— Оставь ее! Возьми меня! Я твоя, ну! Всегда твоя!

Он отпрянул от обезумевшей красавицы и посмотрел на нее с не меньшим изумлением, чем Анжель. Однако тут же заметил, что пленница его еще не скрылась, и протянул к ней руку; но Варвара резким движением рванула на себе рубаху, обнажив смуглое налитое тело, подхватила ладонями свои груди и стиснула ими торчащую перед ее лицом мужскую плоть.

Барин покачнулся, невольно хватая девицу за

плечи, и, застонав, подчинился этой изощренной ласке Варвары, ошалев от ее стонов, напоминавших страстное рычание звериной самки.

Ноги у Анжель ослабели. Она уже не помышляла о бегстве, а только смотрела, как русский убыстряет свои движения, уже не подчиняясь Варвариным умелым ласкам, а направляя их. Все худощавое тело его напряглось. Анжель жадно уставилась на стиснутые ладонями груди Варвары, понимая, что сейчас в них извергнется мужское семя. Но тут русский, отшвырнув с пути амазонку, одним прыжком достиг оцепеневшей Анжель, сбил ее с ног, ворвался в нее своим напряженным естеством — и тут же излился в нее с такой силой, что Анжель ощутила внутри себя тугой удар его мощной струи. Однако он не оставил Анжель, а, припав к ее губам, бился, неистовствовал в ней еще и еще.

— Меня! Ох, меня! — истошно закричала Варвара. Она бросилась на барина сверху и стала с силой тереться о его плечо, широко расставив ноги.

Два-три движения — и ее неистовое желание было удовлетворено. Варвара издала сдавленный крик, и Анжель, изнемогая от блаженной тяжести этих двух тел, тоже закричала и забилась под ними в судорогах вновь и вновь подступающего наслаждения.

4

КАЗНЬ ПОД ЯБЛОНЯМИ

— Все петухи давно отпели, — послышался насмешливый голос, и Анжель проснулась.

Сейчас она ощутила жгучий стыд, ибо лицо

Матрены Тимофеевны смутно маячило перед нею еще вчера вечером: это именно она укладывала в постель Анжель — полубесчувственную, залюбленную неистовым русским до того, что не в силах была ни рукой, ни ногой шевельнуть, тем паче одеться: так, голым-голешенькую, и принес ее сюда барин, и сам не позаботившийся даже чресла прикрыть перед челядью. Матрена Тимофеевна швырнула барину какую-то простынку и вытолкала взашей с криком:

— Прикройся и пошел вон, бессоромник! Вишь, до чего молодку довел, да и у самого того и гляди женилище отвалится. Красный весь, словно крапивой его отхлестали!

«Какие звери эти русские — бить мужчину по стыдному месту крапивой?» — успела еще подумать Анжель и окунулась в такой глубокий сон, что теперь ощущала свое тело неким подобием деревяшки, ибо так и проспала всю ночь, ни разу не шелохнувшись, на одном боку.

— Вот-вот, — хихикнула прелукавая Матрена Тимофеевна, — вот и он таков же: болен, мол, чуть дышу, от усталости духа и тела моего, а кто принуждал вчера еться до полусмерти?! Такие порастратят удаль молодецкую за одну ночь, а потом палку в месяц ни разочку поднять не могут. Хотя... зря я барина своего порочу: девок перепортил он на своем веку столько, что и не сочтешь, а что поутих последнее время — так ведь война! По краешку смерти хаживает мое милое дитятко... — Она всхлипнула, продолжая сноровисто обряжать Анжель в тонкое батистовое белье.

— Votre enfant?![1] — переспросила Анжель по-французски, однако Матрена Тимофеевна поняла ее.

— Хоть и не роженое, а мое родное дитятко. Не мать я ему, зато мамка, мамушка. Ночёк он мой, выкормыш. Я ребятница[2] была, когда мой сыночек от глотошной[3] преставился, ну а мужика лесиной на промысле придавило.

Мамка быстро перекрестилась и вновь взялась за одевание Анжель. А та не знала, чему более удивляться: изысканности белья и редкостной красоте темно-синего бархатного платья и меховых полусапожек из тонкой кожи, в которые обряжала ее мамушка, или той истовой нежности, которая звучала в ее голосе, когда она рассказывала о своем барине.

— Это не тут было, а в имении княжьем родовом, на Орловщине: здесь просто угодья их охотничьи. Барыня наша была женщина жалостливая, сама только что родила. Вот она и взяла меня в кормилицы, чтоб тоску мою утишить. Я бабенка крепкая, грудастая была, что буренка, — выкормила моего ненаглядного Никитушку! — Она вдруг осеклась, прихлопнула рот ладонью. — Ох, что ж я рот раззявила, болтушка неболтанная! Князь мне ведь не велел имя свое выказывать — пусть, мол, она сама меня вспомнит!

Анжель так вздрогнула, что мамушка от неожиданности выронила ее недоплетенную косу, и зо-

---

[1] Ваше дитя?! (*фр.*)

[2] Женщина с грудным ребенком (*простореч.*).

[3] Народное название дифтерии.

лотистый тяжелый жгут больно ударил Анжель по спине. Вчерашнее наваждение начиналось снова!

— Да успокойся ты! — сказала Матрена Тимофеевна. — Ишь, побелела: лица на тебе нет! Забудь, что слышала, я просто невзначай обмолвилась. Это ваши с барином дела — вы с ним сами и объясняйтесь!

И она сопроводила ее в маленькую столовую, где уже сидел в одиночестве барин.

* * *

При виде его Анжель замерла, а он вскочил с такой стремительностью, будто готов был перескочить через стол к ней, однако суровый взор Матрены Тимофеевны пригвоздил его к месту, заставил пробормотать сдавленным голосом какие-то общие слова о погоде и самочувствии и снова сесть.

Кушанья были хоть куда! Анжель охотно отдала должное всякому блюду, однако, бросив невзначай взгляд в окно, увидела, что солнце уже в зените. Похоже, они с русским барином совместили завтрак с обедом... И краска смущения залила щеки Анжель при воспоминании о том, почему это произошло.

— Приношу вам свои извинения, мадам, — глухо проговорил в это время молодой князь, не отрывая взора от серебряного ножа. — Видите ли, я принял вас за одну свою давнюю знакомую... Было время, когда сердце мое принадлежало ей всецело. Казалось, и она от меня без ума, а на самом деле безбожно обманывала меня для одного вертопраха, чье имя более напоминало прозвище обезьяны.

С ним она и сбежала впоследствии. Жаль, что я не успел для нее застрелиться! — усмехнулся он, и Анжель едва сдержала возглас: «Какая она дура!»

Сидя напротив молодого князя, она с трудом отводила от него взор. Более всего хотелось, забыв о приличиях, смотреть и смотреть на это худое, нервное, четко очерченное лицо со светлыми бровями вразлет и по первому его зову хотелось броситься в его объятия, и уже навсегда. Но он не делал этого знака, он не звал ее более — напротив, говорил о том, как виноват, как жаждет прощения, каждым своим словом воздвигая между собою и Анжель неприступную преграду.

Сердце ее защемило от обиды. Какую же власть мгновенно приобрел над нею этот русский дикарь — и почему? Что уж в нем такого особенного, кроме эротической изобретательности? Хорош собою, конечно, богат, знатен, однако все это чужое, враждебное. Просто одиночество, неприкаянность, тяготы пути сыграли свою пагубную роль. Почуяла тепло, бесприютная собачонка, и решила согреться у чужого огня? И, желая спасти хотя бы жалкие остатки гордости и самолюбия, она с невиннейшим видом спросила:

— А как Варвара? Еще спит?

Он поперхнулся, взглянув на Анжель беспомощно, изумленный враждебностью ее тона, а она не унималась:

— Вы ее вчера тоже в покое оставили или после меня еще развлекались с нею, пока и она не рухнула без чувств?

Собственный голос показался ей чужим и сварливым. Теперь уже и Матрена Тимофеевна воззрилась на нее удивленно, однако она и барин тут же понимающе переглянулись, и Анжель догадалась почему: ведь в ее голосе прозвучала лютая ревность. Ох, какой позор! Она с пренебрежительным видом отвернулась к окну, словно все, что ее занимало в это мгновение, — встревоженное карканье стаи ворон, долетевшее издалека, и невзначай поймала взором мелькнувшее на лице пригожего лакея выражение неприкрытой ненависти.

Лакей тут же отвернулся, сделав вид, что уронил салфетку, однако Анжель хватило этого краткого мига, чтобы смекнуть: не одна она в этой комнате ревнует! Можно пари держать, что этот румяный красавец — кавалер Варвары, осведомлен о ее страсти к барину. И как он только терпит такое поругание своих чувств, почему не отомстит обоим? И, вновь испугавшись той необъяснимой власти, которую, непонятно как, получил над ней этот князь, сказала высокомерно:

— Когда извинения ваши вполне искренни, милостивый государь, я полагаю, вы поможете мне вернуться туда же, откуда ваши прислужницы меня похитили?

Матрена Тимофеевна тихонько ахнула, барин, вздрогнув, уставился на Анжель испытующе:

— Зачем вам это? Наши дрались славно в сем деле, и хоть у нас были раненые и убитые, но у злодея их несравнимо больше. Там более нет никого и ничего, кроме печальных для вас воспоминаний.

— А это, — заносчиво вскинула голову Анжель, — уж моя печаль, и не вам утешать ее. Мое место — рядом с моими соотечественниками.

— Сыскать ваших соотечественников будет затруднительно, — отвечал князь, и Анжель различила в его голосе презрительную усмешку. — Победитель мира Наполеон Бонапарт бежит, потеряв все! Скоро над ним и куры будут смеяться... ежели беглые французы не всех приедят! — Он заразительно расхохотался, и Анжель с болью удивилась злобной прихотливости судьбы, сделавшей их врагами, не позволившей радоваться вместе. И тут же в его голосе зазвенело ожесточение: — Больно только русскому сердцу, что неприятель занял Москву, привел ее в ужасное положение. Все осквернено шайкою варваров. Вот плоды просвещения или, лучше сказать, разврата остроумнейшего народа, который гордился именами Генриха и Людовика. — Он гневно ударил по столу кулаком. — Дело еще не кончилось, но, кажется, Бог не совсем оставил Россию, и если вы видели спаленную Москву, то мы увидим развалины Парижа!

Он в запале осушил кружку какого-то русского зелья.

— Ну, если кто и побывает в Париже, то никак не вы, — съехидничала Анжель. — Вы, верно, и туда своих амазонок пошлете убивать ужасных французов, а сами... — Она поискала в своем арсенале наиболее остро отточенный кинжал и вонзила его с невинною улыбкою: — А сами будете учить плавать своих крепостных девок.

Князь озадаченно свел брови.

— О чем это вы, сударыня?

— О чем?! — снова взвилась от ревности Анжель, явственно вообразив его в том водоеме с Варварой. — Если и сражаются русские доблестно, то вы ведь тут ни при чем. Вы кровь свою не льете. Отсиживаетесь в безопасной глуши. Решительно чудом спасся этот милый уголок — логово похотливого русского медведя!

Он вскочил, с грохотом отшвырнув стул, с ненавистью глядя на Анжель, сжимая в руках изувеченный нож, словно готовясь запечатать им оскорбившие его уста.

Матрена Тимофеевна тоже вскочила и умоляюще простерла руки:

— Голубчик, охолонись! Она в сердцах, она не со зла!

— Со зла! — запальчиво выкрикнула Анжель, успев мимолетно изумиться, что дворня этого барина изрядно знает по-французски. Ревнивый лакей тоже ведь понял их разговор... — Со зла!

— Ах, та-ак? — прошипел барин. — После всего, что между нами было, вы ощущаете ко мне только ненависть? А я полагал... — Он запнулся, и Анжель бросило в жар при мысли, что он сейчас припомнит ей исступленные крики, бесстыдные ласки, но он только насупился и бросил сурово: — Коли так, говорить более не о чем. Ты, мамушка, снаряди барыню, посади ее в кошеву и самолично отвези...

Он не договорил, прислушался к чему-то, бросился к окну, рванул створки — и вместе с клубами морозного воздуха в столовую ворвались звуки выстрелов.

* * *

— Барин, беда! — распахнул дверь какой-то тощенький мужичонка с белыми от ужаса глазами. — Француз напер со всех сторон! Я шел со скотных дворов, вдруг услышал топот и лалаканье. Я туда-сюда — смерть перед глазами! В грядках скрылся и лежал часа два, покуда они не прошли, а потом сюда кинулся.

«Часа два лежал?! Чего же ты, пакость, крика не поднял, барина не предупредил? Теперь-то ведь уж поздно!» — едва не выкрикнула возмущенная Анжель, но ее опередил отчаянный вскрик Матрены Тимофеевны:

— Со скотных дворов огородами?! Французы? Но там ведь тайные тропы, тех, кто их знает, — раз-два и обчелся! Не померещилось тебе, Лукашка?!

— Что я, порченый, чтоб мне всякие страхи мерещились?

Князь и Матрена Тимофеевна молниеносно переглянулись, а потом барская мамка тяжело оперлась о стол:

— Продал, продал он дьяволу свою черную душу!

— Да, — медленно проговорил молодой князь. — Ясно, что кто-то свой продал, иначе не выйти бы французу на наши охотничьи тропы. Но чтобы Павел!..

— Да что вы болтаете! — не выдержала Анжель. — Если подошли враги, нужно уходить!

— Она права, права! — выкрикнула Матрена Тимофеевна. — Ведь если ты попадешься им — не помилуют!

— Пока я нужен хоть кому-то на свете, я не решусь умереть, — светло взглянул на нее князь. — Беги, оденься потеплее, мамушка. И для барыни прихвати шубку, шальку да вниз теплое. А ты, Лукашка, готовь саночки легкие, бегом!

Дворовые послушно кинулись в двери, а князь обернулся к Анжель:

— Со мной пойдете?

Анжель покачала головой. Ну и дела... Когда князь смотрит на нее, она едва справляется с собой, чтобы не липнуть к его рукам, как податливый воск... И только злость ей помощница. Все силы душевные направила она сейчас, чтобы взлелеять эту злость в себе, чтобы вспомнить: князь ходит шпионить в полки французов, а потом отсиживается в этом заповедном уголке. В это же время, сообразуясь с его сведениями, партизаны налетают на измученных отступающих, а русская артиллерия обрушивает на несчастных беспощадный огненный град. Она вспомнила, как умолял о смерти Фабьен, и тихонько вздохнула от боли в сердце. На руках у этого человека столько крови, а он вчера обнимал ее этими руками! Теперь и она вся в той крови.

Анжель вдруг осознала, что он стоит напротив, что-то быстро говорит, а в глазах такая тревога, такая нежность:

— Я сын своего Отечества, — наконец дошли до ее слуха его слова, — а потому жизнь моя и силы ему принадлежат. Не судите...

— Я вас видеть больше не желаю, и коли вы человек чести, ежели только шпион может быть человеком чести, — подлила она яду до краев, — то умоляю вас отпустить меня к соотечественникам.

Клянусь, что ни слова не скажу про ваше ремесло. Вам же лучше бежать, пока еще есть время. А не отпустите меня — я сама уйду.

— Это мы еще посмотрим! — выкрикнул князь, хватая ее за руку и рывком привлекая к себе. — Уйдешь? Сама от меня уйдешь?! Да ты можешь напридумывать все, что угодно, но разве тело твое забудет меня? Разве сердце твое станет лгать?

Он не договорил, припав к губам Анжель, и та едва не потеряла сознание от неистового влечения к этому человеку. Она слышала плеск волн, ее опаляло солнце, где-то заливались жаркими трелями кузнечики, а ноздри трепетали от запаха цветущей смородины. Эти призрачные ощущения делались с каждым мгновением все отчетливее, теперь Анжель уже не сомневалась, что когда-то испытала их наяву и князь был связан с ними неразрывно. «Неужели вправду мы знали друг друга прежде?» — проплыла трезвая мысль, но тут же растворилась в шквале страсти, нахлынувшей на Анжель.

— Господи помилуй! Беда на пороге, а они?! — возопил голосом Матрены Тимофеевны ворох шуб и платков, а потом ворох сей был брошен на Анжель, и она увидела князеву мамку, которая принялась одевать ее с неимоверной быстротой, яростно ворча: — Охальник! Потаскун! Гуляка разбойный! Чего стал, как твой хрен? А ну, одевайся, не медли!

Анжель безвольно, будто кукла, подчинялась ее сильным рукам, а князь, усмехнувшись:

— Проворному недолго снаряжаться! — накинул на себя бекешу и, быстро склонившись над женщинами, сгреб их обеих двумя руками, осыпал быстрыми поцелуями: — Вы — все, что мне в жизни дорого. Сбереги ее, мамушка, и себя сбереги, что бы ни было. Может быть, мрачная туча пронесется мимо, прощайте — и храни вас Бог!

Он кинулся к двери... но тотчас отошел медленными шагами на середину комнаты. Прямо в грудь ему упирался штык, примкнутый к ружью, которое сжимал в руках французский солдат. Глаза его горели таким торжеством и был он так упоен удачею, что даже не заметил, как Матрена Тимофеевна, прижав к себе Анжель, бесшумно скользнула в щель между двумя тяжелыми бархатными шторами. Они оказались в пыльном синем полумраке.

* * *

— Бежим! — шепотом приказала мамушка и, прошмыгнув в какую-то дверь, понеслась по длинному коридору. Анжель бежала следом, недоумевая — почему верная мамка оставила своего князя на произвол судьбы, а не кинулась ему на подмогу? Впрочем, что ж тут удивительного? Приказ был дан: спасаться, а Матрена Тимофеевна не из тех, кто выходит из барской воли. В этот миг Матрена Тимофеевна остановилась и, осторожно приотворив какую-то дверь, заглянула в комнату.

— Никого! — шепнула она, и женщины, крадучись, вошли, как поняла Анжель, в барскую библиотеку, ибо все стены были уставлены тяжелыми шкафами с книгами, да и кругом лежали раскрытые фолианты, и сердце Анжель вдруг сжалось от тоски: как давно она ничего не читала.

Матрена Тимофеевна пыталась отворить окно, через которое, как видно, хотела бежать, но вдруг ахнула и отпрянула за портьеру, знаком велев Анжель сделать то же самое.

Анжель ухитрилась глянуть в окошко... Да, бежать было поздно: французы окружили дом.

Им было нечего терять, и они дрались, как хищные звери, тесня растерявшихся мужиков, которые один за другим падали на снег.

Матрена Тимофеевна быстро перекрестилась, и Анжель увидела молодого князя, который в рваной бекеше, со свисающим рукавом бежал между раскидистыми яблонями к низким бревенчатым сараям, откуда доносилось ржание испуганных лошадей, — бежал, стреляя беспрерывно из двух пистолетов. Вот он отбросил один, выдернув из-за кушака запасной; отбросил другой, выхватил саблю — и та замелькала, разя направо и налево врагов, ошеломленных тем, что русский и левой рукою рубился ловчее, чем все они, вместе взятые. А князь кидался навстречу всякой опасности неостановимо, подавлял всех своей храбростью, доходившей до безрассудства, как если бы он не способен был испытывать страх; и пули пролетали мимо, не задевая его.

До конюшен оставалось несколько шагов, как вдруг шепот Матрены Тимофеевны: «Господи! Господи, спаси и помоги!» — затих и послышалось сдавленное проклятие Варваре, которая выскочила из конюшен и побежала к барину, не обращая внимания на пули. Она была вся растрепанная, с голой грудью, в порванной до бедер юбке... Следом выскочили два солдата: один со спущенными штанами, другой — в расстегнутых, так что стало понятно, от чего спасалась Варвара.

Она бежала петляя и мешала князю стрелять в подступавших врагов. И тут из-за заснеженного куста прилетела пуля и скосила ее на бегу.

Варвара рухнула к ногам барина, а руки ее цеплялись за ноги князя, сковывая его движения... Он опустился на одно колено, глядя в ее помертвелое лицо, навеки утратившее яркую смуглость, и, собрав в горсть черные волосы, поднес их к губам, словно отдавая Варваре последнюю дань любви. Но больше он уже ничего не мог сделать ни для нее, ни для себя, ибо на него навалились сразу несколько человек.

Матрена Тимофеевна вскрикнула, Анжель высунулась в окно и увидела, как тяжело князь поднялся сперва на колени, потом во весь рост — французы висели на нем, как волки, — развел плечами раз, другой... Они посыпались, накинулись снова... «Милый, милый! Ну!..» — умоляюще застонала Анжель, однако откуда ни возьмись появился еще один француз — дюжий, могучий — и навалился на борющихся, так что никто уже не поднимался.

* * *

— Лелуп! Виват, Лелуп! — послышались приветственные крики, и Анжель перекрестилась, словно увидела призрак.

Лелуп! Возможно ли, чтобы еще и этот кошмар прибавился к тому ужасу, который она вынуждена наблюдать? Не довольно ли, что они с Матреной Тимофеевной беспомощно глядят, как солдаты со злорадными выкриками поставили князя на ноги? Голова его свесилась на грудь, из рассеченного лба струилась кровь, но, не давая врагу долго торжествовать, он подобрался, распрямил плечи, улыбнулся дерзко...

— Родной мой! — выдохнула Матрена Тимофеевна. — Красавец!

А он и впрямь был красив — даже сейчас: бледный, глаза прищурены, светлые брови вразлет — весь словно летел, и что ему враждебные руки, державшие его мертвой хваткой?!

Его прислонили к дереву, и какой-то драгун приставил к его горлу палаш. Князь смотрел на него с равнодушной полуулыбкою, словно не понимал, что одно небрежное движение француза может лишить его жизни.

— Экий проклятый! — удивился драгун. — Не сдается. Что делать, а, Лелуп?

— Коли его! — отмахнулся тот.

— Нет, мне, видно, не убить его!

— Тебе велено! — заорал Лелуп.

— Хоть велено, да рука не поднимается! — огрызнулся драгун.

— Эй, Бурже! — окликнул Лелуп. — А ну, поди сюда. Пора нанизать на твою пику эту русскую собаку!

— Кого? — отозвался Бурже. — Эту собаку заколоть? Сейчас!

Он вскочил на коня, отъехал шагов на пятнадцать, направил на пленного острие — и поскакал.

Князь не двигался: только чуть склонил к плечу голову, глядя с усмешкою на всадника, словно заранее знал, что, подскакав к нему, Бурже вздернет вверх пику, не в силах убить обреченного на смерть. Непонятная сила духа, нечеловеческое бесстрашие пленного обескураживали солдат, лишали их мужества, что донельзя разъярило Лелупа. Он велел солдатам выстроиться в шегенгу.

— Заряжай! — закричал Лелуп. — Это шпион, один из поджигателей, из-за которых погибла в Москве наша великая армия. Смерть ему! Целься!

Но князь не пожелал молча дожидаться смерти.

— Полно врать! — закричал он по-французски. — Палите-палите! Только чтоб руки не дрожали! И помните: есть Бог! Дай, Боже, чтоб эта проклятая война скоро кончилась, и помоги покарать злодея, поднять разбойников на штыки! Ну а теперь — пли!

Ударил нестройный залп. Князя отбросило назад, он ударился о яблоневый ствол и медленно сполз по нему наземь.

Драгун и Бурже подскочили к нему и осмотрели тело, наперебой выкрикивая, мол, все стрелявшие — отъявленные мазилы, ибо из восемнадцати зарядов только две пули прошили грудь, и еще две попали в голову. Удивительное дело, кричали французы, враг остался жив!

— Жив! — выдохнула Матрена Тимофеевна, и ее голос привел в чувство Анжель, которой все это время казалось, будто она лежит в гробу, слушая, как ударяются о его крышку новые и новые комья земли.

— Добейте его! — махнул рукою Лелуп, и у Анжель защемило сердце, однако тут Матрена Тимофеевна проворно перескочила через подоконник и, крикнув ей:

— Беги за мной! — ринулась через сад к конюшням той же тропою, которой бежал князь.

Сердце Анжель выскакивало из груди от страха и тяжелого бега по сугробам. Она знала, что у них нет шансов на спасение, но понимала, что есть крохотный шанс спасти жизнь князя, ибо, завидев фигуры, словно свалившиеся с неба и куда-то бегущие, французы вмиг забыли про пленника и занялись своей любимой забавой — погоней за женщинами.

Анжель краем глаза успела увидеть Лелупа, приставившего дуло к виску недвижимого князя, однако при ее появлении он обо всем забыл и бросился за ней. Анжель взвизгнула не своим голосом, и в это мгновение Матрена Тимофеевна рванула ее за руку. Они кубарем, задыхаясь, покатились к обрыву, а потом, в вихрях снежной пыли, — к извилистой речонке. На берегу ее стояли легкие санки, в оглоблях нетерпеливо перебирали копытами кони — и никого, ни души вокруг!

— А он?! — успела выкрикнуть Анжель, прежде чем Матрена Тимофеевна с неженской силой зашвырнула ее в сани, сунула в руки вожжи и хлестнула с оттяжкою по лоснящимся крупам.

Легконогие кони с места взяли рысью. Матрену отбросило в снег, и все, что услышала стремительно улетавшая от нее Анжель, было лишь:

— Не дам его в обиду!..

Итак, мамушка не смогла покинуть сына.

* * *

Какое-то время Анжель невидяще смотрела на тучи снега, летящие из-под копыт; она была будто в чаду. И вдруг завизжала от внезапно пронзившего ее отчаяния. Она тоже не хотела уезжать, не узнав, что с князем, — она не хотела жить, если он мертв! Но резвая упряжка мчалась по узкому зимнику, приближаясь к темно-синему лесу, и позади оставались река, горка, сад, охотничий домик, а на попытку Анжель натянуть вожжи, сдержать стремительный лет кони ответили таким яростным рывком, что она опрокинулась на тяжелую шубу, устилавшую сани, — и обмерла, услыхав недобрый голос:

— Вот ты и сама ко мне пришла, душенька!

«Лелуп!» — мелькнула страшная мысль, но тут же Анжель сообразила, что говорили по-русски. Она приободрилась было, да ненадолго, ибо, откинув шубу, из-под нее вылез... бесследно исчезнувший лакей князя!

* * *

Обсыпанный соломенной трухою, он пялился на Анжель с не меньшим изумлением, чем она на него. Наконец лакей очнулся, закричал:

— Ты? Куда ж ты гонишь, курва чужеземная! А Варька где?

«Так он ждал здесь Варвару!» — догадалась Анжель. С трудом сдерживая рыдания, она выдавливала из себя французские слова о том, что на охотничий домик напали, что им с Матреной Тимофеевной удалось бежать, что князя расстреляли...

Лакей кое-как вникал в ее сумбурный рассказ. Однако при последних словах его лицо просияло:

— Наказал-таки его Господь! И пособницу его, старую сводню, Матрешку, гори она огнем на том и на этом свете! Она и Варьку мою ему в постель подложила, да и тебя, сколь мне ведомо... Одного не пойму, мамзель: ты-то куда летишь сломя голову? От своих бежишь? Не бойся ничего, давай я тебя отвезу обратно. — Он нагнулся подбирать вожжи, заворачивать коней, и тут Анжель наконец поняла: перед нею тот самый Павел, что привел французов в княжеский заповедник!

Только из ревности, что удалые глаза князя помутили разум страстной дикарке, что предпочла другого, Пашка обрек хозяина и множество своих соплеменников на смерть, подверг страданиям Матрену Тимофеевну, а уж ее... Анжель... да что там говорить!

И вдруг радость захлестнула ее — злобная и мстительная. У нее есть средство отомстить Павлу! И, с трудом удерживая равновесие, она выпалила в лицо лакею:

— Варвара умерла! Ее застрелили французы!

Чего ожидала она после сих слов? Что Павел тоже умрет на месте? Или соскочит на всем ходу с саней и побежит в охотничий домик, припасть к трупу своей милой?

Ничуть не бывало. Он просто сидел, безучастно шевеля вожжами, отчего упряжку бросало то вправо, то влево, сидел и тупо, безразлично смотрел на Анжель. Она поняла, что страшная весть еще не дошла до сознания Павла, а как дойдет... И тут она увидела, что разрумянившееся от мороза лицо Павла меняет цвет. Вся кровь отхлынула от этого лица, превратившегося в маску мертвеца, так что ни следа не осталось от былой чеканной красоты черт. Он на мгновение опустил распухшие вдруг веки, а когда вновь взглянул на Анжель, она тихо вскрикнула, прочитав в этом взгляде свой смертный приговор.

— Варвара умерла, — проскрежетал Павел... — От твоих рук умерла! Будь ты проклята!

«Опомнись! — хотела крикнуть Анжель. — Ее убили те французы, которых ты привел!» Но было уж поздно. Павел всей своей тушей бросился на нее.

Но чем ближе была опасность, тем менее страха ощущала Анжель, а потому она успела отшатнуться, да так резко, что в своем мощном броске Пашка едва не вылетел из саней — повис, цепляясь ногами за скользкую солому.

С победным криком Анжель схватила его тяжеленные ножищи, обутые в валенки, и толкнула от себя с такой силой, что сама чуть не вывалилась из саней.

Пашка перекувырнулся и какое-то время удерживался на неестественно вывернутых руках. И так сильно было его тело, что он на какое-то время смог упереться ногами в снег и даже чуть замедлить стремительный лет санок, однако вывернутые суставы его хрустнули, и, дико закричав от боли, он отпустил край повозки — и упал ничком в санный след.

* * *

Анжель торопливо переползла на коленях вперед и вцепилась рукой в вожжи.

Напрасный труд, не по силам ноша! Неумелые дерганья вожжами только задорили разозленных коней, они мчались все быстрее и быстрее, пока Анжель не оставила все свои бесполезные усилия и просто не вцепилась руками в края саней, положившись на судьбу.

На повороте сани занесло, они резко накренились, Анжель выпустила их края, всплеснула руками — и вылетела вон вместе с шубой. Почуяв свободу, кони понеслись с удвоенной быстротой, а Анжель еще долго лежала в сугробе, зарывшись лицом в снег и с трудом приходя в себя.

Наконец она села, прислушиваясь к тяжелому звону в голове и ломоте в суставах. Но нет, она ничего не сломала, не повредила.

Утерев с лица налипший снег, Анжель огляделась. Она была одна в чистом поле, рядом с черным лесом.

Словно для того, чтобы усугубить это одиночество, краешек солнца канул за острые еловые вершины, и тотчас небо сделалось черно-синим, и чернота эта сгущалась с каждым мгновением, словно для того, чтобы ярче засияла маленькая студеная звездочка, проглянувшая в вышине.

Звездочка та была одна на всем небе, как Анжель — на всей земле.

Главное — не терять присутствия духа, решила Анжель, постараться вспомнить, как вернуться в охотничий домик. Она немного подумала и быстро зашагала по едва различимой дороге... Впрочем, уже через несколько мгновений она ничего не могла различить — сгустилась ночная тьма.

Мороз вдруг унялся, воздух сделался тих и влажен. Анжель смертельно устала от своих блужданий по сугробам. Страшно хотелось лечь прямо на снег и хотя бы на миг смежить усталые вежды, однако Анжель уже слишком много видела людей, уснувших сладким сном в пуховиках сугробов, под колыбельную метели, потому и не поддалась этому смертельному соблазну.

Она шла и шла неведомо куда, стараясь только, чтобы волчий вой все время оставался за спиной, шла, укрепляя свою веру в то, что звери ее не сыщут, а при первом блеске зари ночной вор вернет дорогу на место, — и не поверила ни глазам, ни ушам своим, вдруг увидав впереди желтые огоньки и услышав рычание уже готового к прыжку зверя.

Волк! Он обошел ее, подстерег! Теперь ей не спастись.

Анжель резко развернулась, побежала, упала, запутавшись в валежнике, с трудом перебралась через ствол и снова пустилась бежать. И вдруг сырое похрустывание снега под ногами сменилось стеклянным скрежетом, и Анжель лишь тогда сообразила, что это река, что она провалилась под лед и ледяные объятия сковали ее от ног до пояса.

Прорубь или промоина? Впрочем, какая разница... так и так погибель...

Анжель всматривалась во тьму, пытаясь разглядеть берег. Что-то почудилось, она ринулась вперед, но дно ушло из-под ног, и Анжель беспомощно забарахталась, пытаясь ухватиться за хрупкий лед.

Шубка и тяжелые юбки тащили Анжель на дно, а освободиться от мокрого меха не удалось: она только вовсе обессилела. Едва уперлась руками о края проруби, как глубинное течение стало уволакивать ее под лед.

Теряя последнюю надежду, Анжель закричала, и... И совсем рядом ей откликнулся торжествующий вой. Чудилось, волк ухмылялся, чуя поживу.

Анжель повернулась, пытаясь уплыть как можно дальше от волка, но ощутила еще более холодные токи и поняла, что попала на стремнину.

Все. С этим ей уже не совладать. Или волк, или река — кто-то из этих двоих, равно алчущих, заберет себе ее тело. И, теряя разум от страха, Анжель издала нечеловеческий, предсмертный вопль, и сперва всего лишь эхом показался ей прозвучавший неподалеку отклик:

— Tiens ferme![1]

Нет, никакое эхо не могло облечь ее отчаянный вопль во французскую речь — как ни обезумела Анжель, это она все-таки сообразила.

— Держись, держись! — повторял незнакомец, и Анжель ринулась, ломая лед, к нему навстречу.

И вот наконец ее протянутые руки вцепились в мех шубы, а в ноздри ударил запах мокрого сукна.

Незнакомец крепко прижал к себе Анжель, сделал два-три мощных рывка и вместе с нею вырвался из смертельно-ледяных речных объятий.

Он отстранил от себя Анжель, вглядываясь в ее лицо, и вдруг громко, утробно расхохотался.

— Я так и знал, что еще увижу тебя! Так и знал! — послышался торжествующий голос, знакомый до тошноты, до отвращения, до смерти.

Лелуп.

Это Лелуп.

И волк.

Так он все-таки настиг ее, этот ночной хищник!

5
РОКОВАЯ ДАМА ТРЕФ

Оливье де ла Фонтейн был из тех немногих счастливчиков, которые отправились из Москвы отнюдь не с пустыми руками. В его ранце было порядочно запасов: несколько фунтов сахару и рису, немного сухарей, бутылка водки. Однако основную тяжесть составляли сувениры: несколько драгоцен-

[1] Держись! (*фр.*)

ных безделушек, и между прочими — обломок креста Ивана Великого, две серебряные чеканки, изображавшие суд Париса на горе Иде и Нептуна на колеснице в виде раковины, влекомой морскими конями. Кроме того, было у него несколько медалей и усыпанная бриллиантами звезда какого-то русского князя.

Еще в ранце хранился парадный мундир Оливье и длинная женская амазонка орехового цвета, подбитая зеленым бархатом. Оливье хотел выкинуть платье, но пожалел и оставил, выбросил только свои парадные белые лосины, предвидя, что они не скоро ему понадобятся.

Время показало, что он был прав: о парадах никто не помышлял, а из амазонской юбки Оливье сам сшил себе двойной жилет и простегал его; верхнюю же часть платья отдал какой-то маркитантке за бутылку рома. Еще он случайно разжился большим воротником, подбитым горностаем, но не переставал ругательски ругать себя, что вовремя не позаботился о хорошей шубе. И вот как-то раз судьба оказалась к нему благосклонна. Небольшая группа казаков, отправившись на разведку, слишком близко подобралась к колонне отступающих и уже изготовилась к нападению, когда из лесу показалась еще одна группа французов. Они были на сытых, резвых лошадях, и казаки сочли неблагоразумным связываться с превосходящими силами противника и повернули назад. Один из них отстал, и Оливье, пришпорив своего коня, кинулся на него. Прежде чем тот успел выстрелить, француз схватил его за ворот полушубка, но тут откуда ни возьмись появился громадный всадник в дохе (из вновь прибывших) и тоже ухватился за казака.

Испуганная лошадь выскочила из-под русского, так что тот повис между двумя всадниками, однако выскользнул из тулупа и рухнул на снег; но тотчас же, вскочив, задал стрекача с таким проворством, что за ним и конный не угнался бы. А Оливье и тот, другой всадник тянули трещавший по швам полушубок каждый к себе; и неведомо, сколь долго бы длилось сие соперничество, когда б краснорожий не вытащил из-за пояса пистолет и не наставил его весьма недвусмысленно на Оливье, вынудив того выпустить добычу. Оливье смотрел вслед победившему сопернику, удивляясь — куда это он скачет с меховым трофеем? И вдруг увидел в стороне укутанную попоною фигуру, неподвижно сидевшую на коне.

Победитель подскакал к ней и небрежно набросил на плечи полушубок. Жадность соперника, оказывается, объяснялась желанием одеть потеплее свою даму... ибо на том коне сидела женщина.

Оливье всегда был любопытен не в меру. Он подскакал к странной паре и отвесил низкий поклон и своему бывшему сопернику, и женщине.

— Простите, сударь, мою недогадливость и упрямство! — затрещал он. — Ради прекрасной дамы я и сам не замедлил бы раздобыть не только полушубок, но и... — Он осекся, потому что ему запечатали уста два взгляда: свирепый — мужчины и остекленевший — женщины.

Оливье сразу узнал ее. Ведь и в прошлый раз он видел ее в состоянии такого же тупого равнодушия, хотя на глазах у нее застрелился ее муж. Да и невозможно было забыть эти синие глаза с каймой длинных золотистых ресниц, эти тяжелые, словно из золота, кудри. Впрочем, сейчас волосы ее обвисли кудлатыми сосульками, а роскошное бархатное платье имело такой вид, будто его выстирали в грязной воде. И все-таки даже такая — нечесаная, неопрятная, смертельно усталая — она была красива какой-то трогательной красотой, и сердце Оливье заныло.

Он видел ее второй раз в жизни, но чего бы только не отдал, чтобы не расставаться с нею больше! Хотелось стереть эти морщинки поцелуями, заставить смеяться глаза, целовать улыбающиеся губы! Должно быть, эти мысли ясно отразились на его лице, потому что красномордый великан грязно выругался и так ткнул железным кулачищем Оливье в грудь, что тот едва не слетел с коня. Было очевидно: пока синеглазая красавица находится под покровительством этого грубияна, к ней не подступишься!

И все же Оливье не сомневался: удача ему выпадет! Что-то было такое в самом воздухе, сгустившемся вокруг них троих... Он знал, он верил: судьба готовит ему щедрый подарок.

— Такого мужлана не сделать рогоносцем, право же, грешно! — пробормотал Оливье, словно подстегивая судьбу. Однако даже он не ожидал, что это произойдет нынче же вечером — и почти без всяких усилий с его стороны.

* * *

С ночевкой на сей раз повезло — удалось добраться до блокгауза. Там уже пылал огонь в очаге и булькала в котелке похлебка, когда Лелуп и Анжель отворили покосившуюся дверь, окунувшись в плотную завесу табачного дыма и чада факелов, в запах вареного мяса, заскорузлых кровавых повязок и отпотевающего в тепле сукна мундиров, — то были запахи жрущей, страдающей живой жизни, в то время как студеный ночной воздух за порогом означал только одно — смерть.

Лелуп сразу приметил укромный уголок и протолкнулся туда, волоча за собою Анжель. На нее посматривали с тайным вожделением, но старались не задерживать взгляд, чтобы не злить Лелупа: бешеный нрав и жестокость его были всем известны, известно было и то, что за эту девку он глотку перегрызет кому угодно, — он уже убил из-за нее нескольких драгун. Анжель не могла припомнить еще одной сцены, подобной той, которая произошла в церкви. Теперь Лелуп берег ее для себя одного, не уступал ни за какую цену, хотя изумрудное колье, предложенное ему прошлой ночью старым генералом, имело, конечно, баснословную стоимость и сделало бы Лелупа обеспеченным на всю жизнь. Но этот человек, обычно болезненно скупой и грабивший где мог и что мог, в тот вечер, едва дождавшись, когда попутчики уснут, набросился на Анжель, и его нимало не охлаждало, а, напротив, даже раззадоривало ее полнейшее к нему равнодушие. Однако Анжель чувствовала: остальные ошибаются на ее счет, считая ее безучастной ко всему, а Лелуп смутно чует то, что стало основой ее теперешнего существования: неистребимую, глубоко затаенную ненависть к нему.

Как ни рвалось ее сердце к русскому князю, как ни жаждала она узнать о его судьбе, возможностей к этому оставалось все меньше, а расстояние между нею и охотничьим домиком все увеличивалось. От Лелупа отвязаться нельзя, он был вездесущ, как рок, а потому Анжель заставила себя отринуть все сладостные и горестные воспоминания о русском барине и всецело предаться мечтам об избавлении от Лелупа. Она верила, что сие произойдет рано или поздно, а потому исподволь готовилась к этому, не желая, обретя свободу, умереть с голоду и холоду. Она знала, что сразу после полуночи Лелуп впадает в такой крепкий сон, что хоть огнем его жги — не добудишься! В эту пору можно без опаски подпороть подбивку его мундира и вытащить оттуда бриллиантик или изумруд, что почти каждую ночь и проделывала Анжель, потом тщательно зашивая распоротое место иглою, которую она берегла пуще ока и для лучшей сохранности прятала в мех Лелуповой дохи. Найти место для камушков было непросто, ведь Лелуп не стыдясь лапал ее, где только рука доставала. Тут очень кстати пришлись надетые на нее Матреной Тимофеевной меховые полусапожки, под стельки которых и заталкивала она свою добычу. Причем Анжель нимало не угрызала совесть за воровство, напротив, она испытывала истинное наслаждение! Ведь это были награбленные драгоценности, они принадлежали Лелупу не по праву — что же в том, что они сменили хозяина? Анжель сожалела лишь о том, что их у нее пока так мало. Она намеревалась за эти вещицы подкупить людей, которые избавили бы ее от Лелупа, увезли, взяли с собой, а его... Ей было враз сладостно и тошно думать о казни, которую она придумает для ненавистного, когда обретет над ним власть!

Ну а пока она находилась в его власти и принуждена была сохранять ту маску омертвелого безразличия ко всему на свете, которая уже сделалась для нее привычною. Анжель покорно последовала за Лелупом в угол, села на тюк, вытянула ноги, прислонившись к стене и прикрыв глаза.

До Анжель вдруг донеслись обрывки разговора:

— Говорят, над русскими позициями парил орел в день сражения при Бородине, и они восприняли это как знак победы.

— Ну и дураки! — отозвался другой голос, насмешливый. — Победа была за нами!

— Это одному Богу ведомо, — произнес еще один голос.

Она лениво приоткрыла глаза и увидела неподалеку того самого человека с лукавым лицом, который схватился с Лелупом из-за казачьего полушубка. Причем Анжель не сомневалась, что она и прежде его видела, только вот где, когда? Ей было почему-то очень важно вспомнить первую встречу с этим человеком, и она продолжала смотреть на него пристально и слушать его речь.

— Да, русские проиграли нам при Бородине — кто спорит? От некоторых их соединений не осталось ни одного человека. Целые русские полки лежали распростертые на окровавленной земле и этим свидетельствовали, что они предпочли умереть, чем отступить хоть на шаг.

— Что и говорить! — нехотя согласился мрачного вида итальянец — Анжель и его прежде встречала и знала его имя — Гарофано. Он сидел возле костерка и медленно помешивал что-то вкусно пахнущее в котелке. — Я видел места трех главных редутов — все там было взрыто ядрами, а кругом валялись клочья защитников и разбитые вдребезги лафеты пушек, а еще трупы лошадей. В некоторых местах битва была столь ожесточенной, что тела были нагромождены кучами: и русские, и наши!

— Русских было больше, — упрямо буркнул Лелуп.

— Да, больше... — согласился тот, с веселым лицом, которое сейчас, однако, приобрело унылое выражение. — Трудно представить себе что-нибудь ужаснее главного редута. Погибшая почти целиком дивизия Лихачева словно бы и мертвая охраняла свои позиции.

— Кто дал тебе право глумиться над останками наших славных воинов? — заорал Лелуп.

— Да уж, де ла Фонтейн, ты что-то не в меру полюбил русских... А ведь они наши враги! — подхватил еще чей-то голос.

«Вот какая, значит, его фамилия: де ла Фонтейн!» — почему-то обрадовалась Анжель. А тот между тем продолжал:

— Разве отдать должное храбрости врага — значит полюбить его? Брось, Лелуп! Мы не видели тебя ни при Бородине, ни при Шевардине... только в горящей Москве.

Лелуп оскалился по-волчьи, но лишь сплюнул, не решившись броситься на насмешника. Здесь было слишком много народу, и каждый мог бы назвать Лелупа «жидом» и «московским купцом». Тогда пришлось бы драться со всеми, а в блокгаузе было не меньше полусотни человек. Поэтому он сделал вид, что не расслышал оскорбления, и отвернулся с деланым безразличием. Лелуп начал неприметно оглядывать соночевщиков, гадая, удастся ли попозже, когда все утихомирятся, выторговать у кого-то из них золото или драгоценности... или украсть. Хорошо бы пошарить в ранце и карманах этого краснобая де ла Фонтейна, который все не прекращает свою болтовню.

— Народ русский сотворен из противоположностей! — разглагольствовал между тем Оливье, который и всегда-то любил пофилософствовать, а уж тем более когда на него были устремлены прекрасные синие глаза. — Да вы все это видели: сжечь собственную столицу, чтоб только не досталась врагу! Поразительна сила духа, которую выказали русские. Они храбрее испанцев!

— Ну, это уж ты лишка хватил, — проворчал какой-то бургундец, чье происхождение и любимое занятие можно было определить по красному носу и набрякшим щекам. — Баски грызли нас зубами за свои горы, за свои оливы и маслины! Трупы наших товарищей, побывавших в их руках, выглядели так, как если бы прошли все семь кругов ада!

— Я говорю о мужестве, а не о жестокости, —

возразил де ла Фонтейн. — В народе этом есть что-то исполинское, обычными мерами неизмеримое. Один умный человек сказал, что Россия похожа на шекспировские пьесы, где все величественно, что не ошибочно, и все ошибочно, что не величественно.

— Да ты просто предатель, если так хвалишь тех, кто довел нас до такого состояния! — взревел Лелуп.

Он двинулся было на де ла Фонтейна, однако Гарофано проворно плеснул на руку Лелупу из поварешки и, когда тот, ошеломленный болью, замер, вытаращив глаза, с сожалением в голосе сказал:

— Хоть и зол ты, а глуп! Легче ли было бы тебе, ежели б тебя довели до такого состояния, — он так похоже передразнил рычание Лелупа, что все вокруг прыснули, — слабаки и ничтожества?! Коли так, ты и сам выглядел бы ничтожеством. А быть побежденным могучим противником вроде и не столь стыдно.

Лелуп озирался, злобно оскалившись. Ему хотелось опрокинуть на голову Гарофано его котелок со всем содержимым. Но он счел за благо пока смолчать, но непременно расквитаться при случае и с негодяем Гарофано, и с де ла Фонтейном, чья болтовня не смолкала, хотя кое-кто уже спал. Вот и Анжель лежит с закрытыми глазами, и ее уморил глупый трепач. Да он и сам устал нынче, даже есть расхотелось. Может быть, позднее, когда все уснут, он утолит свои аппетиты, а пока — спать, спать!

Лелуп расстелил плащ, шубу и уже улегся было рядом с Анжель, но бросил последний взгляд на де ла Фонтейна, и в горле у него тотчас пересохло, а разум воистину помутился, ибо он увидел карты...

Карты!

Анжель вовсе не спала. Она закрыла глаза, испытывая неизъяснимое блаженство от слов де ла Фонтейна. То, что он говорил о русских вообще, в ее восприятии относилось только к одному человеку. Это óн был создан из противоположностей. Это óн был враз нежен и воинствен, это óн выказывал поразительную силу духа! Снова и снова всплывали в ее памяти их объятия, их поцелуи, его глаза и улыбка... Но потом явилась другая картина, от которой больно защемило сердце: его изорванное пулями тело, отброшенное к яблоне...

Боль уколола сердце так, что Анжель вскинулась и села.

Она огляделась затуманенными глазами и с изумлением обнаружила, что Лелуп не сидит, как цепной пес, возле нее, а сгорбился за шатким столом, где напротив него поигрывает истрепанной колодою карт тот самый де ла Фонтейн.

Одного взгляда достало Анжель понять, что идет игра и Лелуп безнадежно проигрывает. Его проигрыш или выигрыш волновали ее лишь постольку, поскольку имели отношение к ее судьбе. Поэтому она решилась приблизиться к играющим и украдкой посмотреть на стол, куда все уставились как зачарованные. Анжель какое-то время стояла, не веря своим глазам, глядя на горку драгоценных камушков и золотых украшений, — и вдруг вонзила ногти в ладони, чтобы не закричать от бессильной ярости. Да ведь Лелуп поставил на кон и, судя по всему, проиграл те самые камушки, которые должны были перекочевать в ее башмаки. Мерзавец, merde. Анжель едва удержалась, чтобы не выцарапать ему глаза... Она уже считала эти драгоценности своими и готова была сейчас на все, чтобы хоть как-то отомстить, досадить Лелупу. Но поскольку сделать это сама никак не могла, с надеждою устремила свой взор на человека, которому Лелуп проигрывал.

— Я ставлю еще! — выкрикнул ее хозяин, но кругом засмеялись:

— Да ты в пух и прах продулся, московский купец!

— Похоже, вам и впрямь ставить нечего, сударь, — покачал головой де ла Фонтейн.

Лелуп начал неуклюже выбираться из своей дохи.

— О нет-нет, бога ради! — остановил его Оливье. — Мне ваши обноски не нужны.

— Ранец с припасом! — выкрикнул было Лелуп, да тут же и осекся, а де ла Фонтейн с видом победителя похлопал по стоявшему рядом с ним туго набитому ранцу. Итак, свой припас Лелуп тоже просадил!

Анжель злорадно усмехнулась. Теперь он в полной мере отведает насмешек армейцев, ненавидевших его, знавших о его московских подвигах. Она так радовалась предстоящему его унижению, что даже не заботилась о том, чем это унижение обернется для нее.

Задохнувшись от ненависти, Анжель невольно схватилась руками за горло. И в это мгновение де ла Фонтейн поднял голову и увидел ее. Она попыталась принять небрежный вид, однако ей не сразу это удалось. И было ужасно стыдно, что этот чужой человек увидел, как ей больно, как плохо! Взгляды их встретились, и что-то промелькнуло в его глазах, однако он тотчас же отвел взор и дурашливо ухмыльнулся.

— Ну что ж, — сказал де ла Фонтейн, убирая карты и поднимаясь. — Похоже, ставок больше не предвидится? Коли так, партия окончена, ибо в долг я не играю. Спасибо, Лелуп, что ты такой никудышный игрок!

Все захохотали, и этот язвительный, злорадный смех вселил в Лелупа новые силы. Он бросился к Анжель и подтащил ее к столу.

— Вот, — прохрипел Лелуп. — Вот моя ставка! Она... против всего остального. Принимаешь? — В голосе его звучали умоляющие нотки.

Глубокая тишина воцарилась вокруг. Все с изумлением взирали на Лелупа и Анжель, и только де ла Фонтейн оставался спокоен. На его лице не дрогнул ни один мускул, когда он принялся сдавать карты, и вскоре внимание зрителей всецело переключилось на игроков.

Анжель стояла, будто громом пораженная.

Не скоро она обрела подобие спокойствия и некоторую твердость в ногах, чтобы приблизиться к столу и глянуть, что там происходит. Карточная игра была ей абсолютно непонятна — она слушала азартные выкрики соперников:

— Бита!

— Еще беру!

— А вот валет!

— Ваша карта.

— Сдаю!

— Туз!

— У меня тоже.

— А мы вот так!

— Прикупил!

— Масть пошла!

Все эти слова ей ничего не говорили, и Анжель принялась разглядывать карты — почтенного вида стариков с коронами на головах, улыбчивых дам и молодых кавалеров, сердечки, крестики, ромбики, пики. Скоро она уразумела названия мастей — трефы, черви, бубны и пики — и узнала, что черные карты треф, все без исключения, назывались козырями и превосходили по значению прочую колоду, так что какая-нибудь шестерка треф могла побить даже и короля — если он другой масти.

Игра шла к концу; Лелуп еще больше понурился, в то время как де ла Фонтейн не скрывал своего торжества: верно, у него оказались все козыри.

Вокруг по-прежнему царила тишина, и оглушительными в этой тишине показались треск и шипение, вдруг донесшиеся из очага.

Все обернулись туда как по команде. Гарофано кинулся к очагу, сдернул с него почти выкипевший котелок, обжег пальцы и стал яростно дуть на них, осыпая проклятиями и огонь, и игроков, а в первую очередь себя самого.

Посмеявшись, все дружно повернулись к столу, игра возобновилась, и никто не заметил, что в тот миг, когда де ла Фонтейн обернулся на очаг, рука Лелупа молниеносно схватила со стола одну из карт Оливье и спрятала ее. Никто... кроме Анжель.

Она успела даже разглядеть картинку на этой карте! Это была дама треф, и чем-то неуловимым — возможно, черными, затейливо убранными волосами, злой хитростью всего облика — эта дама треф напомнила Анжель графиню д'Армонти. Анжель не сразу поняла, что с исчезновением этой карты в игре наступил перелом.

Похоже, де ла Фонтейн растерялся. Он продолжал сражаться, однако отчаянным взором исподтишка так и шарил по столу, не понимая, куда же подевалась козырная дама. Лелуп же сидел теперь, расправив плечи, и весь его облик выражал превосходство над соперником.

Итак, думала Анжель, он поставил ее против всего: и провизии, и всех драгоценностей — значит, выиграв, вернет себе все. Она удовлетворенно улыбнулась — и тут же догадка ударила ее, будто кнут: она радуется тому, что Лелуп опять получит полное право владеть ею и унижать ее!

Анжель в испуге огляделась, и глаза ее встретились с глазами де ла Фонтейна — отчаянными и по-детски беспомощными. Бесконечно долгий миг они смотрели друг на друга, и вдруг Анжель вспомнила лицо Фабьена, его голос: «Убейте меня! Ради моей матери!» — и глаза офицера, к которому Фабьен возносил сию мольбу, — полные отчаяния и детской беспомощности. Да ведь де ла Фонтейн... тот самый офицер!

* * *

Она очнулась и с опаляющей ясностью поняла: в этом человеке — все ее надежды.

— Ну что, продулся в пух, де ла Фонтейн? — торжествующе зарокотал Лелуп. — Моя взяла! Бросай карты!

Де ла Фонтейн до крови прикусил губу. Черт побери, куда же делась козырная дама? Неужели память подвела и он сыграл ею, даже не заметив этого? Похоже, он побежден, продолжать игру нет смысла. Он вновь взглянул в синие глаза, обреченно улыбнулся... И оторопел, когда молодая женщина едва заметно покачала головой, словно приказывая: «Нет! Не сдавайся!»

Оливье, ошалело моргая, смотрел на стол. Да, все кончено... Бог не с ним, а против него. А он-то уже представлял, как сегодня ночью эта синеглазая красавица будет безумствовать в его объятиях!

Резкий дробный стук прервал его грустные думы, и Оливье не поверил своим глазам, увидев, как, подпрыгивая и весело сверкая, разбегаются по затоптанному полу рубины и изумруды, бриллианты и золотые монеты, а впереди всех катилась несверленая жемчужина ослепительной красоты.

Часовой, дремавший снаружи под монотонный шум елей, подскочил на месте, услышав, как блокгауз вдруг взревел многоголосым хором и заходил ходуном: это все с криком бросились подбирать камушки, а резвее всех — Лелуп, вопя:

— Не трогать! Это мое!

И в то же мгновение Оливье увидел, как треклятая козырная дама возникла перед ним, словно упала с небес... во всяком случае, была сброшена откуда-то сверху. Он вскинул взор и встретил теплую улыбку синих глаз, и еще один бесконечно долгий миг они смотрели друг на друга, прежде чем он осознал: она выбрала его! Она пришла к нему!

* * *

К сожалению, камней было слишком мало. Пятеро-шестеро самых проворных расхватали все, и теперь люди поднимались с пола — кто угрюмый, кто довольный, кто просто веселясь над неожиданной потехою.

Жемчужина, к сожалению, исчезла бесследно в чьих-то жадных лапах, но кое-что подобрать Лелупу все-таки удалось.

— Какой же я болван! — воскликнул он. — У меня же еще были камни! Наверное, застряли в складках шубы, а я думал, что уж все поставил! — Он зашелся клокочущим хохотом, вспоминая, что партия — его, а значит, он вернул все свои ценности, да и девка остается у него...

Усевшись за стол, он бросил небрежный взгляд на разбросанные карты и не сразу понял, о чем говорит де ла Фонтейн.

— Сожалею, сударь, но я совсем позабыл, что у меня осталась еще одна карта.

И он бросил на стол даму треф.

Лелуп какое-то время смотрел на нее, и выражения недоверия, разочарования, ярости медленно сменялись на его лице.

Лелуп, когда требовала ситуация, соображал

быстро. Он смекнул, что кто-то украл у него карту, когда он кинулся подбирать камушки. Но кто?! Лелуп впился взором в изуродованное сабельным ударом лицо гусара-нормандца с раненой ногой, который не принимал участия в погоне за драгоценностями, ибо не мог без посторонней помощи сдвинуться с места.

— Кто? Ты видел? Кто? — заорал Лелуп.

Нормандец зевнул, показывая, что спал и видеть ничего не мог.

— Лелуп, — вернул его к действительности ненавистный голос. — Покажи лучше свои карты.

Лелуп одеревеневшей рукою перевернул веер карт, и все увидели то, на что он возлагал свои горделивые надежды: на столе лежал валет треф. Последний играющий козырь! Да, Лелуп уже держал победу в руках, и если бы не эта дама...

Дама...

Смутная догадка явилась исподволь, и он медленно повернул голову.

Она, его дама, уже не спала, а сидела на тюке, натягивая сапожок на свою высоко поднятую длинную и стройную ножку. Вот опустила ножку, потопала о пол, проверяя, удобно ли, и вскинула на Лелупа глаза.

Он невольно вскинул руку, пытаясь заслониться от жгучего синего взора, горящего огнем неприкрытой, бесстрашной ненависти. А злорадная улыбка Анжель словно кричала: «Да! Это сделала я! И я тебе больше не принадлежу!»

Лелуп хрипло застонал, протягивая вперед свои

толстые пальцы, мечтая об одном: сомкнуть их на горле предательницы и уже никогда не размыкать. Но тут де ла Фонтейн встал на его пути и, сжав кулаки, сказал:

— Ты проиграл, Лелуп! Она теперь моя!

Взревев, как раненый зверь, Лелуп хотел кинуться на него, но не смог даже с места сдвинуться: все находившиеся в блокгаузе повисли на его плечах; а потом Лелупа потащили к двери и выволокли вон, он отбивался изо всех сил, но напрасно: его дотащили чуть не до леса, причем ни один не упустил случая пнуть ногой поверженного волка. Но вот они ушли, бросив Лелупа в сугроб, оставив тут же лошадь, то есть проявили граничащее с отвращением великодушие... До Лелупа еще какое-то время доносились их удаляющиеся шаги и смех. Потом он услышал грозный окрик:

— Часовые! Если эта падаль вздумает вернуться — стрелять без предупреждения!

* * *

— Ваше здоровье, сударыня!

— Твое здоровье, де ла Фонтейн!

— Пусть эта красавица любит тебя, как тебя любит удача, друг Оливье! — раздавались голоса вокруг, и все тянулись с кружками и флягами к де ла Фонтейну и Анжель, которые стояли, как дети, держась за руки, и растерянно глядели друг на друга.

«Анжель. Ее зовут Анжель. Ангел мой!» — твердил про себя Оливье.

«Оливье... Значит, его зовут Оливье, — мысленно повторяла Анжель. — Красивое имя. И он сам красив... И какое у него доброе лицо!»

Может быть, не зря она сегодня пожертвовала всеми своими сокровищами, ухитрившись в самую подходящую минуту достать их из сапожков и разбросать по полу? Она хотела купить на них свободу от Лелупа — и купила.

В порыве благодарности она стиснула его пальцы и была немало поражена, когда Оливье поднес ее руку к губам и несколько раз нежно поцеловал, не сводя с нее восторженного взгляда.

— Здоровье новобрачных! — завопил кто-то дурашливо.

Но никто не разразился сальными шуточками — все закричали в один голос: «Виват!» — и вновь потянулись чокаться с Анжель и Оливье, словно они и впрямь были новобрачными, а вокруг них столпились их ближайшие друзья.

— Я, Оливье, беру тебя, Анжель... Я, Анжель, беру тебя, Оливье... — мечтательно пробормотал Гарофано. — В богатстве или в бедности, больным или здоровым... чтобы любить и почитать... — Он вдруг всхлипнул. — Ах, будь я проклят! Это так трогательно! — И завопил во все горло: — Стелить новобрачным постель!

— Постель новобрачным!

Через какое-то мгновение в самом чистом углу блокгауза возвышалась такая гора шуб и одеял, что даже изнеженная принцесса не почувствовала бы через них свою горошину. Все это великолепие было тщательно огорожено еще одним множеством шуб, одеял и плащей, так что ничей нескромный взор не мог бы проникнуть к «новобрачным». Каждый нашел самое ласковое слово, чтобы напутствовать этих двоих на любовь — и нынче ночью, и на всю жизнь.

Анжель со смущенной улыбкою озиралась. Она была тронута до глубины души, потрясена чудом, преобразившим этих людей, которых прежде видела угрюмыми, озлобленными на весь белый свет.

— Спасибо... ох, спасибо же вам... — шептала она бессвязно, а когда Гарофано вдруг расстегнул свой невероятно грязный мундир и откуда-то из его пропотевших глубин достал и преподнес Анжель крошечный букетик засохших красных гвоздик, она не выдержала и крепко расцеловала смущенного итальянца в обе щеки. Оливье последовал ее примеру.

Гарофано преподнес ей как бы свою душу: ведь garofano — по-итальянски «гвоздика», этот цветок у французов и итальянцев служит символом храбрости и беззаветной отваги. Наполеоновские солдаты верили в чудодейственность гвоздики и бережно хранили ее при себе, считая талисманом против вражьих пуль. Оливье вспомнил, сколько таких букетиков находили после битвы на груди храбрецов, которым никогда не суждено было увидеть свою родину. Пусть уж лучше гвоздики будут украшением красавицы!

Оливье встряхнулся, отгоняя грустные мысли, и увидел, что цветов в руках Анжель стало гораздо больше, ибо почти каждый последовал примеру Гарофано.

О Господи, наконец-то он сможет обнять ее! Но Оливье лежал на пышном ложе, затаив дыхание, боясь, что весь блокгауз прислушивается, ожидая звука их первого поцелуя. Но сегодня бог любви, на малое время восторжествовавший над богом войны, наделил грубых вояк невиданной деликатностью, а потому, словно по мановению дирижерской палочки, блокгауз вдруг зашатался от слитного оглушительного храпа.

Оливье любил сейчас этих людей — любил до слез, он готов был выскочить к ним и кричать, что он готов жизнь отдать за каждого из них... Вовремя спохватившись, Оливье с трудом удержался, чтобы не запеть от счастья: да ведь в его объятиях та, о которой он мечтал! Изнывал в мечтах!

Рванулся к ней — и ощутил ладонями неостановимую дрожь, сотрясавшую Анжель. Она отпрянула, напряглась... Но то была не дрожь страсти, понял приунывший Оливье. Она смертельно боялась. «Так ли она встречала Лелупа?» — ревниво подумал он, но тут же устыдился. Для нее сейчас кончилось романтическое опьянение, подступила трезвость ощущений: владелец сменился, но хочет он от новой вещи того же, что и прежний. Ах, скотина Лелуп, что же он сделал, если эта созданная для любви красавица так боится любви? Почему-то Оливье чувствовал: потребуй он того, что принадлежит ему по праву выигрыша, — и Анжель покорно примет его, стиснув зубы.

Вот именно! Стиснув зубы от ненависти!

«Ну уж нет, — мысленно шепнул он богу любви. — Ну уж нет!»

Ослабив объятия, Оливье перевернулся на спину и тихонько сказал:

— Ты устала. Поспи сначала, хорошо? — И задышал ровно, с присвистом, как будто и его сморил неодолимый сон.

Он слышал, как Анжель прерывисто вздохнула, потом немного повозилась, сжимаясь клубком, и уснула, однако, прежде чем погрузиться в сон, подсунула доверчиво раскрытую ладонь под плечо Оливье.

Он сглотнул подкативший к горлу комок и закрыл глаза, чтобы сдержать невольные слезы. И не заметил, как тоже уснул.

6

КОГДА НЕЛЬЗЯ ВЕРНУТЬСЯ

Неделю спустя, пасмурным утром пятнадцатого ноября, Анжель стояла рядом с Оливье и Гарофано на поросшем чахлым лесом холме и смотрела на серую реку с бурным течением, по которой неслись громадные льдины. Между ними лавировали, чудом удерживаясь на ногах, какие-то люди, и даже издалека было видно, что лица их такие же серые, как ледяная речная вода. Через мост двигалась длинная вереница пеших и конных, повозок и карет, пушек и телег маркитанток — то переправлялись через Березину остатки французской армии.

— Понтонеры, — прохрипел Гарофано и сотворил крестное знамение. — В воде! В такой лютый холод! О Пресвятая Мадонна, да ведь все они станут жертвою своего самоотвержения! Они уже мертвецы, которые пытаются спасти армию...

— Мы тоже скоро станем мертвецами, если не переправимся через этот мост сегодня же, — перебил его Оливье.

— Жаль, не удалось пристроиться в хвост императорским полкам! При них тут был хотя бы относительный порядок. — Он кивком головы указал на стройные ряды, чинно шествовавшие по мосту.

— Старая гвардия! — протянул Гарофано. — «Московские купцы», голубчики! Ей-богу, ежели был бы мост на тот свет, они и по нему маршировали бы, как на параде! Нет, это не про нас. А вот наш друг Лелуп наверняка топает сейчас со своими товарищами — кум королю. Слышь, — обернулся он к Анжель, — не подбросила бы карту Оливье — уже была бы на том берегу!

— Если бы Лелуп раньше не сбросил ее прямиком в Березину! — сердито пихнул его в бок де ла Фонтейн, ревниво поглядывая на Анжель, но она с таким ужасом стала всматриваться в ряды шедших по мосту, что у Оливье отлегло от сердца, и он нашел холодные пальцы Анжель и поднес их к губам.

Гарофано хмыкнул и покачал головой, с недоумением поглядывая на своего товарища. Санта Мария, что с ним происходит?! Гарофано, предпочитавший пухленьких, бойких на язык неаполитанок, не мог понять, что де ла Фонтейн нашел в этой, прямо скажем, полковой шлюхе, от чего потерял голову.

Гарофано зевнул, огляделся, размышляя, как бы это им половчее втиснуться на мост, и вдруг ахнул:

— Император! Смотрите, император!

Оливье и Анжель привстали на стременах, вглядываясь в группу людей, одетых с особой пышностью. Анжель обратила внимание на высокого, очень красивого человека. Он вел свою лошадь в поводу, поскольку верхом было опасно ехать: мост оказался настолько непрочным, что трясся под колесами каждой кареты, словно вот-вот развалится. Более этот человек ничем не напоминал других. Костюм его был вызывающе нарядным и совсем не вязался с обстановкой, особенно с трескучим морозом. С открытым воротом, в бархатном плаще, накинутом на одно плечо, с вьющимися волосами и в черной бархатной шляпе с белым пером, он больше походил на героя из мелодрамы, чем на военного.

— Император очень красив. И держится бодро! — пробормотала Анжель, но Оливье, проследив за ее взглядом, усмехнулся:

— Вы не туда смотрите, дорогая. Это Мюрат, неаполитанский король и любимец женщин. Как говорят русские, ему все — как с гуся вода. А император — вот он.

Оливье указал на невысокого человека в бархатной куртке на меху и такой же шапке, с длинной тростью в руке. Анжель разочарованно вздохнула: лицо императора показалось ей вполне заурядным. Видно было, что он замерз, но старался держаться с достоинством. Взмахами руки он торопил переправу: понтонеры из воды кричали, что лед начинает трескаться и мост вот-вот рухнет.

— Чего мы ждем, де ла Фонтейн?! — воскликнул Гарофано. — Думаешь, русские век будут гоняться за призраками в Борисове? Чичагов[1] вот-вот спохватится и подведет свою артиллерию. Тут-то нам и придет конец.

— В нашем положении смерть не самое большое зло, — пробормотал де ла Фонтейн. — И не надо слишком жалеть о тех, кого Бог уже призвал к себе: они умерли во славу Франции! А мы, живые?.. Какую память мы о себе оставили в России? Взорванный Кремль? Сожженные города и деревни? Бегство ряженых по Смоленской дороге? Вы знаете, что у русских уже сложилась пословица: «Голодный француз и вороне рад!» — Он криво усмехнулся: — И русский язык благодаря нам обогатился словом «шваль»...

— Ш-ва-ль? — повторил Гарофано. — Что это значит?

— Когда наши вояки во время отступления меняли в деревнях своих коней на хлеб и муку, они говорили русским: «C'est un bon cheval»[2]. Где там хороший?! Эти полудохлые клячи хороши были бы только на живодерне, поэтому все ни на что не годное теперь зовется у русских — шваль. Посмотрите! Это мы — шваль!

---

[1] Армия адмирала Чичагова загораживала путь отступавшим. Сделав вид, что переправа через Березину намечена возле Борисова, Наполеон избрал местом настоящей переправы деревню Студинку, в 12 верстах выше Борисова, и дня два держал русских в заблуждении. Русские войска подоспели к Студинке только утром 16 ноября. Но лишь сорок тысяч французов перешло на правый берег из-за плохо наведенных мостов.

[2] Это хороший конь! (*фр.*)

Оливье уткнулся в гриву лошади, и Анжель с изумлением увидела, что он плачет.

— Ради бога! — в отчаянии возопил Гарофано. — Чего ты от нас-то хочешь?!

Анжель не слушала, что отвечал Оливье. Она пристально смотрела на крыло темного леса, плавно огибавшее белое заснеженное поле.

Покружившись над лесом, огромная стая ворон с граем понеслась над полем, над вздувшейся свинцово-серою рекой. Их неумолчный, зловещий крик вызвал небольшую панику на мосту.

«Над русскими войсками кружился орел в день Бородина, и они восприняли его как предвестие победы, — вспомнила Анжель рассказ Оливье. — А над нами кружит черное воронье... Не заклюет ли оно нас?»

Анжель подняла глаза к небу. Ветер гнал серые клочковатые тучи на западе, а над темным лесным крылом светило-голубело ясное небо.

Там, на востоке, оставалась Россия. Чем была для Анжель эта страна? Темной бездной беспамятства и беспрестанных страданий... Стоит ли жалеть о ней?! Но почему так щемит, так ноет сердце?

— Ну вот что! — воскликнул потерявший терпение Гарофано. — Если вы решили кормиться русскими воронами — на здоровье! А я отправляюсь на мост. А вы как хотите! Addio![1] — И он поскакал с холма, ничуть не сомневаясь, что Оливье и Анжель не замедлят последовать за ним. Так и произошло.

---

[1] Прощайте! (*итал.*)

* * *

Не зря опасался Гарофано: они упустили благоприятный момент. Император, его свита и гвардия уже переправились, и как ни пытались недавно прибывшие в армию жандармы упорядочить переправу, ничего у них не получалось. Множество людей скопилось на мосту, да и вокруг него царило настоящее столпотворение, еще усиленное тем, что ветер донес издалека громы русских пушек. Началась паника. Только первые ряды могли видеть оба моста через Березину, поэтому остальная толпа, не видя мостов, оттесняла к реке всех, кто находился впереди, сталкивая их в реку.

К счастью, Оливье, Анжель и Гарофано находились прямо напротив правого моста и поэтому ступили на него... точнее сказать, были внесены на шаткие настилы. Оливье и Гарофано с ужасом наблюдали, как те самые солдаты, которые ранее, в бою, бросились бы на выручку товарищам, теперь думали только о сохранении своей собственной шкуры, хотя бы ценой жизни других.

Не могло быть и речи о том, что кто-то пропустит вперед женщину или остережется толкнуть ее, а потому Оливье и Гарофано вцепились в Анжель с двух сторон и волокли ее, ограждая своими телами.

— Questo e Inferno! Questo e Inferno![1] — беспрестанно бормотал Гарофано, а Оливье только шипел сквозь стиснутые зубы, когда получал особенно сильные тычки.

Внезапно лошадь Гарофано провалилась копы-

[1] Это ад! Это ад! (*итал.*)

том меж досок настила, упала, но подняться не смогла и отчаянно забилась, сшибая с ног ближайших к ней людей. Гарофано, вокруг руки которого был обмотан повод, упал одним из первых, увлекая за собою Анжель и Оливье. Какие-то люди наступали на них и тоже падали... Анжель поняла, что задыхается, и испустила отчаянный крик, тут же подхваченный другими. И вдруг она почувствовала, как навалившиеся на нее тела разлетелись, будто по волшебству, а сама она поднята ввысь какой-то неодолимой силою. Чьи-то руки стиснули ее тело, и, как ни испугана была Анжель, она ощутила животную похоть этих рук и испустила крик, в котором выразился весь ее ужас перед неотвратимостью новой жестокой каверзы, которую подстроила ей война:

— Лелуп!

Ибо это был он. Увидев его, красноrожего и косматого, с маленькими свинячьими глазками, Анжель сочла, что настал ее последний час. Руки Лелупа до хруста стискивали ее ребра, однако Анжель как-то извернулась, рванулась — и впилась скрюченными пальцами в лицо Лелупа. Что-то мягко и влажно подалось под ее пальцами; Анжель взвизгнула, словно схватила скользкую змею, а Лелуп взвыл от боли, разжал руки и, прикрыв ладонями лицо, выпустил Анжель.

Она тяжело рухнула на спину Гарофано, который с величайшим трудом выбрался из-под груды человеческих тел. Оба снова упали, и неведомо, чем бы все кончилось, когда б не подоспел Оливье.

Они укрылись за обломками кареты и, вцепившись друг в друга, с трудом перевели дух. Оливье и Гарофано как заведенные твердили: «Боже мой!»

Анжель тихонько стонала без слез. С нею творилось что-то страшное. С утра донимавшая тошнота тяжелым комом стояла у самого горла; каждую минуту она ждала, что ее наконец вырвет и станет чуть полегче, но ничего не происходило. Это ужасно напугало ее, однако было нечто гораздо более кошмарное: Лелуп! Сейчас он очухается и снова бросится на нее!

Она приподнялась — и впрямь увидела Лелупа. Людской водоворот закружил его, как щепку, и уже выбросил на стремнину, к спасительному берегу, однако он, будто одержимый, рвался назад, простирая к Анжель свои толстые грязные пальцы. Его топтали ногами, шагая по его животу и голове, но ничто не могло сокрушить Лелупа. Неистощимый запас жизненных сил помог ему подняться, ухватившись за ногу какого-то кирасира. Чтобы устоять, тот уцепился за руку другого солдата, но споткнулся и свалился в Березину, увлекая за собой и Лелупа, и солдата. Кирасир и солдат тотчас исчезли под льдинами, а Лелуп ухватился за козлы, подпиравшие мост. Рядом плавала туша мертвой лошади, на которую он и взобрался. Однако ему все же не удалось дотянуться до края моста, и он тщетно простирал руки, взывая о помощи.

Гарофано безотчетно подался в его сторону, но Оливье вовремя ухватил его за полу.

— Некоторые люди после смерти становятся лучше, чем при жизни! — бросил он, увлекая за собою Гарофано и Анжель. Она оглянулась только раз; и то ли почудилось ей, то ли она и впрямь увидела, как саперы и понтонеры бросили Лелупу конец веревки и он, ловко подхватив его, обвязал веревку вокруг туловища. Однако никто не собирался тащить его на мост, и он побрел по трупам и льдинам обратно к левому берегу, до которого добраться ему было гораздо ближе, чем до правого.

* * *

Анжель впала в полное оцепенение и уже не чувствовала ни толчков, ни тычков, не сознавала, что Оливье и Гарофано все еще волокут ее вперед. Может быть, оттого, что среди этого сонмища людей, озабоченных лишь спасением собственной жизни, только они думали о спасении ближнего своего, Бог простер над ними милосердную свою десницу и помог почти беспрепятственно дойти до другого берега.

И все трое тут же рухнули на эту спасительную надежную твердь, мечтая лишь об одном: никогда более с нее не подниматься. Рядом так же, как они, падали люди, целовали землю. Плакали, смеялись, кто-то блаженно затянул:

— Vive Henry Quatre, vive ce roi vaillant![1]

И вдруг тысячеголосый вопль ужаса заставил их вскочить.

Мост рухнул.

Мост не выдержал тяжести пушек, и люди, ло-

---

[1] Да здравствует Генрих IV! Да здравствует сей храбрый король! (*фр.*)

шади, повозки — все рухнуло в реку. Лед крошился, и Березина поглощала людей, жерла орудий и обломки моста. Многие пытались забраться на льдины, но это не удалось никому.

Де ла Фонтейн, Анжель и Гарофано, оцепенев, смотрели на страшную картину всеобщей гибели.

— Русские! Проклятые русские! — выкрикнул Гарофано, с ненавистью грозя кулаком противоположному берегу, и этот крик подхватили стоявшие вокруг:

— Проклятые русские!

— Идиот! — огрызнулся Оливье, смотревший на гибельные волны. И вдруг лицо его приняло изумленное выражение: — Ma foi![1] Да ведь это...

Гарофано и Анжель проследили за его взглядом и увидели немолодую женщину, угодившую между двух льдин, точно в тиски. Растрепанные полуседые волосы ее свисали на лицо, а изо рта рвался нечеловеческий вопль.

Не успели Анжель и Гарофано моргнуть глазом, как Оливье оказался у кромки берега и проворно перескочил на застрявший обломок козел. Тот угрожающе закачался, но ловкий Оливье, точно канатоходец, сумел сохранить равновесие и опустил в воду эфес сабли. Женщина рванулась к нему всем телом, словно огромная рыбина, и так вцепилась в эфес, что едва не сдернула в воду и Оливье. Она была слишком тяжела; вдобавок длинные юбки, облепившие ноги, тянули на дно. Счастье, что по-

[1] Клянусь честью! (*фр.*)

доспел Гарофано с веревкою, не то спасаемая утащила бы спасателя за собой под лед!

Вдвоем они вытащили из воды даму. Вид ее был ужасен, и Гарофано воскликнул:

— Идите немедля в деревню, сударыня! Там костры, там вы сможете обсохнуть и обогреться.

Дама послушно побрела в гору, с трудом передвигая ноги, но Оливье схватил ее за руку:

— Постойте, сударыня! Анжель, неужели ты не узнаешь?..

Он осекся, увидев, как побледнела Анжель, однако она не бросилась в объятия к спасенной женщине, как ждал Оливье, а, наоборот, отшатнулась, пролепетав «маман» с таким страхом, что де ла Фонтейн понял: он сделал что-то не то.

Женщина отбросила с лица мокрые пряди. Лоб ее и нос казались иссиня-бледными по контрасту со щеками, которые были сильно натерты румянами: даже купание в Березине не смыло жгучей краски. Платье, слишком смело обнажавшее иссохшие шею и грудь, тоже было вызывающе-красного цвета и вдобавок разорванное чуть ли не до талии. Подобных женщин Анжель часто видела при войске, она ведь и сама еще недавно была одной из них. Такие валяются под телегами с кем попало, покупая кусок хлеба своим телом. Итак... графиня д'Армонти сама дошла до того, на что хладнокровно обрекла свою невестку!

Анжель зашлась хриплым горловым смехом, но тут же и умолкла, охваченная страхом: в последний раз она видела графиню, когда та продавала ее Лелупу; и теперь, когда Анжель не сомневалась, что навеки избавлена от этого зверя, маман появилась снова... как будто волк-оборотень воплотился в нее.

Графиня не меньше невестки была удивлена этой внезапной встречей, но пришла в себя гораздо быстрее и фамильярно окликнула ее:

— У тебя новый плащ и теплая шубка, Анжель? Вижу, тебе пошла на пользу та партия, которую я тебе устроила! Не пора ли мне получить мои комиссионные? Дай мне или плащ, или шубу — и я пойду обсушусь, как советует мне этот бравый лейтенант!

Она бросила зазывный взгляд на рядового Гарофано, специально польстив ему.

— Как погляжу, Анжель, у тебя теперь сразу два покровителя? Не поделишься ли одним со своей бывшей belle-mère?[1]

Оливье и Гарофано ахнули в голос, в изумлении взирая то на спасенную потаскуху, то на Анжель. Та демонстративно отвернулась, пытаясь скрыть злые слезы. Но смотреть было больше некуда, кроме как на реку, а там по-прежнему гибли люди, и вот тут-то для Анжель было уготовано еще одно, самое страшное испытание.

Какой-то человек балансировал на льдине совсем недалеко от берега, так что его лицо, выбеленное ужасом, было отчетливо видно. Товарищи, зайдя чуть ли не по пояс в воду, протягивали ему ружейные приклады, убеждая сделать спасительный прыжок, но человек тот медлил. И льдина

---

[1] Свекровью (*фр.*).

опасно накренилась, он потерял равновесие и упал в воду. Он рванулся плыть, но стоявшая торчком льдина, с которой он сорвался, упала плашмя и встретилась с другой, которая неслась по течению и как раз стремительно соскальзывала с высоко поднявшейся волны. Острые зазубренные края двух льдин с лету сомкнулись на шее несчастного... И через мгновение что-то темное покатилось, разбрызгивая кровавые капли по льдине-убийце. Из шеи жертвы фонтаном била кровь, и обезглавленное тело еще несколько мгновений билось в волнах, размахивая руками, пока не кануло на дно среди мертвенной тишины, сковывавшей оба берега до тех пор, пока ее не прорезал пронзительный женский крик:

— Меркурий!

* * *

Анжель не знала, откуда взялось это имя, однако сейчас, наяву, ожил полузабытый призрак: человек с отрубленной головой выходит деревянной поступью на яркий лунный свет, словно предупреждая о чем-то, — и тяжело падает, а над ним, белый и светящийся, взмывает в сине-черные небеса воздушный шар.

Она повернулась к старой графине, которая побелела, казалось, еще больше. Несколько мгновений Анжель пристально смотрела на нее, а потом вдруг выговорила непослушными губами еще одно почему-то знакомое имя:

— Мадам Жизель?..

И та отозвалась, как эхо:

— Ангелина?..

И ее словно бы закружило-завертело в неистовом водовороте воспоминаний, и какое-то мгновение она ощущала в себе две разные жизни, две разные сущности — Анжель и Ангелину; они словно стояли друг против друга, с ревнивым любопытством выискивая малейшее сходство и различие, и каждая страстно убеждена была в том, что именно она — лучшая, истинная, единственная! Это было жуткое, раздирающее душу ощущение... Анжель открыла глаза, с ужасом глядя на мир, воцарившийся вокруг нее по злой воле мадам Жизель.

Теперь она помнила все, что было с ней до того мгновения, как она лишилась сознания на задворках дружининских мастерских, помнила и то, что происходило с Анжель с того мгновения, как она осознала себя беженкой и женою Фабьена. Она не помнила, не знала ответа лишь на один вопрос и сейчас выкрикнула его в лживое морщинистое лицо мадам Жизель:

— Почему?! Зачем вы это сделали?!

Обеих била дрожь: одну — от потрясения, другую — от ледяных тисков мокрой одежды, но мадам Жизель, казалось, забыла о ноябрьской стуже: ее согревала жажда мести.

— Будь моя воля, я сожгла бы тебя живьем на глазах у твоих безумных деда с бабкою! Впрочем, надеюсь, что они и так будто на раскаленной сковородке подскакивают, вспоминая о тебе! Ведь они получили письмо о том, что ты решила бежать с Фабьеном, ибо влюблена в него и уверена, что на твой брак с соплеменником Наполеона согласия дано не будет.

— Я не писала никакого... — пролепетала Ангелина и осеклась.

Так вот откуда началась липкая нить лжи, опутавшая ее как будто коконом! И тут же заныло сердце от жалости к старому князю и княгине. Какой позор навалился на них в лихую годину войны! Сколько же они слез пролили, как настрадались!

— Это придумал Фабьен, — со слезами на глазах выдохнула мадам Жизель. — Мой несчастный сын, он был одержим тобою, он любил тебя, даже безумную, ничего не соображающую, ибо ты была именно такой, когда Моршан принес тебя в наш дом.

— Мор-ша-ан... — с ненавистью прошипела Ангелина, и мадам Жизель выплюнула ехидный смешок:

— Ты и его вспомнила? И... комнату со стеклянной стеной?

— Вспомнила, — глухо проговорила Ангелина. — И вам припомню, мадам Жизель!

— Нет, — покачала та растрепанной головою. — Мое имя — графиня Гизелла д'Армонти.

— Ну хоть это правда! — кивнула Ангелина. — А сына вашего действительно звали Фабьен? Или это тоже ложь?

Губы графини растянулись в лютой гримасе, даже клыки обнажились, словно у волчицы, готовой перервать жертве горло.

— Его звали так же, как отца: Сильвестр-Фабьен-Жозеф. — Она сорвалась на крик: — О, это рок! Какая злая сила измыслила, чтобы мать погубила моего обожаемого брата, а дочь — его сына? О небо, почему даешь надо мною такую власть этому проклятому роду?

— Ага! — воскликнула Ангелина. — Значит, Фабьен — вовсе не сын ваш, а племянник!

— Он сын мой и моего брата, — устало проговорила мадам Жизель. — Когда нам было по пятнадцать лет и мы жили в родных венгерских горах, на прекрасном голубом Дунае, мы с Сильвестром страстно любили друг друга. Нас разлучили людские предрассудки, я вышла замуж за старого французского графа, но сына родила от того, кого любила. Сильвестр был красив, как греческий бог... — Глаза ее затуманились. — Женщины не давали ему проходу, да и он ни одной не пропускал. Я только смеялась, зная: он все равно вернется ко мне, обогащенный новым опытом, и мы вместе посмеемся над очередной обманутой дурочкой. И так было всегда — до тех пор, пока он не встретил Марию Корф...

Ангелина уже догадалась, о чем пойдет речь. Вот наконец и открывается завеса тайны, причина многолетней ненависти!

— Она приковала к себе его цепями страсти... И хладнокровно использовала! — воскликнула графиня. — А сама мечтала об одном: завоевать любовь своего мужа! По ее наущению Сильвестр даже вызвал на дуэль Корфа. Я знала: пока Мария равнодушна к Сильвестру, он не успокоится. Он всегда хотел только недостижимого. И я посоветовала ему убить Корфа, но так, чтобы никто не вздумал подозревать его.

— Но мой отец жив! — воскликнула Ангелина.

— Жив, увы! — воздела руки к небу мадам Жизель. — Он остался жив, хотя его долгое время все считали мертвым, в том числе и Мария, и сам Сильвестр. И что-то надломилось в душе брата, что-то сломалось навеки! Он не смог простить себе этого убийства, хотя не раз побеждал своих врагов на дуэли. И он пал... от руки твоей матери! А все, что осталось мне, — это месть! Если мне не удалось вырвать ледяное сердце Корфа, то я могу выцарапать глаза тебе — ибо они точь-в-точь как у него!

И мадам Жизель кинулась на Ангелину, выставив перед собой скрюченные пальцы. Но Оливье и Гарофано вовремя ее перехватили.

Ангелина даже не шелохнулась. Стояла, понурив голову, негодуя: почему ее родители оказались так немилостивы к ней? Почему никогда не рассказывали о том сплетении судеб и событий, в которое она была вовлечена еще до своего рождения? Считали ее глупышкой, ничего не способной понять? Или отмели прошлое, как мусор? А зря, ибо из этого мусора проросли злые цветы, отравившие ее настоящее, и только Богу ведомо, что ждет ее в будущем.

Осталось только повернуть обратно, и если несчастная, забитая Анжель как-то пробрела этот путь, то уж Ангелина — с ее новым знанием, обновленной душой! — пройдет его наверняка!

Она повернулась к берегу, но тут Оливье схватил ее за руку:

— Куда ты?

Ангелина с улыбкой вглядывалась в его встревоженное лицо. Он красив, а все-таки черты его лица чужие. И волна счастья захлестнула ее, когда она поняла, что отныне будет видеть вокруг себя только русские лица. И все-таки спасибо тебе, Оливье де ла Фонтейн! Ангелина никогда тебя на забудет. Благодаря тебе она будет со смущенной улыбкой вспоминать пройденный ею путь страданий. Никогда не забудет их «брачную ночь», когда они спали рядом, будто усталые дети...

— Куда ты?! — повторил Оливье.

— Мне надо вернуться, — гладя его пальцы, стиснувшие ее запястье, и по одному разжимая их, проговорила она. — Я не пойду дальше, я остаюсь в России.

— Но мост рухнул! Как ты пройдешь?!

— Я пройду по другому мосту. А если не удастся, пережду в деревне, пока не подойдут наши войска.

— Наши? — переспросил изумленный Оливье.

— Ну конечно, — кивнула она. — Ты разве не понял? Я ведь русская.

Оливье побелел и опять осторожно взял ее за руку.

— Анжель! Ну посмотри на меня. Что с тобой? Успокойся. Я мало что понял из вашего разговора с этой проклятой бабой, но она говорила такие жуткие вещи... И ты просто разволновалась. Ну хочешь, я брошу ее обратно в реку?

Он сделал движение к мадам Жизель, та взвизгнула, забилась в руках Гарофана, глядевшего на нее с нескрываемым отвращением.

— Хорошо бы! — мечтательно протянула Ангелина. — Но пусть живет. Ядовитые зубы у нее уже вырваны. А ты пойми: я никогда тебя не забуду, но мне надо вернуться. Я вспомнила, что я — русская! Я...

— Молчи! — прошептал Оливье, опасливо озираясь. — Ты бредишь, Анжель...

— Вот-вот, — кивнула мадам Жизель со злорадством. — Silentium! Silentium![1] Вообрази, что произойдет, если этим несчастным, едва избежавшим смерти, сказать, что русская шлюха бесстыдно шпионила за ними?

— Заткнись! — рявкнул Гарофано.

— Да, помолчи, помолчи, Анжель, — твердил Оливье. — Уйдем отсюда. Ты отдохнешь в деревне, успокоишься... все пройдет.

— Ты что, ничего не понял?! — взъярилась Ангелина. — Я русская! Меня увезли обманом, меня ждут дома...

Раздался хриплый смешок, и Ангелина воззрилась на мадам Жизель, которая так и закатывалась в руках озадаченного Гарофано.

— Вырваны зубы, говоришь, Анжель? Но осталось жало, и оно со смертельным ядом. Имя ему — Моршан.

— Моршан? — переспросила Ангелина. Ее бросило в дрожь. — А что он?

— Он — ничего. Просто он прикончит князя и княгиню Измайловых, лишь только слух о твоем появлении пройдет по Нижнему

— Вездесущий Моршан! — усмехнулась Анге-

[1] Тишина! Тишина! (*лат.*)

лина. — Да его схватят, стоит ему лишь приблизиться к дому.

— Моршан служит в доме твоего деда с той самой минуты, как ты покинула город. Можно сказать, он держит руки на горле князя, и ничто не помешает ему, когда понадобится, сделать свою хватку смертельной! Ведь никто не знает, кто он такой. Один твой любовник, тот монах-оборванец, сдох, другой мерзавец, шпионивший в моем доме, исчез вместе с летательной машиной. Надеюсь, они разбились вдребезги в каком-нибудь дремучем лесу, а дикие звери пожрали их трупы!

Она затопала ногами, затрясла головой, как припадочная, и ошалевший Гарофано оттолкнул от себя графиню и бросился с проклятиями в гору — вслед за группами солдат; сейчас ему хотелось только одного: как можно дальше оказаться от этих баб, одна из которых — сумасшедшая, а другая — русская шпионка.

Оливье растерянно поглядел вслед приятелю.

— Дорогая, — прошептал он, склонившись над Анжель. — Милая, что с тобой?

О Господи, да что с нею? Что еще такого ужасного сказала эта злобная старуха? Отчего у Анжель вдруг подогнулись ноги? Да ведь она словно умирает, и руки прижаты к сердцу...

* * *

Она прижимала руки к сердцу, чтобы заглушить внезапную боль, от которой перехватило дыхание. Как странно вернулась к ней память: сначала проснулся разум, и не прежде, чем он освоился со случившимся, пробудилась память сердца... Лучше бы она никогда не пробуждалась! Невыносимо понять, что она была рядом с Никитою, в его объятиях, а говорила с ним, как с чужим, не понимала его страсти, его отчаяния; хотя памятью тела узнавала его и стремилась к нему, единственному на свете. Сколько же ему пришлось перестрадать, когда он узнал, что невеста сбежала с другим! А потом вдруг увидел ее среди похотливых грубых солдат, вдобавок — неузнаваемую, неузнающую... Она представила, как закрываются серые дерзкие глаза, а простреленное тело безвольно сползает по стволу яблони. И вдруг ожило, забилось ее сердце — вопреки всему — с надеждой и мольбой: он не мог умереть. Он был еще жив, когда Ангелине пришлось оставить его. И непослушными губами она взмолилась, не сознавая, что наконец-то заговорила по-русски:

— Друг ты мой сердечный, жив ли ты? Боже, не разлучи меня с единой в жизни отрадой!

Вот тут-то пошатнулся и Оливье, до сего момента не веривший во взаимные разоблачения Анжель и старой потаскухи. Но, услышав чужую речь, он понял: та, к которой так рвется его сердце, недостижима для него. Эти русские слова воздвигали между ним и Анжель неодолимую стену, разрушать которую он бросился с безумством отчаяния.

Мадам Жизель в ужасе вскрикнула, когда прочла в его глазах свой смертный приговор. Оливье готов был проткнуть ее штыком, задушить голыми руками, снести голову саблей! Он желал сделать все это враз, а оттого чуть замешкался... И в это мгновение глаза мадам Жизель вдруг радостно вспыхнули, а из груди вырвался крик:

— Господин Биро!

Имя было знакомо Оливье, но откуда старая ведьма могла знать начальника армейской разведки? Сейчас Оливье просто скажет, что задержал русскую шпионку, и сдаст ему графиню, а пока Биро и его команда разберется, что да как, он уведет отсюда Анжель. Ведь все равно ей нельзя вернуться! Сейчас она в отчаянии, но он исцелит ее душу своей любовью и заботой!

Оливье уже сделал шаг навстречу Биро, но остолбенел, увидев, с каким почтением тот взял руку мадам Жизель и поднес к губам.

— Графиня... нет слов, чтобы выразить мой восторг! Уже который день я жду здесь вашего появления. Узнав, что рухнул мост, поспешил сюда в полном отчаянии, боясь, что никогда более вас не увижу, что заслуги ваши перед Францией и императором окажутся неоцененными. О, я бы не решился привезти такую горькую весть в Мальмезон, мадам Жозефине! Какой счастливый случай спас вашу жизнь, дорогая графиня?

— А вот он, этот случай! — Мадам Жизель с усмешкой указала на Оливье, и тот поразился, как помолодело ее лицо, как расправились плечи, изменились манеры. Какая там старуха!.. Перед ним стояла светская дама едва под пятьдесят, и она была красавица! — Я видела императора на русском берегу, но там открыть мое инкогнито было бы неразумно. Я решила положиться на судьбу, однако, когда мост обвалился... — Она содрогнулась, и Биро, сорвав с себя роскошную шубу, накинул ее на плечи графине.

— Господи Иисусе! Вам надо немедленно обсохнуть, переодеться!

— Момент! — остановила его графиня. — Сначала я должна отдать кое-какие долги.

— Как прикажете, — кивнул Биро. — Ваше имя? — спросил он, благосклонно поглядывая на де ла Фонтейна.

— Оливье де... — начал было тот, да тотчас же осекся, ибо понял: нельзя открывать свое имя, пусть даже ему сейчас наденут на шею орден Почетного легиона.

Ведь мстительная графиня в два счета превратит ленточку любого ордена в веревку палача! И не он сдаст Биро мадам Жизель, а она выдаст Анжель! Вот и спасай после этого тонущих!

Оливье внезапно захохотал истерически и вновь вытянулся во фрунт:

— Прошу прощения, mon colonel![1] Я был так... ошеломлен, что забыл свое имя. Меня зовут Оливье Совё.

Теперь засмеялся Биро.

— Совё? Да неужели?! Поразительное совпадение![2]

— Ну что ж, мой храбрый Совё... — ласково проговорила мадам Жизель. — Уверяю, император щедро отблагодарит вас за спасение моей жизни. А потом... — глаза ее хищно сверкнули. — Но все потом!.. Итак, чем я могу вознаградить вас?

---

[1] Полковник (*фр.*).

[2] S a u v e u r — спасатель (*фр.*).

— Silentium, — пробормотал Оливье, едва шевеля побелевшими губами. — Silentium!

Мгновение мадам Жизель смотрела на него непонимающе, но потом сообразила, чего хочет от нее Оливье. Молчания!

Он видел, что первым ее побуждением было выдать Анжель, однако тут же мерзкая улыбка искривила ее чувственные губы, и мадам Жизель, приблизившись к Оливье, пробормотала вполголоса — так, чтобы не услышал Биро:

— А ведь ты прав, красавчик! Смерть — мгновение, а это слишком быстро для нее! Ведь она не сможет вернуться домой, она будет жить в чужой стране, вечно таиться, вечно бояться! О, тебе повезло, Анжель! Никогда не могла понять, что в тебе находят мужчины, — верно, уж и не пойму. Буду рада увидеть тебя в Париже. Porter vous bien![1]

Ангелина даже не заметила, когда Биро и мадам Жизель ушли. Она будто не понимала смертельной опасности, которой избежала чудом. Ей было нужно сейчас совсем иное чудо: оказаться на другом берегу, пройти, проползти весь путь своих страданий в обратном направлении, к родным и милому дому. Но, верно, закончилось в ее жизни время чудес, домой нельзя вернуться, нужно снова идти вперед.

Прочь от России, от родных, от любви! И даже не узнать, живы ли все покинутые ею... Пенять на судьбу она не стала лишь потому, что верила — верила, как способны верить только русские люди: Бог знает, что творит.

[1] Всего хорошего! (*фр.*)

— Боже, Боже мой! Не оставь меня в дни скорби моей! — прошептала Ангелина.

Потом мысли ее приняли другое, более практическое направление.

Итак, судьба опять посмеялась над нею. Ангелина мечтала сама распоряжаться своей участью, бороться с обстоятельствами! Где там! Опять придется подчиниться, сдаться...

Нет. Она не сдастся, она еще обратит свое поражение в победу!

Неправда, что месть — отрада мелких душ! Бывает так, что месть становится единственным стержнем существования. И теперь пришел черед Ангелины жить с мыслью об отмщении: за себя, за князя Алексея и княгиню Елизавету, за Меркурия, за всех тех, кто убит по воле шпионки-графини... За Никиту!

Она прижала ладони к губам, чтобы громко не застонать. «Может быть, ты жив и мы увидимся когда-нибудь. А может, не увидимся никогда. Но я не забуду тебя. Горе испытывает любовь, и если не убивает ее, то дает ей новый полет. Ничего! Все избудется! Главное — чтобы спаслась Россия».

Она в последний раз посмотрела на тот берег — затянутый дымом сражений, грохочущий громом пушек, залитый кровью и слезами... единственный в мире обетованный берег! Какая-то светлая птица вдруг промелькнула над рекой, стремясь туда, возвращаясь. Ангелина проводила ее тоскливым взглядом. Может, это летит ее душа?

Часть III
ВЕСНА В ПАРИЖЕ

1
ФИАЛКИ ДЛЯ БЫВШЕЙ ИМПЕРАТРИЦЫ

Еще вчера этот лиловый цветок можно было увидеть на каждом углу, однако сегодня, 9 марта 1814 года, корзинки полны были нарциссами и желтым дроком, кое-где встречались белые, чуть привядшие букетики ландышей, привезснные с юга Италии; можно было увидеть даже редкость — швейцарские анемоны, и только фиалок не было нигде, так что человек, который все утро бегал по Парижу в бесплодных поисках этих цветов, хоть уже ног под собою не чуял от усталости, знал, что достоин гильотины за то, что проспал, не явился на большой цветочный рынок в три утра, чтобы найти изрядную корзину фиалок. То есть это сперва он хотел целую корзину. Теперь-то он отдал бы все содержимое своего кошелька за пять-семь изящных лиловых цветочков с округлыми темно-зелеными листками.

Тщетно. Фиалок не было нигде. И ему предстояло вернуться в Мальмезон ни с чем, и хозяйка этого дворца не получит в памятный день то, что получала почти двадцать лет кряду, и через небольшое время великий человек, победитель мира, узнает о случившемся и, может быть, воспримет эту маленькую неудачу острее всех своих великих неудач — особенно теперь, когда его войска два дня назад были рассеяны армией русских и их союзников у Сен-Дизье.

Если бы тот, кто искал фиалки, мог плакать, он сейчас разрыдался бы. Ей-богу, он был уже готов вытащить свой пистолет, как вдруг сердце его бешено заколотилось: невдалеке, на каменном парапете моста Пон-Неф, стояла корзинка, полная фиалок!

Стараясь не дышать, чтобы не спугнуть видение, этот человек двинулся к корзинке на цыпочках, словно боясь спугнуть свое счастье..

Он уже почти схватил добычу, как вдруг корзинка взлетела в воздух, и тотчас же раздался возмущенный голос:

— Но это мои цветы, сударь!

В пылу своих поисков он чуть не украл товар цветочницы, которая, похоже, одна во всем Париже торгует фиалками. Сейчас он загладит свою вину! Сунув руку под камзол, он вынул шелковый увесистый кошель и позвенел монетами, доставая золотой.

— Беру все цветы вместе с корзиной!

Он уже протянул руку, но цветочница отступила на шаг и покачала головой.

«Дурак, зачем я показал ей кошелек? Ладно, прибавлю еще!»

Он достал вторую монетку, но цветочница опять отступила... Ей опять мало!

Не будем утомлять читателя подробностями торга. Скажем лишь, что они прошли весь мост (сто шагов) и оказались на набережной, что кошелек покупателя опустел, а цветочница, которой мало было за корзину фиалок ста золотых наполеондоров, все отступала и отступала.

Окончательно сломленный, покупатель принялся снимать золотые часы, но цветочница остановила его:

— Не трудитесь, сударь. Во всем Париже не сыщется столько денег, чтобы купить эти цветы!

«Да она сумасшедшая!» Покупатель с трудом оторвал взор от фиалок и впервые внимательно поглядел на их владелицу. В его воображении во время торга уже сложился образ отвратительной скаредной старухи, и он остолбенел, увидев поразительной красоты глаза того самого темно-синего цвета, который как раз и называется фиалковым, и нежный овал лица, и тяжелый, небрежно сколотый узел золотисто-рыжих волос, из которого выбивались вьющиеся пряди и реяли под легким ветерком, сверкая на солнце. Казалось, сама Весна стоит сейчас на набережной Сены! Да, эта особа заработала бы целое состояние, торгуя не цветочками, а своей красотой, подумал восхищенный покупатель, но, вспомнив, какую цену она заломила за свои фиалки, вернулся с небес на землю и спросил с мольбой:

— Так чего же вы хотите? — и едва не лишился чувств от изумления, услышав:

— Никаких денег. Я хочу сама подарить свои фиалки госпоже Жозефине.

Покупатель колебался только одно мгновение. Он свистнул, и наемный экипаж тотчас устремился к нему. Покупатель помог взойти в него цветочнице, вскочил сам и крикнул — причем в голосе его звучало ликование победителя:

— В Мальмезон! Гони вовсю!

И возница погнал.

* * *

Вообще говоря, не было ничего удивительного в том, что какая-то цветочница знает магическое значение фиалки, тем более в день 9 марта, философски рассуждал покупатель. Многие парижане были осведомлены, что сей дивный цветок имел особое значение для Наполеона и Жозефины, его бывшей супруги, сохранившей титул и привилегии императрицы, а также неизменное расположение Бонапарта.

Заключенная вместе с другими невинными жертвами в самом начале революции в знаменитую Консьержери (предварительную тюрьму), Жозефина Богарнэ ждала с минуты на минуту казни и уже прощалась с жизнью, как вдруг однажды пришла в ее камеру маленькая девочка — дочь тюремщика — и подала ей букетик фиалок. Неожиданный этот подарок внушил ей надежду, что хлопоты одной высокопоставленной подруги, возможно, увенчаются успехом, и Жозефина увидела в этих цветах счастливых провозвестников своего освобождения.

Предчувствие ее не обмануло: просьба подруги подействовала, и на другой же день Жозефина была освобождена. С тех пор фиалка сделалась для нее символом жизни и счастья. Страсть ее к этим цветам доходила до крайности. Все платья ее были затканы фиалками, лиловый цвет стал ее любимым, живые фиалки служили единственным ее украшением, и все окружавшее Жозефину буквально было пропитано запахом фиалок.

9 марта 1796 года в здании городской ратуши Парижа происходило торжественное ее венчание с Наполеоном. Опять Жозефина была в затканном фиалками платье, а в руках и на груди были букеты этих цветов. Выходя из ратуши, взволнованная Жозефина не могла сдержаться, и когда несколько слезинок упало на букет, она обратилась к Наполеону со словами:

«Позволь мне, милый друг, всегда носить фиалки в этот чудный день моей жизни. Пусть они будут каждую весну обновлением нашей любви, нашего счастья!»

И Наполеон никогда не забывал этой просьбы. Где бы ни находился он — в дыму ли сражений, в походе ли, — Жозефина всегда находила в день их свадьбы свежий букет фиалок на ночном столике опочивальни.

И вот наш многострадальный покупатель, приближаясь к Мальмезону, недоумевал: как могло такое случиться?.. Ведь каждый год 9 марта этих цветов было хоть косой коси, а нынче — ни единого! Будто какая-то злая сила нарочно собрала и уничтожила все фиалки в мире, чтобы эта златокудрая цветочница получила возможность попросить протекции у бывшей императрицы!

Покупатель не ошибался... Что касается «злой силы», то ею являлись десятка два людей, которые ранним утром останавливали на всех парижских заставах каждый воз с цветами и скупали все фиалки подряд. И сделано это было для того, чтобы единственная владевшая этим товаром особа получила возможность проникнуть в Мальмезон и осуществить мечту, которую она лелеяла почти два года: мечту о мести.

Но объектом этой мести была отнюдь не императрица Жозефина.

* * *

— Мальмезон! — объявил покупатель, и цветочница повернулась к окну.

За окнами кареты мелькала решетка, тяжелые бронзовые фонари, подвешенные на кованых железных кронштейнах, освещали сверкающие позолотой копья решетки и трехцветные караульные будки, в которых стояли на часах солдаты в замшевых мундирах с зелеными пластронами[1] и в высоких черных киверах, украшенных желтыми помпонами. Цветочница знала, что это — корсиканские стрелки, в полк которых принимали после очень строгого отбора. Многочисленные попытки подкупить охрану и с ее помощью проникнуть в Мальмезон неизменно терпели неудачу.

И все-таки она здесь!

---

[1] Пластроны — накрахмаленная грудь сорочки.

Солдаты и слуги, стоявшие на крыльце, с подозрением взглянули на цветочницу, но при появлении из кареты благоухающей темно-лиловой корзины лица у всех, как по волшебству, осветились умильными улыбками. И цветочница в сопровождении покупателя не без трепета прошла через просторный вестибюль, отделанный мрамором и украшенный античными статуями.

Им сообщили, что императрица вместе со своей фрейлиной мадам Ремюза в музыкальном салоне, однако небольшая комната, обтянутая зеленой тканью, оказалось пустой.

— Стой здесь! — приказал покупатель. — Я отыщу Ее Величество, и если она захочет, то удостоит тебя своим вниманием.

Цветочница скромно кивнула, и покупатель скрылся за зелеными портьерами.

Стоило им сомкнуться, как скромность слетела с нее, подобно луковой шелухе.

Не напрасно Бог дал ей несколько минут свободы и одиночества. Ведь если Господь по-прежнему будет милосерден, она найдет то, что ищет, и свершит наконец свою месть. Она выскочила в противоположную дверь и побежала по узкому темному коридору, заглядывая то в одну, то в другую дверь.

Но замок словно вымер, и цветочница подумала, что и отсюда бегут люди, узнав, что войска союзников стремительно продвигаются к Парижу. «А что, если и она тоже уехала?!» — с ужасом подумала цветочница. Но вот за очередной дверью перед нею открылась наконец та комната, которую она искала.

Да, именно эта — обтянутая красным шелком и обшитая черными галунами, знакомая по рассказам подкупленных служанок. А вот и занавесь перед альковом. Там стоит огромная кровать, которая почти не пустует, ибо любовные аппетиты графини беспредельны. Вот и сейчас оттуда доносились ритмические поскрипывания и женские стоны, слившиеся с тяжелыми вздохами мужчины.

Она здесь. Здесь!

Цветочница бесшумно поставила на пол корзину и проворным движением отсоединила длинную ручку. Распрямила ее, потянула — и под ивовой трубочкой открылся длинный обоюдоострый клинок, тонкий и гибкий. Цветочница внимательно смотрела на пляшущую занавесь алькова, пытаясь различить контуры двух тел. Наконец ей это удалось: дама оседлала своего партнера, и очертания ее фигуры стали видны достаточно хорошо для того, чтобы не промахнуться.

Цветочница шагнула к алькову, как вдруг...

— «Что? Крыса? Ставлю золотой — мертва!»

Женский голос, цитировавший «Гамлета», звенел такой уничтожающей насмешкой, что цветочница остолбенела. Она сразу узнала этот голос, ведь он принадлежал той, кого она искала, кого хотела убить, но... но раздавался отнюдь не с постели, а из-за ее спины!

Цветочница на миг зажмурилась. Наконец нашла в себе силы повернуться и с ненавистью взглянуть на роскошно одетую женщину с яркими и прекрасными глазами, которые искрились насмешкой.

— Анжель... — промурлыкала темноглазая дама. — Тебе идут эти цветы! Вот уж воистину — la humble violette![1] — Она закатилась злорадным смехом. — Так, кажется, называл тебя Фабьен?

Дама перекрестилась, а когда опустила руку, то увидела жало клинка у самого горла.

— Именно так, сударыня, — с напускным смирением проговорила цветочница. — Вы ведь были очень привязаны к моему бедному супругу? Утешу: вам очень скоро предстоит встреча с ним.

— Ты опять промахнулась, крошка, — произнесла дама, улыбаясь кому-то за спиной цветочницы, и в то же мгновение руку молодой женщины стиснула мужская рука — да с такой силой, что пальцы ее разжались и клинок со звоном упал на пол.

— Извините, графиня, я позабыл крикнуть, подобно Полонию: «Меня убили!» — произнес мужской голос.

Цветочница обернулась и увидела полуголую девицу, все еще стоявшую на коленях в постели, с ужасом взиравшую на происходящее. Высокий рыжеволосый мужчина поднял оружие с пола и небрежно махнул девице: «Пошла вон!» Ту как ветром сдуло, а он принялся застегивать штаны.

— Но, друг мой, вы хотя бы успели получить удовольствие? — с сочувствием спросила черноглазая дама.

---

[1] Скромная фиалка (*фр.*).

— Нет, — буркнул тот. — Роль Полония оказалась слишком ответственной и потребовала всего моего внимания. Так что я не возражал бы против антракта с какой-нибудь хорошенькой Офелией...

— Вы извращенец, Моршан! — засмеялась дама. — Ведь Офелия была дочерью Полония!

— Ну что поделаешь, я уже давно ничего не читаю! — развел руками Моршан и вопросил: — А не пришла ли пора, сударыня, мне получить старый должок — то, что вы посулили мне еще там... В гостиной со стеклянной стеной?

Дама испытующе взглянула на цветочницу, которая с ужасом смотрела на мужчину, словно увидела призрак.

— Как настроение, Анжель? Держу пари, ты поднимешь юбку, лишь только Моршан коснется тебя одним пальцем. Помнишь, как это было тогда? — Она закатилась истерическим смехом, но вдруг сделалась серьезной и прошептала: — Бывают мгновения, когда смерть близка к нам и нас неумолимо влечет в ее объятия. Ты чувствовала, когда шла сюда, что идешь навстречу смерти, Анжель?

* * *

«Нет! — могла бы ответить Ангелина. — Нет, я верила в удачу!» И в самом деле, когда неделю назад, на площади Людовика XV, она узнала в толпе мадам Жизель, ей показалось, что Бог внял ее мольбам. Ведь с тех пор, как Ангелина обосновалась в Париже, она искала графиню д'Армонти повсюду и уже опасалась, что та ускользнет от ее мести, ибо многие ярые приверженцы Наполеона покидали столицу, страшась, что русские войдут в город.

Наполеон нигде не выказал столько прозорливости и энергии в военных делах, сколько выказал ее в пределах самой Франции. Быстро переходил он из одного места в другое; внезапно появлялся там, где его меньше всего ожидали. Словом, явил все искусство свое. Однако — тщетно.

Российский царь, король прусский и австрийский полководец князь Шварценберг опередили Наполеона на подступах к его столице, в то время как он шел к Парижу кружной дорогою, через Труа и Фонтенбло. Император предписал возвести на заставах укрепления, перекопать улицы рвами, снять с замощенных улиц камни Парижа, чтобы низвергать их на противника. Наконец, повелел вооружить народ, выжечь предместья, взорвать мосты и, отступив на левый берег Сены, защищать Париж, доколе сам не подоспеет к войскам своим.

Однако Жозеф, брат Наполеона, не сумел выполнить все его приказания. На площади Людовика XV во всеуслышание читали воззвание фельдмаршала Шварценберга к жителям Парижа, заканчивающееся словами: «...приступите к общему делу человечества, утвердите мир и спокойствие!» И Ангелина поняла, что уже никто не сомневается в неотвратимости падения Парижа. Кое-кто уже нацепил белые банты, знак роялистов, на шляпы; загремело имя Бурбонов, не повторяемое двадцать лет. Знатнейшие дамы раздавали народу банты и воспламеняли сердца против Наполеона. Пытались всучить белую розетку и Ангелине, однако она не хотела привлекать к себе излишнее внимание, поторопилась смешаться с толпой и направилась туда, откуда доносился страстный женский голос.

— Россия — это огромная, дикая, нищая страна. Стужа, болота, леса и непролазная грязь в городах и на дорогах, — размахивая руками, кричала женщина в старом чепце и таком же платье. — Там два сословия: баре и мужики. Одни живут в вызывающей роскоши, а другие влачат жалкое существование в задымленных хижинах. И те и другие ненавидят цивилизованные народы, мечтают пройти по Европе, подобно армии гуннов, предавая все вокруг огню и мечу! Я сама была в Москве, я видела, как они сжигали свою столицу, чтобы обречь на голод и смерть наших храбрых солдат!..

Ангелине почудилось что-то знакомое в голосе этой ораторши, манерами и одеждой очень похожей на старую полковую маркитантку. Она попыталась пробраться поближе к этой неистовой крикунье, но была зажата в толпе и только могла, что смотреть на нее, слушать — и медленно сходить с ума, узнавая в «маркитантке» мадам Жизель.

Да, это была она! Ее выразительные глаза, ее звучный голос, ее актерство производили огромное впечатление на публику. Ангелина была так потрясена внезапно сбывшейся мечтой: найти мадам Жизель и сквитаться с ней, что даже не сразу и обрадовалась. А потом вдруг вспомнила, что у нее нет никакого оружия и бросаться на мадам Жизель с голыми руками вряд ли стоит, ибо если та крикнет, что на нее напала русская шпионка, то толпа разорвет Ангелину в клочки. Поэтому она смирила себя и долго еще стояла, слушая злобную брань старой мегеры. Ангелина еще в бытность свою беспамятной Анжель обнаружила, что когда эта утонченная аристократка выходит из себя, то даже пьяный мужик или базарная торговка выражаются пристойнее, чем она. Так что в этом мадам Жизель не изменилась. Откричавшись, она выскользнула из толпы и, пройдя несколько улиц, села в весьма презентабельный экипаж с кучером в ливрее. На счастье Ангелины, поблизости оказался наемный фиакр, потому ей удалось проследить путь мадам Жизель до самого Мальмезона. Но понадобилась уйма времени и денег, дабы выяснить, что графиня д'Армонти является одной из ближайших наперсниц бывшей императрицы и постоянно живет во дворце. Не сразу сложился план. Сначала Ангелина лелеяла мечту пасть в ноги бывшей государыне и, открыв ей всю подноготную графини д'Армонти, молить о правосудии, но Оливье высмеял ее очень жестоко:

— Вы, русские, все в душе крепостные, знаете только одно: надеяться на милость барина. Ну сама посуди: чего ради Креолка[1] предпочтет тебе свою подругу? Кто ты для нее? Русская, одержимая местью француженке? Да она глазом не моргнув отдаст тебя Фуше[2], ибо мадам Жизель трудилась в России на благо своей родины, а ты... совсем наоборот! Какая-то у тебя болезненная страсть к драматическим эффектам, выяснениям отношений...

---

[1] Одно из прозвищ Жозефины, уроженки Мартиники.
[2] Начальник тайной полиции.

Наше дело — метко и вовремя ударить эту мерзавку отточенным кинжалом. Конечно, еще надо ухитриться и самому живым уйти.

— Нет, — твердо возразила Ангелина. — Нет, этого не будет.

— Чего именно, неразумная? — постучал Оливье пальцем по ее лбу.

— Ты не будешь принимать в этом участие, я сделаю все сама, — заявила Ангелина с такой решимостью, что Оливье понял: спорить бесполезно. Давно миновали времена, когда он вез по заснеженной России запуганное, покорное, а главное — молчаливое существо. Теперь Анжель пришла в себя и частенько демонстрировала Оливье твердость и даже жесткость своего характера, а уж язычок ее был воистину острее бритвы. Особенно дерзка она стала с тех пор, как овдовела и получила немалое наследство после мужа, и хотя Оливье тоже коечто перепадало, случались и неудачные дни. Что поделаешь, он уже натворил множество глупостей из-за Анжель и ничуть не сомневался, что натворит их еще немало.

Так оно и вышло, ибо не кто иной, как Оливье организовал «великое похищение фиалок», которые затем были вывезены за пределы Парижа и сброшены в Сену. Все вроде бы предусмотрели, даже то, что в момент появления «цветочницы» бывшую императрицу отвлекут под каким-нибудь предлогом, — однако кто же мог представить, что Ангелину будет ждать самая настоящая западня? Ведь нет сомнения, что мадам Жизель не только знала об обмане с фиалками, но и ждала именно Ангелину! А Моршан? Откуда взялся он?!

И если с мадам Жизель Ангелина не побоялась бы схватиться не на жизнь, а на смерть, то явление Моршана перечеркнуло все ее надежды.

* * *

«О Господи! — взмолилась Ангелина. — Прими душу мою, но не оставь Юленьку!» Если не придется ей показать дочке Россию, те места, где она была так счастлива с ее отцом, то останется письмо, которое написала Ангелина, отправляясь в Мальмезон, и которое получит ее дочь, когда ей исполнится семнадцать. Вырастет, не зная родной страны... Но в этом нужно винить и не столько злой рок, сколько саму ссбя. Нс было ночи, когда бы не видела Ангелина возвращение в Россию. Да и наяву она проклинала себя за то, что не ускользнула от Оливье, не добралась до Санкт-Петербурга, не посоветовалась с умными людьми, которые подсказали бы, как обезвредить Моршана и спасти деда с бабкой от его мести... Утешало все эти годы ее только одно: уж наверняка рано или поздно ее месть настигнет мадам Жизель. А теперь выходит, что гнусная графиня солгала? Моршан все это время находился во Франции? Ангелина напрасно принесла себя в жертву? И месть... тоже провалилась? Но откуда же они узнали о «заговоре фиалок»? Как могли проведать, что Ангелина проникнет в Мальмезон? Значит, среди людей Оливье есть предатель? И уже не предупредить, никому ничего не сказать, не увидеть Юленьку...

Серые ясные глаза дочери всплыли в памяти Ангелины, и она невольно схватилась за сердце. Одно утешение: будущее Юленьки обеспечено, Ангелина обо всем позаботилась. Оливье назначен опекуном ребенка, доверенность на ведение всех финансовых дел находится у поверенного ее покойного супруга, значит, Оливье и Юленька ни в чем не будут нуждаться.

Ну что же... такова судьба, и надо встретить свой конец так же достойно, как Никита.

Ангелина перекрестилась по-православному и, с вызовом глядя на Моршана и мадам Жизель, воскрешая в памяти сцену расстрела в яблоневом саду, проговорила, как тогда Никита:

— Палите-палите! Только чтоб руки не дрожали! Дай Боже, чтоб эта проклятая война скоро кончилась, и помоги нам покарать злодея, поднять разбойников на штыки! Ну а теперь — пли!

Она зажмурилась, ожидая выстрела, но ничего не произошло.

— С ума сошла! — послышался голос Моршана, и, открыв глаза, Ангелина увидела насмешку на его лице и презрение — в улыбке мадам Жизель.

— Ты решила умереть героиней? — спросила графиня. — Ты приказываешь мне убить тебя? Ох-ох-ох, какая жалость, но у меня и в мыслях такого нет! Твой час, конечно, настанет... но теперь тебе даже арест не грозит. Ты уйдешь отсюда, а Ее Величеству я сама отдам твои фиалки. Надо полагать, они не отравлены?

Ангелина растерянно заморгала. Не веря своим ушам, она пошла следом за мадам Жизель, была проведена через сад к потайной калиточке и еще долго потом стояла одна, вспоминая прощальные слова графини: «Ничего, Анжель, скоро мы увидимся снова. Не веришь? Ну что ж, твое дело! Но запомни: если тебе понадобится моя помощь, приходи сюда и скажи часовому, что тебе нужна графиня Гизелла д'Армонти. И запомни пароль: «Сервус»[1].

2
МИСТРАЛЬ

Хотя в натуре Ангелины самоуверенность причудливо сочеталась с нерешительностью, ей не следовало винить себя за то, что она очутилась в Париже вместо Нижнего Новгорода. Обстоятельства оказались сильнее, более того — она сочла их непреодолимыми, когда вскоре после памятного разговора на берегу Березины осознала, что беременна. В череде черных дней, в которую давно уже превратилась жизнь Ангелины, этот был темнее прочих.

Ребенок вряд ли мог принадлежать Фабьену; стало быть, она зачала его или от Лелупа, или от Никиты. В одном она не сомневалась: Оливье не имеет к ребенку никакого отношения. Он тоже понимал это, а потому готов был найти повивальную бабку еще в Польше, потом уже во Франции, и был немало обижен и изумлен, когда Ангелина от-

[1] Привет (*венг.*).

казалась. Только сумасшедшая могла терпеть такие муки добровольно. Ох, как ей было худо! Выпадали ужасные дни, когда ее желудок извергал всякую пищу, когда ее корчили судороги от самого безобидного запаха. Все это мог причинить ей только плод Лелупа, в такие часы и дни она в этом не сомневалась. Она старалась возможно меньше думать о будущем. Господь чудесным образом не раз спасал ее от смерти, потому она слепо положилась на его волю в полной уверенности, что все пойдет хорошо. Однако же не зря говорят: «На Бога надейся, а сам не плошай», вот почему Ангелина на всякий случай решила: если увидит, что родила ребенка от Лелупа, тут же убьет дитя и покончит с собой... Ибо, разумеется, ни жизни, ни счастья с таким грехом на душе она не мыслила. После этого ей стало легче, и впоследствии Ангелина не раз думала о том, что именно сие чудовищное решение помогло ей жить — и даже иногда получать удовольствие от жизни.

Удовольствия, надо сказать, поначалу было мало. Что на чужбине и сладкое горько, Ангелина поняла с первых дней жизни в Бокере, где они поселились у тетушки Марго де ла Фонтейн, супруги дяди Оливье, который женился на богатой буржуазке ради ее денег, но не успел ими насладиться и сошел в могилу, оставив вдове вожделенную частицу «де» и право именоваться «мадам». Кривобокая, с брюшком, тетушка Марго казалась не то горбатою, не то беременною. А что за обоняние, вкус и желудок были у этой женщины!

Прогорклое масло, ветчина со ржавчиной, похлебки, варенные в нелуженой посуде, подавались на ее стол. А еще в тетушке Марго гнездились два порока: она была страшная ханжа и зануда, а вечерком, уединившись, любила тайком выпить. Сперва Ангелина никак не могла понять, почему тетушка приняла племянника под свою крышу, а главное — почему не выкинула вон его спутницу? Более того! Сразу уяснив, что Оливье не намерен жениться на «этой особе», беременной бог весть от кого, однако же не собирается расставаться с нею, тетушка Марго удовлетворила любопытство жителей Бокера удобной версией о том, что Анжель — кузина Оливье, родители которой некогда бежали от ужасов революции в Россию да там и нашли свой конец. Ну а Оливье, мол, намеренно искал и нашел свою несчастную кузину в варварской стране.

Гостеприимство тетушки Марго объяснялось очень просто: после брака все ее состояние перешло в руки Жана де ла Фонтейна, а тот, озабоченный судьбою племянника, так составил свое завещание, что жена его получала право распоряжаться деньгами при двух условиях — ее заботы об Оливье и его к ней почтении. Условие сие было известно всему Бокеру (городок-то маленький!), а потому Оливье и тетушке Марго приходилось делать хорошую мину при плохой игре. Оливье никогда не жаловался на теткину скупость, а только нахваливал знакомым свою жизнь: «Ах, брат, война дает цену вещам! Сколько раз, вымокший от дождя или снега, я мечтал о теплой постели и хоть какой-нибудь еде, а теперь — не сытому хвалить обед!» Тетушке Марго тоже приходилось заботиться о племяннике —

правда, втихомолку жалея о том, что он воротился с войны столь быстро... что вообще воротился! — и держать его в узде и послушании еще одной оговоркою дядюшкиного завещания: Оливье мог унаследовать капитал мадам де ла Фонтейн, но лишь после ее особого о том распоряжения; в случае, если тетка умрет, не оставив завещания, все немалые деньги перейдут в пользу благотворительных учреждений Бокера, Тараскона, двух-трех близлежащих в долине Роны городов — на лечение заболевших вследствие мистраля. Ведь именно мистраль стал причиною воспаления мозга у Жана де ла Фонтейна.

Когда в Бокере свирепствовал этот северный ветер, всякий только и искал, где укрыться. Солнце могло ярко сиять, но нестерпимый холод проникал в самые защищенные жилища и так действовал на нервы, что приводил в дурное расположение духа даже самых бесстрастных людей; нервных же и больных терзал до сумасшествия. Жизнь здесь становилась невыносимою при мистрале. Да и без него Ангелине скоро стало в Бокере невмоготу.

* * *

Говорили, что в конце июля в городке проходит праздник для всех — знаменитая ежегодная ярмарка, которая на неделю собирает сюда торговцев из Каталонии и Бретани, Лиона и Генуи, прочих недалеких городов — то есть Бокер становится центром вселенной.

Однако, за исключением времени ярмарки, нет

более скучного места в мире, чем этот маленький и безобразный городок. Желающие попасть на ярмарку снимают дома, дворы, сараи на год вперед, и плата за них так высока, что на нее бокерцы живут целый год. Поэтому они и не занимаются никакими ремеслами и питают отвращение ко всякому труду, вследствие чего постоянно зевают.

Маленький городок во Франции — это совокупность отдельных семейств, ведущих замкнутый образ жизни, которым уже не о чем говорить — обо всем давным-давно переговорено. И поэтому бокерцы, как беременная женщина на солененькое, набросились на рассказы Оливье о войне и его отношениях с «кузиной из России». Все с нетерпением ждали, когда молодой де ла Фонтейн поведет хорошенькую Анжель под венец, и ежедневно судачили, почему этого не происходит.

Как многие страстные женщины, Ангелина могла придумать сложнейшую и грандиозную ложь и сама поверить в нее, однако ей никак не удавалось внушить себе, что она любит Оливье. Он не был ей неприятен: ласковый, как мурлыкающий кот, изощренный в затейливых ласках... Она ложилась с ним в постель, с удовольствием копила в себе маленькие, но такие волнующие ощущения, и порою они даже, собравшись все воедино, одолевали душевный холод Ангелины, но это случалось, увы, так редко! Заниматься любовью с Оливье было все равно что пытаться собрать роскошный букет на клумбе в вершок величиной. Однако Оливье не считал Анжель бесчувственной, он ведь не знал, что она часто уступала греховному наслаждению, вообразив себя в объятиях навеки потерянного Никиты. Распалив себя воспоминаниями, Ангелина чувствовала такой неистовый жар в чреслах, что спешила отдаться Оливье где могла — на столе, на кресле, на ларе с мукой, лишь бы не на глазах у тетушки Марго, и ей достаточно было представить глаза или губы Никиты, чтобы тотчас удовлетворить свою страсть.

Анжель отчаянно нравилась Оливье. Ни одна женщина так не возбуждала его, а то, что она беременна, придавало ей особенную привлекательность, ибо Анжель скрытно надеялась добиться выкидыша, а потому эротические фантазии ее делались раз от разу все изощреннее. Однако жениться Оливье и помыслить не мог! Во-первых, оба без гроша. Когда еще помрет тетушка... А вдруг забудет написать завещание? Да и брак с мнимой кузиной был бы ей не по сердцу; вдруг уменьшит и без того его мизерное содержание? Представить себя зарабатывающим на жизнь Оливье не мог при всей своей неумеренной фантазии. Оставалось либо красть, либо выгодно жениться. Второе показалось ему предпочтительнее, и Оливье начал приглядывать себе невесту в зажиточных бокерских семьях. Слух о сем мгновенно воцарился на брачной бирже Бокера. Свахи пришли в боевую готовность... Однако произошло событие, которое свело на нет все матримониальные планы Оливье, доказав Ангелине, что Бог есть и он заботится о ней, хоть и весьма своеобразным способом.

* * *

У тетушки Марго в Тарасконе жила старая нянька, и вот Господь прибрал ее. Тетушка отправилась на похороны и поминки, а в этот день, как нарочно, разыгрался мистраль. Когда их дилижанс переезжал через Бокерский мост, ветер пришел в полное неистовство. Кучера сдуло с козел; с крыши дилижанса посыпались чемоданы и корзины, сам же экипаж угрожающе накренился... Пассажиры-мужчины повыскакивали наружу и вцепились в веревки, укрепленные по его стенкам, однако усилий восьми человек было недостаточно, и экипаж, проломив резные перила моста, свалился в Рону под страшный женский крик, доносившийся изнутри, и под вопль спохватившегося кучера:

— А как же дама?!

Дамой, не успевшей выскочить и совершившей смертельный полет с Бокерского моста, оказалась тетушка Марго...

Однако она была еще жива, когда ее вытащили из реки: с переломанными ребрами, вся в ссадинах, она находилась при смерти. Бренное тело доставили домой. Никогда, даже, кажется, на мосту через Березину, не было у Оливье столь испуганного лица. Ведь мост через Рону почти лишил его надежды на наследство, а тетушка Марго явно собиралась умереть, не оставив завещания!

Бокер затаил дыхание. Дамы с дочерьми на выданье всей душою молились, чтобы нотариус господин Блан успел прийти в дом де ла Фонтейнов прежде, чем тетушка Марго отдаст Богу душу. Впрочем, Блан отличался чрезвычайной медлительностью, и то расстояние, которое нормальный человек прошел бы за полчаса, нотариус Блан преодолевал больше часу.

Он был уверен, что завещание удастся составить, даже если мадам де ла Фонтейн лишилась дара речи. Ведь закон разрешал в таком случае выражать свою волю жестами. У нее сломаны руки, но ведь шея-то не сломана, рассуждал Блан, значит, кивать в знак согласия сможет, это разрешено — только обязательно в присутствии двух нотариусов. В Бокере по делам как раз оказался парижский нотариус де Мон, человек, весьма известный в своих кругах как заслугами перед законом, так и богатством, а также благородством происхождения, связанного, между прочим, с Бокером. Один из прежних властителей Прованса, Раймонд V, в 1172 году созвал в Бокер множество вельмож, и каждый прибывший сюда рыцарь старался блеснуть роскошью.

Рембо де Мон тогда велел провести при помощи двенадцати пар быков длинные борозды во дворах и в окрестностях замка и в этих бороздах «посеять» тридцать тысяч су. Тогда су равнялся теперешнему франку, и среди жителей Бокера не было человека, который вот уже почти семьсот лет не ждал бы каждую весну, что замечательные семена наконец-то взойдут и заколосятся.

Легко догадаться, что Рембо де Мон был предком Ксавьера де Мона, отчего бокерцы относились к потомку с тем же пиететом, что и к предку. Поэтому нотариус Блан счел для себя честью, когда господин де Мон согласился наведаться с ним в дом де ла Фонтейнов.

Разумеется, они отправились в путь в карете, де Мон счел бы ниже своего достоинства пешком ходить по городу, который считал чуть ли не своим вассальным владением. Беда была лишь в том, что карета стояла незаложенная, а потому прошел еще час, прежде чем она тронулась в путь.

Но рано или поздно все заканчивается, так что настало наконец мгновение, когда нотариус Блан ввел высокочтимого коллегу в дом, где спешно требовалось составить завещание.

Уже стемнело. Толстая служанка, всхлипывая, сунула каждому по вонючей свече в грязном закапанном подсвечнике и махнула рукой в сторону лестницы — мол, идите наверх!

Поднявшись на второй этаж, нотариусы некоторое время тыкались то в одну, то в другую запертую дверь, пока наконец одна из них не открылась и на пороге не возник печальный и бледный Оливье де ла Фонтейн, который ввел их в очень натопленную комнатку. К тому же комнатка была чрезвычайно плохо освещена, и две свечи нотариусов мало чем помогли.

Господин Блан подошел к страдалице, которая поразила его своей бледностью. От кровати, стоявшей в алькове и почти совсем скрытой от глаз широким пологом, шел сильный запах. Нотариусы, расположившись у маленького столика, приступили к делу.

— Ну-с, — бодро начал Блан, которому де Мон снисходительным жестом уступил право первого слова. — Нам глубоко прискорбно, сударыня, что мы явились сюда по столь печальному поводу, однако Всевышний Отец наш учит смирению, а потому надлежит с радостью обратить очи свои горе́ и ждать, пока хоры ангельские не возвестят нам встречу с новой, светлой жизнью, которая, несомненно, ожидает такую благородную и праведную душу, как ваша!

Он перевел дух. Потом милосердный Блан взял гербовую бумагу и обмакнул перо в походную чернильницу, которую всегда носил на поясе.

— Итак, сударыня, — спросил он, — желаете ли вы составить завещание?

Марго де ла Фонтейн опустила подбородок на одеяло в знак согласия.

— Следует ли понимать вас так, что наследник находится в этой комнате?

Последовал кивок.

— Дайте знак, если ваш наследник — присутствующий здесь Оливье де ла Фонтейн! — воззвал нотариус Блан.

Умирающая энергично кивнула — даже дважды.

Блан и де ла Фонтейн враз облегченно вздохнули, и нотариус начал писать.

В это время де Мон думал о том, что никогда в жизни ему не было так душно, а потому поднес к носу батистовый платок, в котором носил флакончик с нюхательными солями. Но, к его величайшему конфузу, флакончик выпал из платка и покатился под кровать.

Блан и де ла Фонтейн враз сделали движение броситься вылавливать флакончик, однако на полпути споткнулись и приостановились, извиняясь, потом была сделана вторая попытка, окончившаяся тем же. Де Мон решил не ждать третьего столкновения, а довольно-таки проворно, ибо он не страдал подагрою, пал на колени и полез под кровать. Нотариус с трудом разглядел тусклый блеск своего флакона, однако, протянув за ним руку, наткнулся на что-то мягкое и теплое, вырвавшееся из его пальцев с каким-то странным сдавленным звуком.

Нотариус де Мон всегда славился среди коллег своей выдержкой.

Он и теперь хладнокровно поднялся с колен и взглянул на присутствующих. В глазах де ла Фонтейна светился ужас — наверное, оттого, что господин де Мон запачкался.

— Там... пыль... — сдавленным голосом проговорил Оливье.

— Ничего, — снисходительно усмехнулся де Мон.

— И... ко... кошка, — пролепетал молодой наследник.

— Да, да, — кивнул де Мон, размышляя про себя — почему же он не нащупал когтей на лапке этой кошки?

Завещание в конце концов было составлено. Нотариусы засвидетельствовали его, поздравили де ла Фонтейна, договорились о гонораре, отвесили последний поклон недвижимой завещательнице — и отбыли восвояси.

Оливье постоял на лестнице со свечой. Де Мон молчал, а Блан на последней ступеньке пробормотал: «Добрая была женщина, да уж очень дубовата!»

Оливье вернулся в комнату, к окну. Золоченая карета, запряженная шестеркой цугом, тронулась с места, и когда плюмаж первой лошади коснулся гостиничных ворот, а колеса экипажа загрохотали по мостовой, он принялся отбивать чечетку, издавая дикарский вопль. Потом подошел к кровати, весьма непочтительно щелкнул тетушку в лоб, да так, что та завалилась на бок, задернул занавеси алькова и, нагнувшись, рывком извлек из-под кровати что-то пыльное и растрепанное, оказавшееся Ангелиной. Заключив ее в объятия, Оливье воскликнул:

— Наконец-то! Теперь я богат! Богат, как Крез!

— Они уехали? — недоверчиво спросила Ангелина, оттолкнув его, чтобы отыскать под кроватью туфлю.

— Фью! — хохоча, замахал руками Оливье. — Улетели! Исчезли! Умчались!

— Я чуть со страху не умерла, когда этот старикашка поймал меня за пятку, — пожаловалась Ангелина, надевая туфлю.

Оливье едва не подавился:

— За ногу?! Тебя?! — Его даже холодом обдало, однако французская ирония оказалась сильнее тревожного чувства. — Я ему сказал, что это кошка, и он поверил! О-хо-хо!

Ангелина мгновение смотрела на него, потом пожала плечами и повернулась к зеркалу. Ей страшно хотелось задать Оливье один вопрос, но гордость не позволяла: достаточно она перед ним сегодня унижалась, выставив свое условие, при котором только и соглашалась помочь ему. Она потребовала от Оливье, чтобы тот женился на ней и признал ее ребенка своим. Оливье опешил. Да и сама Ангелина чувствовала себя не очень-то уверенно. Вот уж не думала она, что когда-нибудь придется чуть ли не силой принуждать мужчину жениться на себе! И если бы не ребенок...

Когда первые минуты взаимного смущения миновали, оба, не сговариваясь, решили, что им достанется не худший на свете супруг (супруга), а потому они, как говорится, ударили по рукам. Однако теперь, когда все осталось позади, Ангелина почувствовала, что Оливье не прочь дать отбой.

И это сейчас, когда времени прошло всего ничего. А уж завтра-то поутру, когда придет пора идти в ратушу и в церковь... Полно, да увидит ли его Ангелина завтра? Может, проснется в доме брошенная, наедине с покойницей, а Оливье в это время уже проделает часть пути до Парижа? Нет, он так не поступит. Он ведь знает, что его доброе имя в руках Анжель. Но если так, не подвергается ли опасности она сама, потому что ее молчание Оливье может обеспечить только двумя способами: жениться — или...

Оливье вдруг резко повернулся, и Ангелине почудилось выражение мрачной решимости на его лице. Навязчивый липкий страх овладел ею. Она метнулась к двери, толкнула ее изо всех сил — и влетела в объятия какого-то человека, пытавшегося открыть дверь с другой стороны.

Ангелина вскрикнула, Оливье тоже, вскрикнул и незваный гость, в котором любовники узнали благополучно уехавшего в гостиницу нотариуса де Мона.

* * *

— Прошу прощения, — произнес де Мон, неохотно выпуская из объятий Ангелину и ставя на стол канделябр, очевидно взятый им внизу. — Прошу прощения, однако я счел необходимым вернуться.

— Вы... что-то забыли? — спросил Оливье, причем начало фразы пропищал, а потом зашелся кашлем.

— Да нет, — ответил де Мон. — Я пришел, чтобы кое о чем напомнить вам, сударь... И вам, сударыня, — прибавил он, отвешивая полупоклон и бросая быстрый, внимательный взгляд в сторону Ангелины, поспешившей сесть.

— Напомнить? — с облегчением повторил Оливье, который вообразил уже бог весть что, а оказалось — забыты какие-то мелочи. — О чем?

— О том, что некоторые преступления ведут людей на галеры или к позорному столбу, — изрек де Мон, и Оливье тоже поспешил сесть.

— К какому столбу? — проблеял он и был остановлен суровым взглядом де Мона.

— Пока что вопросы задаю я! Понятно?

— По-по... — только и смог вымолвить Оливье.

— Итак, — зловеще промолвил де Мон, — я хотел бы узнать... — Он многозначительно смолк, и сердце Оливье остановилось, пока длилась эта роковая пауза, и сорвалось в бешеный бег, когда прозвучал вопрос:

— Я хотел бы узнать — как зовут вашу кошку?!

Оливье хотел засмеяться, но не смог. Он хотел вытолкать бесцеремонного визитера за дверь — но не сделал и этого. Какое-то неведомое чувство, которое помогало ему бросаться только в такие воронки, куда больше не ударит ни один снаряд, заставило его собраться с силами и сказать:

— Ее зовут Анжель.

— В честь госпожи? — уточнил де Мон, снова отвешивая полупоклон в сторону пригвожденной к стулу Ангелины, которая тоже решилась открыть рот, чтобы сказать:

— Да, сударь.

Нотариус несколько раз кивнул, вполне удовлетворенный этим ответом, но не успел Оливье перевести дух, как он поднялся и выглянул в окно.

— Вы кого-то ждете, сударь? — осмелился спросить де ла Фонтейн.

— Да. Я просил господина Блана зайти сюда с префектом полиции через полчаса, если я не вернусь.

«А-ах!» — чудилось, крикнул кто-то внутри Оливье, да так громко, что он был изумлен, когда в комнате никто не шелохнулся, не вздрогнул испуганно.

— Таким образом, — отошел от окна де Мон, — у вас обоих есть полчаса, чтобы ответить еще на три моих вопроса. Первый — вам, сударь. — Он вперил испытующий взгляд в Оливье. — Вы не считаете разумным объявить всем, что нотариусы опоздали и тетушка ваша умерла ad intestato?[1]

«Нет! Нет! Нет!» — снова закричали на все лады

[1] Не составив завещания — юридический термин (*лат.*).

голоса, однако Оливье, будто фарфоровый болванчик, молча качнул головой слева направо: тик-так...

— Вопрос второй, — проговорил де Мон. Он повернулся к Ангелине. — Считаете ли вы, что pia fraus[1] вредна и опасна?

Она не издала ни звука, но в комнате появился еще один фарфоровый болванчик: тик-так.

— Замечательно! — восхитился де Мон. — И третий вопрос — к вам обоим: когда умерла Маргарита де ла Фонтейн?

Оливье и Ангелина молчали, и длилось это молчание бесконечно долго, пока де Мон не изрек:

— Silentium videtur cofessio!

Бог весть, поняли эти двое, что слова нотариуса означают: «молчание равносильно признанию», однако отнюдь не сразу после его слов раздался скрип, в котором нотариус с Ангелиной с великим трудом узнали голос счастливого наследника:

— Три часа назад.

* * *

— Расскажите же, как вы это проделывали? — с живейшим любопытством спросил де Мон.

Теперь он выглядел не как строгий обвинитель, а как добрый дедушка, не знающий, то ли порицать внуков за их шалости, то ли восхищаться их изобретательностью.

Оливье, смущенно улыбаясь, раздвинул полог и показал две доски, вытащенные из кровати. Ангелина же не отказалась подобрать юбки и снова за-

---

[1] Святая ложь, ложь во спасение (*лат.*).

браться в свое пыльное убежище, так что голова ее оказалась почти на уровне головы покойной, которую она могла руками легко приводить в движение.

Де Мон хохотал, словно дитя. А потому Оливье с легким сердцем вынул из-за пазухи драгоценное завещание, которое доставило ему столько волнений и страданий, и протянул его де Мону. Нотариус пробежал глазами бумагу, однако не порвал завещание в клочки, а повернулся к Ангелине и спросил:

— Сколько стоило ваше участие в этой сделке, мадемуазель?

Ангелина впервые взглянула внимательно на этого странного человека. Он был сухонький, скорее подходивший под определение «старенький», чем «немолодой», однако же весьма бодрый на вид. Его яркие карие глаза смотрели на нее безо всякого осуждения — и если уж не одобрительно, то лукаво и понимающе. Ей почему-то не захотелось лгать под этим взглядом, и она с чистой совестью призналась:

— Я просила месье де ла Фонтейна жениться на мне и дать свое имя моему ребенку.

— Ого! — тихонько воскликнул нотариус и, прищурясь, всмотрелся в ее глаза, и она почувствовала себя совершенно беззащитной при его новом вопросе: — И вы полагаете, что он сдержит свое обещание?

— Теперь-то, конечно, нет. Да и в любом случае — едва ли! — откровенно ответила она.

— Да ты что?! — взвился Оливье. — Я же дал

слово! — Взгляд его наткнулся на понимающую улыбку старого нотариуса, и он, засмеявшись, обреченно махнул рукой, как бы сдаваясь: — Да что говорить... Слаб человек — одно скажу. Но теперь уж все равно — дело не выгорело!

— Вы еще молоды, друг мой, — зажурчал голос де Мона. — Вы молоды, потому и не знаете, что все на свете поправимо.

— Да, о да! — криво усмехнулся Оливье. — Все на свете поправимо, кроме смерти! Это я прочно усвоил еще в России!

— Россия... — мечтательно вздохнул де Мон. — Россия богата красавицами! — Он не без игривости подмигнул поникшей Ангелине. — Кстати, некогда я знал одного русского. Это было... Дай бог памяти... вскоре после казни нашего последнего короля. Я желал изучать русские афоризмы — пё-слё-ви-сы, — с явным удовольствием выговорил де Мон, — и мой русский друг, очень недовольный убийством короля, говорил, что, поскольку монарх раскаялся, его не следовало казнить. И приводил пё-слё-ви-са... дай бог памяти... — Он потер ладонью лоб. — А, вспомнил! Побритую бороду меч не сечет!

Ангелина с истерическим визгом уткнулась лицом в стол. Де Мон сочувственно кивнул:

— Пожалуй, эти слова применимы и сейчас, не так ли, сударыня? Когда человек искренне раскаивается, жизнь открывает перед ним новые пути! — И он обратился к Оливье: — Так вот, насчет того, что все поправимо. Вообразите, что поправима даже та ситуация, в которую вы лихо вляпались!

И выпрямилась Ангелина, и глаза Оливье зажглись ожившей надеждой, и оба они враз выдохнули:

— Как?

— Очень просто! — хлопнул нотариус ладонью по столу. — Для этого нужно, чтобы мадемуазель еще сегодня стала моей женой.

* * *

В это время истекли заветные полчаса, но прежде, чем нотариус Блан и префект полиции вошли в дверь опочивальни покойной Марго де ла Фонтейн — еще не знающие, что им предстоит засвидетельствовать бракосочетание, — Оливье стало известно, что «завещание тетушки Марго» не будет уничтожено, однако и ему не придется в полной мере насладиться богатством. На его содержание ежегодно выделялась преизрядная сумма, ну а сам капитал по доверенности поступал в распоряжение Анжель д'Армонти, по мужу — Анжель де Мон. Через два дня, после исполнения всех формальностей, де Мон с супругой и ее кузеном (таков теперь был официальный статус Оливье) намеревались отправиться в Париж, где им предстояло жить в новом особняке на бульваре Монмартр.

Услышав это, Оливье молча склонил голову, убеждая себя, что это вовсе не удар судьбы, а ее подарок. Однако Ангелина все-таки осмелилась спросить:

— Вы спасли меня, сударь, но почему?!

Ей показалось, что темные глаза под морщинистыми веками предательски повлажнели, прежде чем де Мон улыбнулся невесте:

— Вы здесь не так давно, моя дорогая, и еще не знаете, какие диковинные штуки выделывает с людьми этот проклятый мистраль. Мадам Маргарита даже рассталась из-за него с жизнью. Плиний[1], к примеру, рассказывал, будто в случаях мистраля древние садились в масляные ванны, дабы уберечься от его разрушительного воздействия. А у меня, представьте, масляной ванны не оказалось. Вот я и не уберегся от любви с первого взгляда... Остается только молиться, чтобы это была моя последняя любовь!

3
СУПРУЖЕСКАЯ ЖИЗНЬ

Через неделю после этих событий новая карета господина де Мона (прежняя оказалась мала для трех человек и багажа) въехала в Понт-ан-Руайан, маленький городок на берегу Бурны. Река эта, известная прозрачностью своих вод, протекает, бурля, через городок и образует несколько водопадов, а знаменита тем, что в ней ловят прекрасных форелей.

Карета пронеслась по замощенной главной улице городка и остановилась возле постоялого двора. Выбежавший навстречу хозяин увидел высокого молодого мужчину, который вынес из кареты красивую, нарядно одетую даму и потребовал лучшую

[1] Античный историк.

комнату для больной. Дама была без чувств, и лицо мужчины выражало крайнюю обеспокоенность. Хозяин принял его за мужа дамы и указал дорогу, заметив, что из кареты появился еще один постоялец: почтенного вида старик небольшого роста. Очевидно, это был отец дамы, ибо его лицо выражало такую же обеспокоенность, как и лицо молодого человека. Однако вскоре выяснилось, что старик-то как раз и оказался мужем, а молодой человек — всего лишь кузеном заболевшей дамы. Последний справился у хозяина, где живет местный доктор, и кинулся за ним со всех ног, а вскоре они появились вместе, причем доктор поспешно подошел к больной. Супруг дамы пожелал присутствовать при осмотре, ну а любопытный хозяин припал к известной только ему щелочке между панелями, так что мог слышать и видеть все происходящее.

Из-за ширмы, где стояла кровать дамы, доктор вышел с нахмуренным лбом и поджатыми губами. «Плохо дело!» — подумал хозяин, и тон доктора подтвердил его опасения.

— Дела у нашей больной не очень хороши. У нее... э-э... delirium tremens[1].

Старый муж, услышав о таком диагнозе, чуть не упал со стула и не сразу смог пробормотать:

— Белая горячка?! Слава богу, что не черная оспа!

— Слава богу! — с жаром отозвался кузен.

Доктор же насторожился:

— Вы не чужды латыни?

---

[1] Белая горячка.

— В некоторой степени, — сухо отозвался старик. — Но медицинская латынь — не мой конек. Поэтому я вам вполне доверяю.

Надо полагать, латынь доктора тоже была небезупречна, потому что трактирщик заметил, как старик и кузен дамы обменялись понимающими взглядами.

— Они вам скажут по-латыни, что ваша дочь больна, — буркнул старик, как пишут в пьесах, «в сторону».

Затем трактирщик услыхал:

— Позвольте, сударь, я чего-то не понял... Значит, эта дама — все-таки ваша дочь?

— Эта дама — моя жена. А это — Мольер[1], — рассердился старик.

Доктор вернулся к рассуждениям, из коих можно было понять, что болезнь дамы (та самая delirium tremens) проистекает от дорожной усталости и угнетенного душевного состояния...

— ...и беременности, — подсказал супруг, и доктор едва не выронил свою слуховую трубку.

— Ах, да она еще и беременна? Поздравляю вас, друг мой, поздравляю! — проговорил он с жаром. — Ну, коли госпожа беременна, так и говорить не о чем! Успокоится ее нервическая усталость — излечится и болезнь.

— Очевидно, понадобятся какие-то лекарства?.. — осведомился супруг.

— Я принесу их позже. Они не столь необходимы, как спокойный сон. Я рекомендовал бы оста-

[1] Выше приведены слова из мольеровского «Лекаря поневоле».

вить госпожу одну. Нет, конечно, ей нужен присмотр, однако меня призывают дела... прочие больные... Я хотел бы знать только одно: кто из вас особенно крепко любит госпожу? — Врач пристально воззрился на оторопевших от такой прямоты мужчин.

— Я нахожу ваш вопрос оскорбительным, сударь! — заявил наконец кузен. — Конечно же, родственные чувства гораздо сильнее чувств супружеских...

— Позвольте! — воскликнул муж дамы. — Но ведь брак освящен церковью, а это означает связь любви земной и небесной.

— Всякий брак может быть расторгнут, в то время как узы крови нерасторжимы, — возразил молодой человек.

— Сказано в Писании: «Остави отца и мать свою и прилепися к нему», то есть к супругу, — заметил не без ехидства старик.

— Я вот к чему спрашиваю, господа, — пояснил врач. — Лучшим способом лечения delirium tremens является мысленное воздействие на больного. Action in distans[1], — уточнил он. — Поэтому я предлагаю, чтобы один из вас, чьи чувства менее горячи, остался с дамой, а другой, кто любит ее особенно сильно, отправился бы до вечера прогуляться по окрестностям, всем существом своим желая ей скорейшего выздоровления. Решайте, кому быть сиделкою, а кому истинным врачевателем.

— Вон вы как повернули, — пробормотал ку-

[1] Воздействие на расстоянии (*лат.*).

зен. — Ну, коли так... разумеется, сударь, вы — супруг, ваши чувства — глубже, а значит...

— Значит, вам и осуществлять action in distans, — подхватил врач, беря упомянутого супруга под руку и настойчиво увлекая его за дверь. — Заодно обсудим вопрос о моем гонораре.

Супруг хотел воротиться за цилиндром, однако кузен оказался проворнее и нахлобучил на него головной убор уже в дверях, которые тут же запер, надо полагать, чтобы никто не помешал отдыху больной.

Убедившись, что кареты врача и супруга отъехали, молодой человек потрогал свою голову, грудь, руки («У него жар! Он тоже заразился!» — испугался трактирщик) и пробормотал:

— Нет, он ошибся, этот доктор. Все-таки чувства кузена к своей кузине очень горячи. Иногда просто обжигающе горячи!

С этими словами он прошел за ширму, по пути расстегивая штаны, на которых обозначилась такая выпуклость, что трактирщик вытаращил глаза...

«Однако!» — сказал он себе, и в то же мгновение из-за ширмы донеслись смех, чмоканье и ожесточенный скрип старой кровати. О мужчине и женщине, встретившихся в уединенном месте, никто не подумает, что они читают «Отче наш». А потому трактирщик подумал только, что одним рогоносцем в мире стало больше.

* * *

Тем временем коварно обманутый супруг, выехав за пределы города, отпустил карету и некоторое время шел пешком по берегу Бурны.

Наконец господин де Мон дошел до парома. Это было весьма оригинальное сооружение! На высоте ста футов над Бурной с одного берега на другой был перекинут толстый канат, и путники переправлялись через реку в круглом деревянном ящике, в котором имелись две дыры, в них и был продернут канат; а более тонкой веревкой пассажиры перетягивали ящик с одного берега на другой.

Старик оказался по-молодому храбр и, забравшись в ящик, бестрепетно переправился на другой берег. Здесь он посетил уютный ресторанчик, где в очаге жарко пылали обрезки лоз (в феврале как раз подрезали виноградники). Старик насладился ужином из прекрасных форелей, но вскоре хозяин с поклоном пригласил старого господина проследовать за собою и провел его в дальнюю комнату, убранную богато и элегантно, где его встретила дама, одетая очень изысканно. Черная кисея, прикрывавшая на манер чадры нижнюю часть ее лица, казалась необходимой принадлежностью ее туалета.

— Маркиза... — проговорил старик, склоняясь к руке дамы с тем изяществом и щегольством, которыми отличались лишь придворные последней французской королевы. — Я бесконечно счастлив видеть вас снова.

— Вы запоздали на час, однако я решила дать вам время пообедать: вы выглядели усталым, — участливо сказала дама.

— Сказать по правде, забот у меня прибавилось, — усмехнулся старик. — Я ведь женился. А поскольку жена моя внезапно захворала, то прибавилось и печалей.

От изумления дама некоторое время не могла и слова молвить.

— Вы женаты! — воскликнула она наконец. — Боже милосердный! Как же это случилось?

— Как это обыкновенно случается со всеми? — пожал плечами де Мон. — Magna res est amor![1]

Из всех латинских слов маркиза поняла только последнее, но и его оказалось достаточно.

— За два десятка лет нашего с вами знакомства я могла бы назвать столько же, если не больше, дам, страстно желавших принять фамилию де Мон, однако вы оставались непоколебимы. Кто же эта счастливица?

— Счастливец в данном случае — я, — произнес де Мон. — Тем более что скоро стану отцом.

Маркиза на мгновение прикрыла глаза. Возможно, опасалась, что они скажут слишком много?

— Верно, этим и вызвано недомогание мадам де Мон? — предположила она.

Нотариус кивнул:

— Совершенно верно.

— О, вы всегда отличались особой преданностью нашему делу, — восхитилась маркиза. — Оставить молодую жену одну в таком состоянии?

— Она не одна, — усмехнулся де Мон. — С нею ее кузен.

— Ах, кузен? — произнесла маркиза с некоторой заминкою.

— Да, — кивнул нотариус с безмятежным выражением лица. — Человек весьма достойный.

---

[1] Великая сила — любовь (*лат.*).

Маркиза вежливо улыбнулась.

— Слава богу, что вы им довольны, — подпустила она ехидства, такого, впрочем, изящного, что почувствовать его могла только женщина... или обманутый супруг.

— Да, о да! — развел руками де Мон. — Он оказался очень полезен в путешествии. Не напрасно говорится, что веселый спутник в дороге заменяет экипаж. Вернее, лошадь... или всадника? Уж не знаю, как у них там сейчас обстоят дела... — И нотариус, казалось, серьезно задумался над чем-то.

«Да он просто выжил из ума!» — решила маркиза, однако глаза ее хранили прежнее приветливое выражение.

— Поговорим о нашем деле, — предложил де Мон.

— Поговорим, — согласилась маркиза. — Знаете ли вы последние новости?

— Насколько мне известно, русская «партия мира», полагавшая, что настал благоприятный момент для заключения мира с Наполеоном, потерпела полное поражение после того, как 16 февраля последовало заключение союзного договора русских с пруссаками, по которому Россия выставляет армию в 150 тысяч человек и не слагает оружия до восстановления Пруссии в границах 1806 года. Пруссия же обязалась выставить до 80 тысяч человек. Главнокомандующим союзных войск назначен Кутузов, однако он пока не предпринимает решительных действий. Во всяком случае, не намеревался делать этого до конца февраля.

— А сегодня какое число?

— 1 марта. Не хотите же вы сказать... — де Мон осекся.

— Вот именно, — кивнула маркиза. — Именно это я и хочу сказать! 27 февраля северная группа русских под командованием Витгенштейна вошла в Берлин!

Какое-то время нотариус смотрел на нее, будто пораженный громом.

— Откуда вы знаете? — прошептал он наконец.

— Как откуда?! — пожала плечами маркиза. — Откуда я все знаю?

— Ах да! Мадам Жозефина все еще держит руку на пульсе жизни маленького капрала? — усмехнулся нотариус. — И ваша кузина по-прежнему ее доверенное лицо?

— Да, — кивнула маркиза. — И слава богу, что это так.

— Действительно, слава богу! — воскликнул де Мон. — Ведь эта победа означает, что открывается наконец первая дверь на пути в многострадальную Францию нашего законного, Богом данного короля. Виват Людовику XVII! — выкрикнул нотариус шепотом, ибо никогда не забывал об осторожности, и осекся, увидев озабоченность в глазах своей собеседницы.

— Что-то произошло? — насторожился он.

— Да, Жозефина опять начала свои старые разговоры.

Мгновение де Мон смотрел непонимающе, потом побледнел.

— Разговоры о... о покойном дофине?

— Увы, — склонила голову маркиза. — Увы.

— Но это ведь сущий бред! И потом, я прекрасно помню эту мистическую историю с фиалками, собранными на могиле дофина! Жозефина тогда сама подтвердила, что он мертв! Мертв и похоронен!

— Получается, Жозефина уверена, что дофин мертв, — сказала маркиза. — Для чего же она теперь извлекла на свет божий странные домыслы? Я сама слышала, как она рассказывала Талейрану[1], будто, действуя сообща с Баррасом[2], вызволила дофина из Тампля. Баррас же подменил дофина чахлым золотушным ребенком и, чтобы спасти от революционного террора, отправил наследника в Вандею, где он до сих пор живет, выжидая, когда сможет занять французский престол.

— Он уже далеко не мальчик, если все это правда, — пробормотал де Мон. — Готовый наследник!

— Это ложь! — вскричала маркиза. — Жозефина хочет отплатить Талейрану за то, что тот устраивал брак Наполеона с Марией-Луизой!

— Почему же именно сейчас? — спросил де Мон.

— Потому что всем известно, что Талейран возлагает надежды именно на Его Величество Людовика XVIII. Да разве только он один?! Все мы только его желали бы видеть на троне Франции!

Глаза ее сверкнули фанатичным блеском, голос

---

[1] Князь Беневентский, бывший министром и при Людовике XVI, и при Наполеоне; горячий сторонник Людовика XVIII.

[2] Политический деятель французской эмиграции, несколько раз пытавшийся организовать спасение королевской семьи.

дрожал, и де Мон с трудом скрыл улыбку. Да, постарела... Нотариус знал маркизу с давних пор и мог убедиться, вместе со множеством других мужчин, что она на диво хорошо сложена. Вуаль, опускающаяся на лицо, не мешала маркизе частенько поднимать свои юбки. Был среди ее любовников и некий граф де Лилль, прежде звавшийся братом короля графом Прованским, а ныне — будущим королем Людовиком XVIII. По опыту жизни де Мон знал, что самые пресыщенные женщины порою отдают свое сердце одному из любовников — и это не всегда самый красивый из их мужчин. Очевидно, таковым для маркизы стал Людовик Прованский.

— Мы должны пресекать нелепые слухи, — провозгласила маркиза. — В конце концов, общеизвестно, что дофин был похоронен на кладбище Сен-Мартен в общей могиле, залитой известью, а все остальное — досужие домыслы. Однако Его Величество должен знать об опасных слухах. К несчастью, у меня сейчас нет под рукой верного человека, которого я могла бы отправить в Англию к Его Величеству. Может быть, у вас?..

Де Мон развел руками.

— Но, может быть, этот кузен, о котором вы упомянули? Каковы его настроения?

Де Мон досадливо дернул уголком рта:

— Я мало что знаю о нем. Кажется, он хитер, хотя и не отличается особым умом. Да и в руках он себя держать не умеет. Вероятно, сказались тяжкие испытания, бегство из России.

— Наполеоновский солдат? — с брезгливой гримаской уточнила маркиза.

— Да. Послушаешь, как он рассказывает о падении моста через Березину, так дрожь пробирает. Сам же Оливье чудом спасся.

Какая-то тень промелькнула в черных глазах маркизы.

— Оливье? — нахмурилась она. — Оливье... А дальше?

— Де ла Фонтейн. Благородная и довольно состоятельная семья. Во всяком случае, он дал своей кузине весьма приличное приданое!

Он улыбнулся. Маркизе, конечно, не дано было постичь смысл этой улыбки, зато де Мону не дано было знать, что он сейчас спас жизнь человеку, от которого охотно избавился бы любым способом.

Де Мон все-таки взялся подыскать курьера в Англию, чем весьма порадовал маркизу. Потом они еще немного побеседовали, превознося Талейрана и браня Наполеона.

Наконец маркиза отбыла.

Де Мон спросил пуншу и уселся у камина, покуривая трубку. Уютно трещали виноградные лозы; табак был хорош, а пунш — великолепен.

Он вновь принялся потягивать пунш, предаваясь невеселым своим размышлениям, но усталость все же взяла свое, и де Мон задремал.

— Не спи! С ума сошел! — Ангелина с трудом растолкала Оливье. — Ты что, спать сюда пришел?!

— А? Нет! — Оливье потряс головой, прогоняя

дремоту, и потянулся к Ангелине: — Желаете продолжить, мадам?

Она расхохоталась и оттолкнула его ладонью, будто большого ласкового кота.

— Нет, брысь-брысь! Немедленно вставай и одевайся! Довольно ты дурачил сегодня этого доброго человека!

— Ну и что? Не зря же говорят, дураки — самые счастливые люди на свете, — хмыкнул Оливье. — А что до его доброты, так за пятьдесят тысяч франков годового дохода я бы уехал от жены не на два-три часа, а... — Он был так возмущен, что не заметил, как напряглась Ангелина. — И если на то пошло, не я один дурачил его, а мы вместе. Ведь если какая хворь у тебя и была, то отнюдь не delirium tremens, а самая вульгарная febris erotica![1]

Ангелина выждала несколько мгновений, прежде чем смогла справиться с собой и спокойно предложить Оливье все-таки подняться с постели.

Наконец, чмокнув ее на прощание, он направился к двери, так и не заметив, что подушка по обе стороны от ее головы, там, куда сбегали тоненькие горючие ручейки, мокра от слез.

Сначала она смертельно боялась, что де Мон начнет осуществлять свои супружеские права, боялась его старческого бессилия, которое ей придется преодолевать! Однако в первую брачную ночь де Мон только поцеловал ей руку и отправился спать

[1] Любовная лихорадка (*лат.*).

в другую комнату. То же происходило и в последующие ночи. Разумеется, Ангелина не мечтала о ласках нотариуса де Мона. Она несколько побаивалась этого загадочного человека, так неожиданно взявшего ее под свое крыло... Правда, цена его «первой любви» стоила пятьдесят тысяч годового дохода, зато Ангелина теперь могла не бояться за будущее своего ребенка. Произнеся священные слова обета супружеской верности, она чувствовала непреодолимое желание изменять своему мужу. Ее влечение к Оливье сделалось после недельного воздержания невыносимым, оттого она и решилась на отвратительный обман мужа. Ну а Оливье был только счастлив удовлетворить не просто пыл, но и жажду мести человеку, который так мастерски обвел его вокруг пальца.

Ангелина могла проникнуться сердечной склонностью к тому Оливье де ла Фонтейну, который выиграл ее в карты, а потом доверчиво уснул с нею рядом в блокгаузе, к тому, кто на мосту спас ей жизнь, кто защитил ее от графини д'Армонти на берегу Березины. Но, вернувшись в Бокер, он вмиг утратил отвагу, дерзость и романтичность, превратился в мелкого буржуа, который смысл своей жизни видит только в деньгах. Ангелина стыдилась, что вожделеет к этому человеку, и ей становилось чуть легче, когда она сознавала: на его месте мог оказаться любой другой. На всем свете существовал только один человек, который мог удовольствовать блаженством ее душу и тело, который способен был придать любви одухотворенность, гармонию и высшую красоту, превратив телесное соитие в любовное слияние сердец.

Они с Никитой были предназначены друг для друга! Были, да... И сейчас Ангелина с трудом удерживала рыдания именно потому, что принуждена была всегда употреблять этот глагол только в прошедшем времени. Всю жизнь!

Но зачем ей такая жизнь?..

— Эй, красотка! — Оливье вернулся от двери и встревоженно коснулся пальцем ее щеки. — Что я вижу?

— Ничего, — буркнула Ангелина, приподнимаясь. — Иди ты, ради бога! Нет, скажи-ка мне сперва: а что такое, собственно говоря, делириум тре... как там?

— Delirium tremens? — расплылся в улыбке Оливье. — Белая горячка! Ну и глуп же этот местный эскулап! Даже я знаю, что delirium tremens может быть только у пьяницы, допившегося до чертиков!..

Он успел увернуться от летящей в его голову подушки, и та со всего маху обрушилась на вошедшего де Мона.

Но лицо нотариуса осталось непроницаемым. Коснувшись ладонью растрепавшихся седых волос, он протянул подушку Оливье.

— Полагаю, это предназначалось вам?

Тот как-то враз стушевался и ловчее угря выскользнул вон из комнаты.

Де Мон взбил подушку и подсунул ее под спину своей молодой жене.

— Как ваше здоровье, душенька? Надеюсь, вы вполне отдохнули, и action in erotica[1]... ох, простите, action in distans оказало свое благотворное влияние?

Ах, как холодны были его старческие глаза, утонувшие меж морщинистых век! И их презрительное выражение, и эти слова лишь подтвердили то, что смутно подозревала Ангелина: де Мон, с его проницательностью, в два счета разгадал плохую игру дурака доктора и самый смысл спектакля. Почему же он так охотно включился в него? Может быть, он хорошо понимал человеческую природу и полагал, что ежели жена его молода и ненасытна, то удобнее держать ее любовника на виду? Так ли, иначе — все казалось Ангелине равно неприличным и противным. Но чего же другого ждать от человека, который ее купил и теперь не возражал, чтобы жену привязывала к мужу лишь супружеская неверность? Старое, дряхлое ничтожество!

Ангелина не смогла отказать себе в удовольствии высказать все это мужу. И была немало удивлена, что презрение в его глазах обратилось не в ярость, а в вежливое удивление. На мгновение опешив, Ангелина с трудом сообразила, что в опьянении злобы заговорила по-русски. И это доставило ей такую чистую, почти детскую радость, что она, не переходя на французский, обрушила на седую голову де Мона целый ушат самой непристойной русской брани. Притом сама в душе удивлялась, откуда поднабралась таких словесных перлов, сре-

[1] Любовное воздействие (*лат.*).

ди которых «замороченный блядослов», «потасканный лягушатник» и «драный хрен» были далеко не самыми яркими. Наслушалась, конечно, в деревне, у дворни, потом в госпитале, от раненых, одурманенных болью, которые облегчали ею душу без всякого стеснения.

Ангелина остановилась, чтобы перевести дух, да так и замерла, услышав голос де Мона:

— Гнев ваш мне вполне понятен, однако, поверьте, я его не заслуживаю, дорогая баронесса Корф... Или вы позволите мне звать вас просто Ан-ге-ли-на?..

Она какое-то время тупо смотрела в смеющиеся глаза мужа, прежде чем сообразила, что он тоже говорит по-русски.

4.
ПЕЧЬ КОНТРАБАНДИСТОВ

Ангелина никогда не искала сильных ощущений — их на ее долю и так выпало предостаточно, однако подобного потрясения она давно уже не испытывала. Оказывается, ее муж, парижский нотариус Ксавьер де Мон, был старинным другом ее отца, барона Димитрия Корфа. Еще пять-шесть лет назад де Мон виделся с ним и Ангелиной в русском посольстве в Лондоне на приеме. Ангелина, разумеется, де Мона не помнила: разве обращают пятнадцатилетние девочки внимание на почтенных старцев?! Но де Мон ее запомнил, ибо позавидовал тогда своему другу Корфу, порадовался, что тот сумел спасти свой брак, бывший тогда притчей во языцех. В Бокере де Мон узнал Ангелину с первого взгляда, ибо сходство ее с отцом, прежде вполне обыкновенное, сделалось теперь поразительным.

План де Мона состоял в следующем: он сообщит маркизе, что сам готов быть тем курьером, который отправится в Англию. Однако потребует, чтобы Ангелина была с ним, и в Лондоне передаст ее с рук на руки барону Корфу; затем в Англии совершится тихий развод, и Ангелина сочетается браком с этим молодым и безмерно обаятельным мерзавцем, которого она любила и который, без сомнения, и являлся отцом ее ребенка. Однако де Мон позаботится, чтобы Оливье зависел от ее благорасположения, а не она — от его: состояние де ла Фонтейнов останется в ее руках. А сам он вернется в Париж и заживет, как жил прежде, en garçon[1], словно и не было никогда в его жизни этого странного и спешного брака. Он полюбил... но слишком поздно. Как говорили древние, если ты прошел мимо розы, то не ищи ее более: или она отцвела, или ее сорвал кто-то другой!

Отмахнувшись от невеселых мыслей, де Мон направил свои размышления в деловое русло. Вряд ли в Кале охотно переправят курьера роялистов в Англию, у которой сейчас нет даже дипломатических отношений с наполеоновским Парижем. Будь де Мон один, он отправился бы на лодке контрабандистов, однако Ангелина... Опасности на море ей претерпеть придется, иного пути в Англию нет, но де Мон должен их свести до минимума! И в

[1] Холостяком (*фр.*).

этом ему поможет маркиза, у которой есть связи везде, даже в доме Жозефины. Он откроет маркизе, кто такая Ангелина. Та обожает драматические эффекты и непременно захочет принять участие в судьбе дочери русского дипломата...

* * *

Дорога до Кале измучила ее духовно и телесно. Скрытно взволнованный де Мон, как бы дремлющий в своем углу, а на самом деле не спускающий с нее жалостливого взгляда... И Оливье — раздраженный, отказывающийся понимать, почему нотариус тащит с собою беременную женщину и свободного, никому ничем не обязанного мужчину?! Именно из-за Оливье Ангелине и де Мону ни разу не удалось толком поговорить. Она чувствовала, что должна поведать ему о том пути, который привел ее во Францию, однако она не хотела, чтобы Оливье узнал о ней столь много.

Зрелище города Кале не улучшило ее самочувствия. Еще не видя округи, только услышав вой ветра и мерный плеск морских волн, Ангелина ощутила, что слезы близко, а уж когда вышла из кареты, ею овладело чувство, будто она приехала на край света: там необозримое море и конец земли. Слезы полились ручьем!

Впереди было счастье встречи с отцом и матерью — отчего же Ангелина не ощущала никакой радости, ничего, кроме отчаянной тоски?

Де Мон тотчас отправился в порт, почему-то не предложив Ангелине и Оливье устраиваться в гостиницу. Они сидели прямо на траве, не говоря между собой ни слова; выл ветер, и листья уныло шумели над головой.

— Проклятый стряпчий! — проворчал Оливье. — Думаешь, я не знаю, почему он не повез нас в гостиницу? Боится, что мы тотчас завалимся в постель! И ей-богу, может, хоть этим займемся? Я давно готов!

Однако она не ощутила в себе ни малейшего волнения. Поведение Оливье показалось ей неприличным.

— А бывало, помню... — пробурчал он, заметив выражение ее лица.

— Да, бывало, — невозмутимо кивнула она, — да все миновало.

Оливье насупился.

— Ты так изменилась, Анжель! Но ничего! Это все беременность, — заявил он с видом знатока. — Погоди, родишь — и сама себя не узнаешь! Готов держать пари, что мы еще не раз украсим голову твоего мужа ветвистыми рогами.

— Готова держать пари, что к тому времени, как я рожу, он не будет моим мужем, — усмехнулась Ангелина и с любопытством уставилась на Оливье, у которого вдруг напряглось лицо и голос звучал, как у чужого, хитрого, пронырливого человека.

— Ну и куда ты его намерена девать? Или придумала, как от него избавиться, а денежки мои положить в карман?

Ангелину передернуло. И, брезгливо сморщив нос, она ответила небрежно:

— Успокойся! Твои деньги нужны только тебе! Мой отец достаточно богат, чтобы я не нуждалась в них. А что касается моего мужа, он обещал развестись со мной, едва мы доберемся до Лондона.

— До Лон-до?.. До Лон-до?.. — забубнил Оливье, и это было так уморительно, что Ангелина не сдержала хохота, но тут же осеклась, увидев выражение лица Оливье.

— В Лондон собрались? Это еще зачем? И кто твой отец? Откуда знает о нем де Мон и почему не знаю я? И если вы собрались в Лондон, то зачем меня притащили сюда? И как, скажите на милость, вы намерены выбраться из Франции? Если у де Мона есть пропуск на выезд, то в Англии его встретят залпом с пограничного судна. А если его ждут там, значит, с этого берега вслед ему прогремят выстрелы. Вам хочется очутиться меж двух огней, но мне-то — черта с два! – возмущался Оливье.

И вдруг ярость на его лице уступила место страху.

— О, я понял... — прошептал он, выкатив глаза. — Я все понял... Если де Мон намерен с тобой развестись и ты останешься в Англии, значит, мои денежки опять переходят ко мне. Ты-то не можешь перевести их в английские банки — мы в состоянии войны с Британией! И де Мон их теряет. Не будь меня, он развелся бы с женой-распутницей и остался бы очень богатым человеком за счет ее приданого. Но это возможно, если бы не было меня... Меня ждет выстрел либо с английского, либо с французского берега, а если нет, то меня сбросят за борт где-нибудь посередине пролива? И тогда все получится именно так, как хотели бы вы!

Все, что он городил, звучало так нелепо, что Ангелина только махнула на него рукой. Конечно, она тоже не понимала, зачем де Мон тащит Оливье в Англию. Надо поговорить с мужем, убедить его отпустить Оливье восвояси, отдав ему его вожделенные деньги. Похоже, ничто не способно заменить ему мелодичного звона золотых монет. Что же... Бог с ним. Каждый сам выбирает свой путь!

— Клянусь, ты прав! — горячо воскликнула она и увидела, как исказилось его лицо. — Я скажу мужу, что ты не хочешь...

— Нет! — в ужасе закричал Оливье. — Нет, молчи, умоляю тебя! Когда-то я спас тебе жизнь — спаси и ты мою, не выдавай меня де Мону, не рассказывай, что я обо всем догадался! И... И прощай, Анжель! Считай, что меня уже нет в Кале!

И Оливье стремглав кинулся прочь, мгновенно скрывшись из виду.

* * *

Нотариус только руками развел, когда, воротясь, увидел Ангелину одну.

— Странно! Мне казалось, что у Оливье есть голова на плечах, а он убежал от своего счастья. Но мне теперь не до него. Надо поторопиться. — Он подал Ангелине узел. — Зайди в карету и переоденься. Мы отправляемся в плавание не на пассажирском пакетботе. Опасности ждут нас, и если кто-то следит за нами, пусть потеряет наш след здесь, около этой кареты!

Ангелина послушно переоделась. Потом ее примеру последовал де Мон, и вскоре неопрятный старик в громоздком, обветшалом парике à la Louis XVI (в провинции их еще носили!) и скромная барышня в квакерски-неприглядном платье и уродливом чепце, полностью скрывавшем волосы, быстро шли по улицам Кале, приближаясь к пристани.

Это была протестантская провинция, так что убогая одежда здесь не бросалась в глаза. Двухэтажные дома тоже казались убогими и невзрачными. Воздух же был напоен сыростью и морской солью, которая щекотала и раздражала ноздри.

Ангелина думала, что муж поведет ее на пристань, однако им предстояло дождаться вечера, а потому они зашли в трактир. Есть ей не хотелось, но, когда сели за стол, прекрасная рыба и свежие морские раки показались ей отменно вкусными. Де Мон спросил вина, и они с Ангелиною выпили по бокалу какой-то розовой кислятины — за удачу.

Наконец стемнело. Ангелина сидела как на иголках и была ошеломлена, когда муж повел ее не на улицу, а в пустую кухню, подвел к очагу и жестом приказал лезть в него.

Очевидно, на лице Ангелины столь красноречиво выразилось воспоминание об Ивашечке, который просит Бабу-ягу показать, как лучше залезть в печку, чтобы изжариться, что нотариус и повар враз захохотали, и де Мон влез в очаг первым. Только тут Ангелина разглядела, что огня в нем нет и в помине, более того — пепел был серым, холодным, слежавшимся, будто очагом пользовались очень давно. Муж нетерпеливо махал ей из темного зева, и Ангелина подобрала повыше юбку и полезла в печку.

Ход из очага только сначала казался крысиной норой, а потом он расширился, и де Мон помог Ангелине пробраться в тесноватую комнатку со сводчатым потолком, без окон, с затхлым воздухом. Здесь чадно горела маленькая свечка.

— Не бойся, — ласково сказал супруг, предложив Ангелине сесть на ларь, — мы здесь долго не задержимся.

— Да я и не боюсь, — нервно передернула она плечами. — Мама мне рассказывала, что ей однажды пришлось скрываться в подземном убежище, откуда был выход в какой-то трактир — и тоже через печку.

— Она тебе рассказывала? — оживился нотариус. — Я прекрасно помню то место. Мы его оборудовали вместе с твоим отцом (его тогда звали Ночной Дюк). Он-то и подсказал идею убежища, дверь в которое замаскирована очагом. Но там было грандиозное укрытие: длинные коридоры, мощные, плотно закрывающиеся двери, а здесь — всего лишь нора, хотя, по словам маркизы, вполне надежная. Ничего, мы выйдем отсюда, как и вошли, и очень скоро. Хоть я наверняка знаю, что вслед нашему шлюпу не будут стрелять с берега, но всетаки лучше, чтобы английские шпионы — а их в Кале как ракушек на дне морском! — не прознали о нас и не обеспечили нам «горячий» прием на том берегу.

— Зря вы считали Оливье дураком, — сказала

Ангелина. — Он боялся, что не там, так здесь его обязательно подстрелят.

— Я и думать о нем забыл, — сказал де Мон. — Жаль только, что ты будешь горевать об этом ничтожестве.

Ангелина призадумалась.

— Горевать? Нет, это не то слово, — сказала она наконец. — В моей памяти останется лишь одна сцена: там, в России, в блокгаузе, когда он выиграл меня в карты у одного негодяя, а солдаты дарили нам засохшие букетики гвоздик и кричали: «Виват новобрачным!» Я запомню только это. Все, что было потом, я постараюсь забыть.

— Но если ребенок спросит, кто его отец? — осторожно осведомился де Мон.

Ангелина опешила:

— А при чем тут ребенок?

Теперь опешил нотариус:

— Да разве не Оливье — его отец?

— Господи, помилуй! — с негодованием воскликнула Ангелина.

Память о единственном человеке, которого она любила, подсказала ей искренний и в то же время уклончивый ответ:

— Слишком страшный был путь, приведший меня сюда. Однако того, кого любила всем сердцем, я не забуду никогда.

И оба подумали об одном и том же: они почти ничего не знают друг о друге, хотя их пути так странно переплелись. Ну как рассказать ему? Пришлось бы заглянуть в такие глубины!

— Скажите, — спросила Ангелина, и голос ее

дрогнул, — вы знали в 1789 году в Париже графиню Гизеллу д'Армонти?

Де Мон нахмурился, вспоминая:

— Много слышал о ней, но никогда не видел. Зато был шапочно знаком с ее братом, маркизом Сильвестром Шалопаи. Вот это был красавец! У дам при виде его просто ноги подкашивались. — И тут же он смущенно закашлялся: интересно, знает ли Ангелина, что ее мать была одной из этих дам? Что-то в напряженной позе Ангелины подсказало ему: да, знает. И де Мон поспешил заговорить о другом: — Графиня д'Армонти была весьма любвеобильна. Поговаривали, она жаловала и республиканцев, и роялистов одновременно. Когда одного из ее любовников заключили в Тампль и приговорили к гильотине, она отдалась прямо в тюремном коридоре чуть ли не взводу охранников, чтобы пробраться к нему в камеру и напоследок напомнить, какого цвета ее мех... О-о, ч-черт! — У нотариуса даже голос сел. — Простите, ради бога, дитя мое, что, забывшись, употребил выражение, весьма часто нами тогда используемое.

— Ничего, сударь, — кивнула Ангелина. — Я все понимаю и ничуть не в обиде на вас. Но расскажите: удалось это графине?

— Дело в том, что та камера была отделена от коридора всего лишь решеткой, — пояснил нотариус. — И любовник графини издали видел и слышал все, так сказать, ее приключения на пути к нему. Он оказался человеком брезгливым и не пожелал быть десятым или одиннадцатым посетителем этого розового грота. Графиня, разумеется, сочла себя оскорбленной. Тогда она задрала юбки и улеглась прямо возле решетки, пригласив охрану на второй заход, таким образом желая отомстить своему любовнику, но не рассчитала пыла тюремщиков. Говорят, дело дошло и до третьего рейда. В конце концов доблестная дама лишилась чувств, да так и валялась в коридоре Тампля с задранной юбкой. И никто, даже насытившиеся охранники, не оказал ей помощи, пока она не пришла в себя и не убралась восвояси. Потом графиня будто бы долго болела — и как-то сошла со сцены. Еще я слышал, что она тяжело переживала гибель своего брата на какой-то таинственной дуэли, но это все, что я знаю. Я был озабочен своей судьбой.

В голосе его вдруг прорезалась такая боль, что Ангелина коснулась его руки:

— Что с вами, Ксавьер? — Она даже назвала своего супруга по имени.

— Не стоило мне вспоминать! — Нотариус вскочил и принялся ходить по тесной каморке. — Это слишком мучительно!

— Успокойтесь, — пробормотала Ангелина. — Я не хотела, поверьте...

— Я не говорил об этом ни с кем, никогда! О, зачем из пустого любопытства вы разожгли это пламя, которое я считал надежно похороненным под слоем пепла?! — выкрикнул он, и Ангелина не узнала своего всегда такого мудрого, ироничного супруга. Сейчас перед ней стоял человек, измученный беспрестанным, тщательно скрываемым страданием, и она осторожно взяла его руку:

— Расскажите мне... Вы слишком долго молчали. Клянусь, вам станет легче!

— Дитя! — фыркнул де Мон. — Разве вы способны понять, что это такое — видеть казнь своей возлюбленной?

— Могу, — глухо проговорила Ангелина. — Мой возлюбленный, отец моего ребенка (сейчас она не сомневалась в этом!), был расстрелян у меня на глазах.

И замерла, раненная в самое сердце страшными воспоминаниями. Так они и сидели рядом — два измученных, страдающих человека, — пока де Мон наконец не заговорил:

— Красная гвоздика всегда играла во Франции особую роль. Наполеон всего лишь украл этот символ, а ведь еще со времен Фронды она служила знаком приверженности дому Бурбонов. Во времена революции невинные жертвы террора, идя на эшафот, украшали себя красной гвоздикой, желая показать, что они умирают за своего короля. В то страшное время цветок этот носил название oeillet d'horreur — гвоздика ужаса. Да, теперь роялисты избрали белую гвоздику своим знаком, ибо корсиканец присвоил красную, но в то время... В то время я был еще не стар: пятьдесят — это не возраст для мужчины, тем более если он влюблен впервые в жизни. У меня было много женщин, но только одна поразила мое сердце любовью. Я встретил ее поздно. Она была много моложе меня, она и вернула мне молодость. Так, как любил я, любят лишь раз в жизни. Она была высокая, изящная и такая тоненькая, что я мог бы обхватить ее талию пальцами одной руки! Ее звали Иллет — Гвоздика, и в тот роковой день, когда ей исполнилось двадцать пять, она украсила себя красной гвоздикой — знаком своего имени. Она не знала, что накануне был казнен один из невинных, который, перед тем как положить голову на плаху, бросил в толпу красную гвоздику и крикнул: «Этот цветок погубит кровавого тирана!» Его слова кто-то запомнил, а увидев мою Иллет с гвоздикой, донес на нее как на пособницу смутьянов-аристократов. Она и впрямь была аристократкой из прекрасной семьи — и вся эта семья была обречена. Они встретили свою участь достойно — и в один страшный день все вместе взошли на эшафот.

— А... вы? — робко спросила Ангелина. — Вы не смогли ее спасти?

— Не смог, хотя я отдал все свои деньги на подкуп судей, я пытался организовать налет на тюрьму, да что говорить! — Он ожесточенно махнул рукою. — Все мои начинания провалились одно за другим. Мне осталось последнее средство — умереть вместе с ней. Я выведал, когда должны казнить Иллет, и пробрался на площадь, уже запруженную народом. Я смотрел на Иллет. Она стояла спокойно, не дрогнула, когда умирали ее друзья. Но вот на плаху потащили ее отца — и Иллет вскрикнула: следующая была ее очередь. Она стала озираться. Я понял: она ищет меня — я закричал... Нет, мне лишь казалось, будто я кричу: «Да здравствует король! Смерть кровавым тиранам!» — а на самом деле из моего горла вырывалось лишь слабое сипение: от напряжения у меня начисто пропал голос. «И все-таки я умру вместе с тобой!» — подумал я и бросился вперед... Но не смог пробраться сквозь толпу: мускулистые кузнецы и ремесленники, их толстомясые жены свирепо рвались ближе к эшафоту, чтобы увидеть, как скосит лезвие Кровавой Луизы[1] голову аристократа... Я рвался вперед и так разъярил стоящих вокруг, что чей-то огромный кулак опустился на мою голову, — и я лишился сознания, успев увидеть светлые волосы Иллет, стиснутые окровавленными пальцами палача, когда он показывал толпе ее отрубленную голову.

Потом я хотел покончить с собою, но подумал: если Бог не попустил мне умереть, значит, я должен жить и мстить. Не счесть спасенных мною... не счесть уничтоженных мною! Но с тех пор я вижу ее во сне каждую ночь. Она отворачивается от меня, ибо я нарушил нашу клятву — быть неразлучными в жизни и смерти. Сегодня во сне она улыбнулась мне — я уж решил, что все, простила, теперь мы будем вместе, но опять проснулся живым!

Ангелина тихонько всхлипнула. Ей стало так страшно, так одиноко! Свеча почти догорела, и чудилось, темнота подземелья сделалась могильной тьмой...

— Мы скоро уйдем отсюда? — жалобно спросила Ангелина, но вместо ответа де Мон прошептал:

— Не может быть!

Поднявшись, он шагнул туда, где находился лаз

---

[1] Так парижане прозвали гильотину в годы террора.

в очаг. Ангелина побежала за ним — и вдруг замерла: ей почудился запах дыма.

— Стой здесь! — приказал де Мон и с юношеским проворством нырнул в узкий лаз, ведущий к очагу.

Но тотчас же вывалился оттуда, тяжко откашливаясь от дыма, который валил теперь неостановимо.

— В очаге развели огонь! — с трудом выговорил он.

Ангелина терла глаза, из которых потекли едкие слезы.

— Надо им покричать, дать знак. Они забыли про нас, что ли? Мы же так задохнемся!

Де Мон молчал, и Ангелина, взглянув на него, увидела на его лице такое отчаяние, что вдруг все поняла.

— Вы думаете, они сделали это нарочно?!

— Не знаю. — Нотариус заслонил лицо рукавом, стараясь задержать дыхание. — Одно из двух: или в трактир пришли жандармы и им показался подозрительным незажженный очаг, или...

— Или? — спросила Ангелина.

— Или Кола, трактирщик, — предатель. Он меня почти не знает, не может таить на меня зла. Он мог только выполнить чей-то приказ — но чей? Ведь об этом убежище знала только одна... — Он не договорил, скорчившись в приступе мучительного кашля.

Ангелина вгляделась в серую мглу, заволакивающую каморку, и сердце ее дрогнуло в надежде, когда она заметила крест-накрест прибитые доски, закрывавшие подземный ход! Ход к спасению!

Она с силой дернула за рукав задыхавшегося нотариуса. Их взгляды встретились, и в глазах де Мона снова зажглась жизнь, когда он проследил за взмахом ее руки, без слов бросился к заколоченной двери, вцепился в доску, рванул... И едва не упал, потому что гвозди оказались крепки и надежны. Задыхаясь, кашляя, почти ничего не видя от слез, они рвали эту доску, выдирали гвозди обломанными ногтями — и наконец доска отвалилась!

Не переводя духа, де Мон и Ангелина приступили к другим доскам, и теперь дело пошло легче. Кашляя дымом и кровью, невольные узники припали к отверстию, куда сразу же поползли серые длинные струи.

— Скорее, — прохрипел де Мон, толкнув Ангелину вперед с такой силой, что она упала на колени; а когда поднялась и пробежала немного, вдруг ощутила пустоту за спиной и, оглянувшись, издала вопль: де Мон недвижимо лежал в задымленной каморке!

Она метнулась назад, попыталась поднять его, но тело оказалось таким тяжелым, что она закричала в отчаянии, и де Мон открыл глаза, слабо шевельнул губами.

— Бе-ги, — услыхала Ангелина тихий шепот. — Беги, оставь меня... Я вижу... сюда идет Иллет!

И он вздохнул еще раз и улыбнулся, прежде чем глаза его закрылись навеки.

* * *

Ангелина не умерла от страха тут же, на месте, лишь потому, что ей помешал приступ жесточайшего кашля, после которого саднило в горле, но светлее становилось в голове. Она вгляделась и поняла, что струи дыма уползают куда-то влево. Это означало только одно: их тянет сквозняком. Она вдруг обнаружила, что, забывшись и безотчетно прикрывая рот и нос рукавом, бредет по коридору, оставив где-то позади в дымной серой мгле мертвого де Мона. У нее щемило сердце от запоздалых сожалений о том, что они так и не поговорили по душам; Ангелине было стыдно — ведь он мог счесть ее всего лишь потаскушкой, которая гораздо более думает о любовных приключениях, кружевах и тряпках, нежели о судьбе страны, которую оставила разоренной и измученной войною. Мог счесть ее кем-то вроде Гизеллы д'Армонти. Ангелина невольно усмехнулась, вспомнив непристойную сцену, описанную де Моном. Да, это уж точно была мадам Жизель, ее ни с кем не спутаешь.

Однако же как невероятно странно судит судьба! Что толку было презирать Оливье, когда Ангелина и сама ни разу не вспомнила о побуждениях высокой мести, приведших ее во Францию! Надо было стремиться в Париж, разыскивать мадам Жизель! Однако ребенок... Это ее несколько оправдало. А когда Ангелина поверила, что можно будет увидеться с родителями, она и вовсе позабыла о зле, причиненном ей графиней д'Армонти, и готова была ринуться через Па-де-Кале, даже не оглянувшись на былое! Не для того ли заградил ей рок путь из Франции, чтобы она исполнила свою клятву расквитаться с Гизеллой д’Армонти? Ну, дай Бог только остаться в живых — и Ангелина клянется своей любовью к России, к Никите, к родным, что заставит графиню пожалеть о содеянном ею.

Эта мысль вернула ее к действительности. Задумавшись, она не помнила, как шла, а теперь встревожилась: не миновала ли выход?

Но нет, струи дыма по-прежнему змеились впереди, вот только проход сделался уже: Ангелина двигалась теперь пригнувшись, задевая плечами стены. Потом ей пришлось согнуться в три погибели, затем вовсе опуститься на четвереньки... Она ползла, стирая в кровь колени, и старалась ни о чем не думать. Только благодаря отчаянному упрямству она еще как-то протискивалась в этой крысиной норе, то и дело стряхивая с лица землю. «Это тебе дорого обойдется!» — сказал чей-то глухой голос — ехидный и насмешливый, и Ангелина подумала, что, наверное, это уже подступила смерть и пытается заставить ее лечь и тихо умереть. Потом сквозь шум своего надорванного дыхания она снова услышала тот же голос: «Это же тебе не корзину рыбы купить! Человеческая жизнь недешево стоит!» Теперь голос звучал совсем близко... Ангелина подняла руку, слабо взмахнула ею... И невольно вскрикнула, больно ударившись кончиками пальцев о грубые доски.

Дверь!

Голоса раздаются из-за двери!

— Не пойму я — откуда этот дым ползет?! — воскликнул кто-то.

И тотчас отозвался голос, при звуке которого Ангелина едва не умерла от счастья.

— Да я уж давно заметил. По-моему, за этой дверью что-то горит.

Господи, это голос Оливье!

— Оливье! — закричала она что есть силы.

— Там ничего гореть не может, — ответил первый весьма категорично. — Ты же видишь — дверь заколочена, туда никто не ходит, а стало быть, пожар устроить некому.

— Говорю тебе, оттуда тянет дымом! — возразил Оливье. — Нет, ты только погляди сюда!

— Ты вот что! — Первый голос вдруг стал угрожающим. — Если хочешь, чтобы я обделал твое дельце, перестань задавать ненужные вопросы, понял? Ты в моем доме, и даже если здесь начнется пожар, тушить его — мое дело! А твое дело — бежать, понял?

— Да пожалуйста, — с обидой проворчал Оливье. — Я могу и уйти. Но тогда ты потеряешь хорошие деньги.

— Оливье! Спаси меня! — снова закричала Ангелина.

— Да у тебя и денег-то нет, — захохотал хозяин дома. — Сам говоришь — деньги у дамы, а ее еще найти надо!

И тут Ангелина поняла: они же ее не слышат. И ничего удивительного: она тоже не слышит ни одного своего слова.

— Клянусь, ты прав! — засмеялся Оливье. — Какого же черта мы тут время теряем? Пошли скорее!

И Ангелина услыхала скрип отодвигаемых стульев, а потом удаляющиеся шаги.

Они сейчас уйдут, и тогда ее уже ничто не спасет!

Она кинулась к двери и принялась молотить в нее кулаками.

Ее окровавленные кулаки едва-едва извлекали слабый стук... такой слабый, что смертная тоска сдавила горло Ангелины и она лишилась чувств, так и не успев осознать, что стук ее все-таки достиг ушей тех, кто находился за дверью, и два голоса в испуге вскрикнули:

— Кто там?!

5

БЕЛАЯ ГВОЗДИКА И КРАСНАЯ ГВОЗДИКА

...Когда Ангелина наконец добралась до бульвара Монмартр и вошла в низенькую, скрытую пышными кустами сирени калиточку в ограде своего дома, она была почти без памяти от усталости. Ветви с набухшими коричнево-зелеными почками хлестали ее по лицу, хватали за платье, но она ничего не чувствовала. Говорят, перед умирающим в одно мгновение разворачивается вся его жизнь, а ведь Ангелина в Мальмезоне, в доме бывшей императрицы, воистину смотрела в глаза смерти! Но не только прошлое терзало ее... Прошлое, как всегда, слишком тесно сплеталось с настоящим.

И Ангелина ничуть не сомневалась: ее ждут новые испытания.

Она с тоской взглянула на еще голые, но обещающие скорый цвет ветви сирени. Ни один цветок Ангелина так не любила, как сирень, эту непременную жительницу старых русских дворянских усадеб. И в Измайлове, и в Любавине была роскошная сирень...

Закрытый гроб с телом Ксавьера де Мона, который Оливье и Ангелина привезли из Кале, был полностью скрыт под пышными бледно-лиловыми соцветиями. Чтобы украсить гроб, Ангелина велела тогда, не жалея, обломать все кусты, однако сиреням это, похоже, пошло лишь на пользу: они разрослись еще пышнее.

Детский смех долетел до нее с лужайки, и Ангелина встрепенулась. Она не хотела, чтобы кто-нибудь видел ее в этом убогом наряде цветочницы, однако не удержалась, чтобы не выглянуть украдкой.

Юленька лежала на перине и играла со своим щенком, увальнем-сенбернаром, который был тоже еще совсем дитя, но рос куда быстрее своей хозяйки. Нянюшка Флора смотрела на эту сцену с видом покорной мученицы: она боялась собак, и бесстрашие Юленьки не только удивляло няню, но и приводило в трепет.

— Умоляю тебя, Жюли, не трогай его зубы! — кричала нянюшка.

Ангелина покачала головой: имя дочери — Юлия, Юленька — казалось ей восхитительным, однако французский вариант его ужасно не нравился. Она вспомнила, как долго выбирала имя дочери, конечно, ей хотелось назвать дочь Елизаветой или Марией, однако Ангелина не решилась: побоялась накликать чужую судьбу на своего ребенка. И тут очень кстати вспомнилась ей подруга по Смольному институту, княжна Юленька Шелестова. Именины этой хорошенькой девочки приходились на 30 июля, а родила Ангелина как раз в этот день. Опять же — июль. «Юленька-июленька», — иногда называла она дочку и полагала, что это имя пристало ее дитяти, как никакое другое.

Сейчас Ангелине смешно и страшно было даже думать о том, как она терзалась сомнениями относительно отца ребенка; как поклялась убить дитя и покончить с собой, если различит в лице новорожденного черты ненавистного Лелупа. Сердце подсказало верный ответ задолго до того, как Ангелина увидела маленькое точеное личико и светлые бровки вразлет, что придавало и такой крохе дерзкое, отважное выражение; задолго до того, как в синие глаза матери взглянули ясно-серые глаза дочери, как две капельки схожие с глазами ее отца. Это была Юлия Никитична Аргамакова, видит Бог, она была его, хотя пока что крошечка звалась Жюли де Мон и считалась наследницей огромного состояния приемного отца.

Когда Ангелина увидела завещание мужа, с нею случилась настоящая истерика от ненависти к Судьбе, которая дала ей такого друга, как Ксавьер де Мон, лишь затем, чтобы тотчас отнять его. Нотариус де Мон передал супруге не только все состояние де ла Фонтейнов, но и свое собственное, размеры коего были огромны! Со смертью мужа Анжель сделалась одной из богатейших женщин Парижа, однако об этом мало кто знал, кроме близкого друга-нотариуса, поверенного в делах Ангелины. У де Мона не было ни родственников, ни друзей, и никто не мог опротестовать его волю. Ксавьер де Мон позаботился даже об Оливье, весь его капитал переходил во владение Анжель де Мон, и наследовать его мог только ее ребенок, буде он родится; если же этого не произойдет — ее дети от нового брака. Если же мадам де Мон умрет бездетной и не пожелает изменить завещание в пользу кого бы то ни было, деньги переходили к благотворительным учреждениям. В завещании было только одно условие: мадам де Мон должна ежемесячно выделять Оливье де ла Фонтейну содержание, обусловленное в предыдущем соглашении, в случае же ее смерти это должны делать ее дети — до самой его смерти. В случае же, если Анжель де Мон пожелает отдать свою руку Оливье де ла Фонтейну, распоряжение капиталом все равно оставалось в ее ведении; даже после ее смерти Оливье не мог его наследовать: он по-прежнему всецело должен был зависеть от ее детей.

Посредством такого вот запутанного и вместе с тем очень простого завещания нотариус де Мон, хорошо знавший человеческую природу, решил обеспечить благосостояние Ангелины при всяком повороте судьбы.

Правда, при всем своем желании даже он не смог обеспечить ей покоя.

Ангелина неслышно прошла в дом и поднялась к себе в бельэтаж. Она позвала горничную не прежде, чем умылась, переоделась и собрала в узел свои роскошные волосы.

— Месье де ла Фонтейн дома? — спросила она, стараясь, чтобы голос не выдал ее тревогу.

— Нет, мадам. Месье как ушел утром, так и не возвращался.

Голосок-то у горничной дрожал. Ангелина исподтишка пригляделась к ней. Типичная парижанка: худенькая, бледненькая, с порочным личиком, которое французы назвали бы «пикантным». Этот румянец, это волнение груди... Верно, она неравнодушна к Оливье! А почему бы и нет? Ведь и сама Ангелина какое-то время была к нему неравнодушна. А поскольку они совсем отдалились друг от друга, почему бы ему не завлечь в свою постель эту девушку? Коли так, тсперь понятно, почему Оли вье всегда хорошо осведомлен обо всех намерениях Ангелины. Впрочем, зачем ему шпионы? Разве оп и без того не знает о каждом ее шагс от нсс самой (ибо, услышав, что Оливье связан с той же группой роялистов, к которой принадлежал де Мон, Ангелина вновь преисполнилась к «кузену» доверием)?

Тихий вздох вернул ее к действительности, и она увидела, что Лоретта застыла в неудобном поклоне, словно придавленная тяжелым немигающим взглядом хозяйки.

Ангелина повела бровью, и девушка с облегчением выпрямилась, однако в ее голосе по-прежнему звучал испуг:

— Мадам чем-то обеспокоена?

— С чего ты взяла? — сердито спросила Ангелина.

— Мадам недовольна мною? — не унималась Лоретта.

— Вовсе нет. Вот что, Лоретта... — Ангелина на миг запнулась: что бы такое придумать? — Пойди возьми в детской еще один коврик и отнеси постелить Жюли.

— Я скажу Матье, — кивнула девушка, однако Ангелина взглянула немилостиво.

— Если бы я хотела что-то поручить Матье, то сделала бы это сама! — И Лоретте ничего не оставалось делать, как, обиженно поджав свои губки, исполнять приказ.

Это займет ее не меньше чем на четверть часа, подумала Ангелина. Время есть!

И она поспешила по галерее в другое крыло дома, где были комнаты Оливье.

* * *

Остановившись посреди кабинета, Ангелина с любопытством рассматривала сабли, шпаги и рапиры, которые увешивали стены, трубки всех видов и форм, и набор уздечек, и хлысты для верховой езды. Она настороженно вдыхала запах лавандовой воды, табака, старых книг, дорогого сафьяна. Странно: прежде она видела в Оливье лишь средство для утоления своего сладострастия, но теперь, вот уже год после смерти мужа, смотрела на него как на средство осуществления своей мести. Он должен был помогать ей... да, ну а сам-то он как жил? Ангелина не сомневалась, что Оливье обожал Юленьку и по-своему любил «свою кузину», с охотой женился бы на ней, потому что богатая жена — все-таки лучше, чем богатая «родственница». А все ж он похаживал к другим... Разве Лоретта — единственная? Это Ангелину преобразило рождение дочери, а Оливье остался тем же пылким и неразборчивым кавалером. Наверняка в этой шкатулочке, обтянутой розовым шелком, держит он любовные записочки или милые сувениры, прелестные напоминания об интрижках. Ангелине очень захотелось открыть коробочку, однако она отогнала недостойное любопытство и снова замерла посреди комнаты, шаря вокруг глазами, которые против воли снова и снова возвращались к шкатулке.

Время уходит. И Ангелине пора уходить. Совсем ни к чему, чтобы Лоретта застала ее здесь. Однако она все стояла, оглядываясь и принюхиваясь, но по-прежнему ничего не трогая, словно надеясь, что сама атмосфера этой комнаты подскажет ей что-то... Но что? Что она хочет узнать?

— Ей-богу, я как ищейка, которая не знает, чего искать! — проговорила вслух Ангелина и криво усмехнулась. Оливье спас ей жизнь и любил ее. И когда он вытащил ее из подземелья в Кале, когда увидел тело несчастного де Мона, Ангелине показалось, что он снова сделался тем же бесстрашным, заботливым Оливье, которого она знала и помнила по России. Он отыскал тайную группу роялистов, друзей де Мона, и примкнул к ним.

Они призывали к восстановлению королевской власти во Франции, подрывали боевой дух бывших наполеоновских солдат... Ангелину Оливье держал в стороне от этих дел, но однажды сообщил ей, что в Лондон срочно отправляется курьер. Она написала письмо родителям, но курьер был схвачен уже на корабле и тут же расстрелян как английский шпион. Это был тяжелый удар, и снова Оливье поддержал ее, успокоил, помог. Может быть, он бывал героем только при героических обстоятельствах, а в других — становился сонным мещанином, авантюристом, подделавшим завещание, тайным любовником замужней женщины, трусом и предателем...

Ангелина вздрогнула.

Итак, слово сказано. Она пришла сюда для того, чтобы найти... или не найти... нечто, оправдывающее или обвиняющее его.

Кто мог знать, что де Мон и она спрятались в потайной комнатке за очагом? Тот, кто выследил их. Не для того ли Оливье сделал вид, что обижен, испуган, не для того ли скрылся, чтобы выследить их и убить? Но это все ее домыслы, смутные подозрения. Куда страшнее сегодняшняя история с фиалками и Мальмезоном! «Среди людей Оливье есть предатель», — была ее первая мысль, но ни один из них не мог знать, кого и зачем будет искать мнимая цветочница. Только он. Оливье. Ох, боже мой...

Значит, он предатель?! Ангелина в ярости схватила первый попавшийся под руку предмет, даже не заметив, что именно, — и грохнула о пол.

Розовая шкатулка с сухим треском развалилась. Ангелина тут же поняла, что на пол выпали узенькие шелковые ленточки, из которых делают искусственные белые гвоздики роялисты. А вот и несколько таких гвоздичек, сколотых булавками. Но зачем тогда красные гвоздики в этой шкатулке? Понятно зачем: с красной ты за Наполеона, с белой — за Людовика...

Ангелина была так потрясена этим доказательством двуличности Оливье, что забыла об осторожности. И звук открываемой двери заставил ее вздрогнуть, как будто в спину ударил выстрел.

Перед ней стоял Оливье, стоял, прислонившись к притолоке, и смотрел на Ангелину в упор. Он был бледен как мел, глаза помутнели, рука нервно мяла ворот сюртука.

Какой он жалкий! Вон как побледнел, задрожал!

— Вы, кажется, удивлены моим визитом? — спросила она дерзко.

Губы Оливье шевельнулись, и Ангелина скорее почувствовала, чем услышала:

— Да...

— И только? — усмехнулась она. — А мне кажется, вы поражены в самое сердце! — Во взгляде Оливье мелькнул живой блеск, но тут же глаза его снова погасли, когда она сказала: — Ведь я не должна была здесь появиться — в этой комнате, в этом доме! Вы устроили все для того, чтобы этого не случилось.

Оливье опять шевельнул губами.

— Я... не понимаю... — с трудом расслышала

Ангелина, и от этого трусливого шепота ненависть к нему одолела все прочие чувства.

— Не понимаешь? — переспросила она. — В самом деле? И этого не понимаешь? — Она носком туфли поддела ворох разноцветных лент. — А я понимаю. Ну-ка, покажи, какой сегодня день: для белых или красных цветов? Что ты прячешь там?

Она рванула борт его сюртука и увидела красный шелк в петлице.

Ангелина тихо охнула. Последняя надежда на ошибку исчезла. Если бы Оливье приколол белый цветок, если стал хотя бы оправдываться... Но цветок был красный! И он молчал.

— Предатель! — Ангелина рванула гвоздику, отбросила, наотмашь хлестнула Оливье по щеке и выскочила в коридор.

На пальцах осталось что-то мерзкое, влажное. Ангелина брезгливо потерла палец о палец, взглянула... Что такое? Это кровь?

Она обернулась так резко, что чуть не упала. Вот лежит цветок, сорванный ею с груди Оливье. Какой странный цветок — весь красный, а два лепестка его — белые.

Оливье стоял, привалившись к стене, как если бы его не держали ноги. На белой щеке его алело пятно пощечины, соперничая в яркости с красным цветком в петлице.

Но ведь Ангелина его сорвала. Откуда же взялась еще одна красная гвоздика?

Оливье потерял опору, ноги его подогнулись, он медленно сполз по стене и поник на полу.

Ангелина подошла — медленно, недоверчиво. Склонилась — и увидела, что рубашка на груди Оливье вся пропитана кровью.

* * *

— Господи Иисусе! — выкрикнула она, кидаясь к дверям, но тут же метнулась к массивному гардеробу, выхватила оттуда батистовую сорочку, принялась рвать ее на полосы и заталкивать их под рубашку Оливье, пытаясь приостановить ток крови, потом приникла губами к его лбу, с ужасом ощутив, какой он влажный и холодный. Сколько же крови он потерял! Где его ранили, откуда он шел?

Она схватила его запястье, нащупывая пульс, веки Оливье поднялись, открыв невидящие глаза.

Ангелина вскочила, открыла погребец и налила в рюмку коньяку, поднесла к губам Оливье:

— Ну-ка, глоточек. Ну, пожалуйста, милый!

Он с усилием втянул в себя немного жгучего напитка, и взгляд его чуть прояснился. Губы шевельнулись — сперва беззвучно, а потом Ангелина разобрала слова:

— Клянусь, цветок был белый. Всегда... только белый...

Она кивнула, боясь, что разрыдается, и опять поднесла к губам Оливье рюмку. На сей раз он осушил ее до дна, и голос стал отчетливее:

— Он не ушел живой, ты не бойся больше. Он меня достал, но и сам остался лежать с моим стилетом в груди.

— Хорошо, хорошо, — сказала Ангелина. — Ты

пока помолчи, береги силы, а я сбегаю, пошлю за доктором.

Оливье слабо сжал ее пальцы.

— Не надо. Я человек конченый. Патроны расстреляны, свечи погасли.

— Какие свечи? — с ужасом спросила Ангелина.

— Это Монтескье... — выдохнул Оливье, с трудом раздвигая губы в улыбке. — Я всегда хотел сказать эти слова перед смертью. Красиво! Вот... сказал.

— Какая смерть?! — фальшиво возмутилась Ангелина. — Подумаешь, чуть-чуть поцарапали его. Из-за чего дрались? Из-за прекрасной дамы?

Она болтала, что приходило в голову, неприметно пытаясь высвободиться из пальцев Оливье и побежать за слугами, но он не отпускал ее.

— Из-за прекрасной, да... Глаза у нее синие, а волосы золотые. — Оливье попытался коснуться растрепанных, как всегда, кудрей Ангелины, но рука его упала. — Ничего, ты его больше не бойся. И теперь ты можешь вернуться домой. Слава Богу и русскому войску — победа уже близко. Ты уедешь... там тебя ждут. Угрозы больше нет — я убил Моршана!

У Ангелины потемнело в глазах.

— Каким же образом ты?.. — пролепетала она. — А я ведь думала...

— Я понял, — молвил Оливье, устремив на нее взгляд, исполненный особой, провидческой силы. — Ты думала, я предал тебя... Да и что еще могла ты подумать?! Когда я увидел, что Миркозлит выходит из той же калитки в парке Мальмезона, откуда вышла ты, я почуял: здесь что-то неладно.

— Миркозлит? — переспросила Ангелина. — Это еще кто?

— Я знал его под этим именем. Но его зовут Моршан, хотя и это ненастоящая его фамилия. Он поляк, ненавидит русских за то, что они владеют польскими землями. Я никогда не верил ему, никак не мог понять, почему маркиза так доверяет ему.

— Маркиза? — насторожилась Ангелина.

— Да. Миркозлит — ее ближайший поверенный. Я узнал, что именно он должен был переправить де Мона и тебя в Англию. Это окончилось смертью де Мона, ты тоже чуть не погибла. Потом мы хотели послать курьера с известием барону Корфу — и этот курьер был убит. Но она так заступалась за Миркозлита, а я верил ей. Я ей до сих пор верю, хотя негодяй не постеснялся и ее оболгать: сказал, что советовался с маркизой д'Антраге, как получше встретить русского императора Александра — выстрелом, или ударом кинжала, или даже взрывом. Конечно, я не мог не вступиться за эту святую женщину. Схватился за кинжал — он тоже. Он ударил меня первым, но я успел его ударить кинжалом... Попал в самое сердце! Что с тобой, Ангелина? — Он осекся.

Ангелина кивнула, не с силах вымолвить ни слова.

— А маркиза? — спросила она. — Кто она?

— О, это чудесная женщина! — Бледные губы Оливье дрогнули в улыбке. — Она уже немолода, но кажется молодой и прекрасной благодаря своим черным глазам. Лицо у нее прикрыто вуалью — потому что изуродовано шрамом. Мне все время кажется, что я видел ее прежде. Она была бы красавицей, если бы не этот шрам.

— Нет там никакого шрама, — глухо проговорила Ангелина, почувствовав, как силы враз оставили ее.

— То есть как? — недоверчиво переспросил Оливье.

— Да так, — вздохнула Ангелина. — Нет и никогда не было. Потому тебе и казались знакомыми ее глаза, что ты видел их. Помнишь... там, на Березине? Графиня д'Армонти? Это и есть маркиза д'Антраге. Моршан тебе не солгал — он и вправду виделся с нею в Мальмезоне. Значит, она руководит группой роялистов? Ксавьер говорил мне перед смертью о какой-то даме, которая направила его в трактир контрабандистов, и он ей открыл тайну нашего брака. Ох, какая паутина! Мне никогда из нее не выпутаться! — Она в отчаянии покачала головой.

— Ничего, Анжель, — долетел до нее слабый шепот. — Бодрись! Моршана больше нет. А ты... ты ведь русская! Я же знаю тебя. Ты сумеешь так расправиться с этой дамой, что от нее пойдут... Как это вы говорите? Ко-люч-ки по у-лач-кам? — попытался выговорить он по-русски, и Ангелина невольно засмеялась:

— Пойдут клочки по закоулочкам!

О Оливье! Милый, неоцененный друг! Спасибо тебе за мудрость, за пресловутую французскую иронию, за веру и надежду! Еще несколько твоих насмешливых слов — и к ней вернутся утраченные силы, и она поверит в удачу!

Но Оливье молчал, и Ангелина с ужасом увидела, что голова его поникла, а кровь из раны снова хлынула струей.

— Оливье! — вскричала она, хватая его за плечи. — Потерпи еще немного!

— Все, — выдохнул он. — Для жизни моей этого достаточно... Ох, какая эпитафия! Cela me suffira! Не забудь...

Он умолк, но несколько мгновений еще смотрел в глаза Ангелины, словно цепляясь взглядом за жизнь, потом не выдержал — сдался, умер.

* * *

Два дня спустя, вернувшись с кладбища, Ангелина, повинуясь всевластному зову, воротилась в эту комнату и застыла на пороге, глядя сухими, до боли наплаканными глазами.

Комната казалась безжизненной; запах табака, кожи, лаванды уже выветрился, словно Оливье никогда и не было здесь. «У жизни на пиру он быстрым гостем был», — вспомнились чьи-то стихи, и Ангелина в тоске покачала головой. Подошла к окну.

Со дня на день в Париж войдут союзники. Близок час, когда на улицах французской столицы зазвучит русская речь! Тогда не Ангелине, а графине д'Армонти, мадам Жизель, придется скрываться и таиться. Пока же... Ну что же, все ее козни Ангелина уже знает наперечет и сможет им противостоять!

Будущее, однако, показало, что знала она далеко не все.

6

ПАРИЖ ВСТРЕЧАЕТ ПОБЕДИТЕЛЕЙ

Знающие люди говорят, что на войне один час, одно мгновение могут изменить весь ход кампании. Истинность такого утверждения союзники могли проверить на подступах к Парижу.

Князь Шварценберг, командующий австрийскими войсками, видя упорное сопротивление Наполеона, намерен был отступить: война, полагал он, может длиться еще долго! Но Александр I, умевший, как говаривали его современники, соглашать умы, в сем важном случае был непоколебим.

«Я не соглашусь на это, — заявил он. — Продолжение войны возбудит отчаяние в сердцах населения Парижа. Сейчас парижане видят в нас безусловных победителей и готовы покориться. Увидев же нашу нерешительность, они начнут вооружаться против нас!»

Отступление было отменено. Так Александр I решил жребий кампании 1814 года.

Это случилось десять дней назад, и тогда же вновь затрепетали сердца парижан: чего ждать им от победителей и прежде всего — от русского царя? Уж если Александр сжег свою столицу ради поражения врага, во что же превратит он столицу побежденного неприятеля?

Но Александр под стенами Парижа изрек бессмертные слова: «Обещаю особенное покровительство городу Парижу. Безусловно, отдаю всех французских пленных». После сих слов дело мира можно было считать выигранным.

И вот наконец наступила последняя ночь осады Парижа. Огни, озарявшие стан союзников, засверкали на окрестных холмах, на виду у французской столицы. Сияние сих огней, столь страшных для другого осажденного города и в другое время, было тогда для парижан вестником свободы Франции и спасения великого города. Тщетно приверженцы Наполеона распускали злобные слухи, побуждали народ к сопротивлению. Жители Парижа убеждены были, что жребий их зависит от дружественного приема союзных войск.

* * *

В трактире «Поросячья ножка», одном из многих, притулившихся возле огромного «Чрева Парижа», главного рынка Парижа, пели новые куплеты про Наполеона. Полицейские изъяли сотни рукописных списков, но автора пока найти не удалось.

Я в этой грешной, растревоженной стране
Посеял смуту, нищету, раздоры.
И, не хвалясь, скажу, что заслужил вполне,
Чтобы палач петлю на шею мне
Накинул скоро!

«Скоро! Скоро! Скоро!» — скандировали хором посетители, в большинстве своем грузчики. Как раз сегодня на рынке проходил ежегодный отбор силачей, поглазеть на это собирались сотни зрителей. Вдобавок ко всему с часу на час ждали вступления русских. Это тоже стоило отметить, потому в «Поросячьей ножке» собралось куда больше народу, чем мог вместить кабачок. Толстуху-хозяйку рвали на части. Она сбилась с ног, пытаясь угодить всем этим орущим, пьющим, жрущим мужчинам, потому долго пришлось ждать немолодой, скромно одетой даме в глубоком трауре, пока хозяйка наконец показала ей того, о ком она спрашивала.

Человек огромного роста, большеголовый, с коротко стриженными, будто у новобранца, волосами, одетый в поношенную куртку, сидел, уныло облокотившись о стол и прикрыв глаза, и слушал певцов.

Кругом орали, хохотали, воздевая кружки, горланя:

— На плаху! На плаху! Смерть тирану!

Дама вгляделась. Мало того, что человек, которого она разыскивала, молчал, не присоединившись к общему хору; из-под крепко зажмуренных век его скатилась крошечная слезинка!

Несколько мгновений дама смотрела на него с изумлением, потом осторожно коснулась его плеча:

— Сударь...

Он нехотя приоткрыл глаза. Крошечные, глубоко посаженные, они уставились на даму, после чего их обладатель нехотя буркнул:

— Чего?

Дама была весьма не робкого десятка, однако она вдруг струхнула под этим тупым взглядом.

Не дождавшись ответа, он закрыл глаза, тогда дама сбивчиво проговорила:

— Я слышала... сегодня вы не нашли работу?

Начало оказалось неудачным: огромная ладонь, безвольно лежавшая на столе, медленно собралась в кулак, один удар которого запросто размозжил бы голову теленку.

— Я это к тому, — поспешно добавила дама, — что у меня есть для вас дело!

Глазки вновь закрылись. Великан откусил немалый кусище от поросячьей ножки и принялся вяло двигать челюстями.

— Как я погляжу, вам желудок дороже славы? — недобро усмехнулась дама.

Великан вновь открыл глаза и пробурчал:

— А ты послушай, о чем они поют. Вот и вся наша слава!

— Но ведь русские еще не вошли в Париж, — прошептала дама, придвигаясь к великану. Он прищурил один глаз.

— Работа какая? Насыпать соли на хвост русским?

— В конце концов этим и кончится, — туманно ответила она, и силач широко разинул пасть, зевая.

— Больно надо! И что проку? Легче покорить легион демонов, чем русских. Не видел народа более варварского! Готовы сами себя сжечь, лишь бы не сдаться неприятелю. Их так просто не возьмешь. — И он опять прикрыл глаза.

— Хоть и не твоими руками, но не без твоей помощи будет уничтожен русский император, — чуть слышно прошептала дама.

Великан хмыкнул и стукнул ладонью по сжатому кулаку. Этот оскорбительный жест можно было сравнить с тем, как русские бьют ребром ладони по сгибу руки у локтя, и означал сей жест, мягко говоря, «пошла вон!».

Дама не позволила себе обидеться и начала сызнова:

— Буду говорить прямо. Речь идет о женщине.

Тяжелые черты сложились в гримасу глубочайшего отвращения, а губы исторгли короткое:

— Баб ненавижу!

— Прекрасно! Речь идет об уничтожении одной из тех, кого вы ненавидите.

— Это тебя, что ли? — хмыкнул великан.

Дама была взбешена. Она дала себе мысленную клятву расквитаться с этим ничтожеством, когда дело будет сделано, но впервые усомнилась в том, что ей это удастся. Туп, ленив... Непроходимо, безнадежно!

— Баб ненавижу, да ведь они глупы как куры, — вдруг изрек великан. — Только и годны, что кудахтать да нестись! На свете есть одна, которой я свернул бы голову при первой же встрече!

Восторг дамы при этих словах был таков, что она даже всхлипнула. И, схватив великана за руку, она жарко выдохнула:

— О ней и пойдет речь!

Маленькие глазки приоткрылись, и дама усмехнулась, увидев, как мелькнувшая в них искра начала разгораться в яростный пожар.

— Вижу, ты узнал меня. Ну, наконец-то! Теперь можно и поговорить.

Через полчаса дама в трауре вышла из кабачка «Поросячья ножка» и, свернув за угол, села в поджидавший ее фиакр. Следом вскочили двое оборванцев: это была охрана, ибо дама не лишилась рассудка, чтобы одной отправиться в такое гнездилище опасностей, каким являлось ночью «Чрево

Парижа». Она велела кучеру трогать и всю дорогу предавалась мечтам о том мгновении, когда золотоволосая женщина постучится в потайную калитку в ограде Мальмезона, скажет пароль «Сервус» и попросит проводить ее к графине Гизелле д'Армонти. Сама придет, сама. И сделает все, что ей будет приказано. Дама в этом ничуть не сомневалась, и, как показали дальнейшие события, она не ошибалась.

* * *

Еще вчера русские видели Париж с высоты Монтерля: золотой купол Дома Инвалидов, ворота Трона, Венсен, вершины Монмартра. Еще вчера гремела ружейная пальба, вперед продвигались с большим уроном. Все высоты заняты были артиллерией; в любую минуту город мог быть засыпан ядрами. Это была бы скорая победа... Но никто не желал сего в рядах победителей. И вот французы выслали парламентера. Пушки замолчали. Наступившая тишина была как вздох облегчения. Русские офицеры, солдаты поздравляли друг друга с победой. «Слава Богу! Мы увидели Париж со шпагою в руках! Мы отомстили за Москву!» — повторяли воины, перевязывая раны свои...

А сегодня, 19 марта 1814 года, весь Париж двинулся на бульвары, где надлежало проходить союзным войскам; балконы, окна террасы заполнены были зрителями.

На заре русская конница и гвардии союзных держав построились в колонны по дороге к Парижу. Русский император отправился в Панкен со своим штабом, куда и король прусский прибыл со своею свитою. Здесь победителей ожидали префекты парижских округов. Русский император обратился к ним с речью, каждое слово его было не пустым обещанием, но оправдывалось событиями:

«Ни Франции, ни французам не воздам злом за зло. Один Наполеон мне враг...»

Оба государя, Александр и Вильгельм, в сопровождении своих свит направились к предместью Сен-Мартен. Казаки и гвардия находились впереди шествия. Граф Состен де Ларошфуко прибыл к союзным государям с белым бантом, предлагая себя в проводники. В час дня войско союзное появилось на бульваре Пуасоньер. Глядя на возносящийся лес копий, на эти бравые батальоны, парижские жители имели перед собой зрелище незабываемое: они видели блестящую армию, принятую горожанами как войско, возвратившееся в свое отечество. Но чувство, с которым победители входили в Париж, было не выразить никакими словами...

Море народа на улицах. Окна, заборы, кровли, едва зазеленевшие деревья бульваров — все покрыто людьми. Все машут руками, кричат:

— Да здравствует Александр, да здравствуют русские!

— Да здравствует Вильгельм! Да здравствует император Австрии!

— Да здравствует Людовик, да здравствует король!

— Покажите нам прекрасного, великодушного Александра! — кричали женщины, цепляясь за упряжь офицерских коней, так что один из молодых воинов принужден был приостановиться, чтобы ответить учтиво:

— Medams, le voila, en habit verit, avec le roi de Prusse[1].

— Mais, monsieur on vous prendrait pour un Francais![2] — восхитилась дама.

— Много чести, мадам. Я этого не стою, — улыбнулся русский, но та ничего не поняла и тут же снова во все горло закричала:

— Vive Alexandre, vivent les Russes, héros du Nord![3]

Казак этого офицера, не отстававший от него ни на шаг, задумчиво проговорил:

— Ваше благородие, они с ума сошли!

— Давно! — ответил офицер. Они тронули коней и воротились на свои места.

Тем временем государь остановился у полей Елисейских, и Триумфальная арка, этот символ славы Бонапарта, смиренно изготовилась принять его.

Молодой офицер глаз не мог отвести от арки, от ее массивных серых стен, помпезных барельефов.

Невольно снял треуголку. Легкий теплый ветерок ерошил его светло-русые волосы, то открывая, то вновь прикрывая рваный шрам на виске. Офицер подумал, что такая же арка должна стоять и в Москве, на той дороге, по которой уходил из русской столицы Наполеон, а потом вступали наши

---

[1] Сударыни, вон он, в зеленом мундире, рядом с прусским королем (*фр.*).

[2] Но, сударь, вас можно принять и за француза (*фр.*).

[3] Да здравствует Александр! Да здравствуют русские, герои севера! (*фр.*)

войска. Две арки, начало и конец пути, поражение и победа...

— Аргамаков! — окликнул его товарищ. — Ты только погляди!

Волны народные колыхались вокруг императора русского, который, как никакой другой из государей союзных держав, привлекал восторженное внимание парижан — всяк норовил схватить царя хоть за одежду или за стремя, чтобы воскликнуть:

— Vive Alexandre; à bas le Tyran![1] Да здравствуют наши избавители!

— Государь очень неосторожен, — неодобрительно пробурчал офицер, но Аргамаков успокоил его улыбкой:

— Истинное величие заключается в доброте и бесстрашии.

С трудом оторвав восторженный взор от царя, он стал оглядывать толпу. Наслышанный о красоте и прелести француженок, он чувствовал себя обманутым. О да, они прелестно одеты, они милы, пикантны, соблазнительны... Куколки! Цветочки! Безделушки! Но в них нет завораживающей, тихой прелести соединения достоинства и неукротимости, не чувствуется пламени, мерцающего в ледяном сосуде... Это есть только в русских женщинах. И офицер вдруг ощутил острую тоску по родине и такую печаль по навек утраченному, что тихонько застонал.

Его затуманенные болью глаза скользили по кокетливо причесанным головкам женщин, спешивших приблизиться к государю и преподнести

---

[1] Да здравствует Александр, долой тирана! (*фр.*)

ему весенние цветы, как вдруг некое золотистое облако привлекло его внимание. Это был букет нарциссов, такой огромный, что женщина, несшая цветы, прижимала их к себе, как заботливая мать — ребенка, однако нарциссы все равно рассыпались в разные стороны. Она и сама была золотоволосая, и сиял этот букет так, что Аргамаков подумал, что все это, вместе взятое, похоже на солнышко, щедро рассыпающее вокруг свои золотые лучи.

Вьющиеся, непослушные пряди упали на лицо женщины, и она отбросила их нервным движением, выронив еще несколько цветов. Лицо ее открылось, и Аргамакову показалось, что он лишился рассудка.

Не помня себя, он соскочил с коня, и его казак тотчас последовал примеру барина, что вызвало новый взрыв восторга при взглядах на это смуглое, скуластое, черноусое лицо:

— Oh, bon Dieu, quel Calmok![1]

Аргамаков ничего не слышал. Раздвигая толпу, он силился пробиться к женщине с букетом нарциссов, но ему это удавалось с трудом, а перед ней, словно нарочно, расступались люди, открывая ей путь к русскому государю.

Никита все еще был потрясен, но навыки человека, прошедшего войну, действовали помимо его воли — он почти бессознательно замечал странности, которые сопровождали продвижение золотоволосой женщины.

Этих «странностей» было три, и они имели не-

[1] Ах, милостивый Боже, какой калмык! (*фр.*)

приглядный образ мужчин в лохмотьях и больших колпаках, с ужасными, мрачными физиономиями.

Теперь он не безрассудно стремился за женщиной, но и наблюдал за ней. Во всем ее облике тоже было нечто странное. С тем выражением лица, с каким она рвалась преподнести цветы русскому царю, люди, наверное, восходили на эшафот, подумал Никита. Обреченность, отчаяние, ужас, оледеневшие черты... Она шла, как ходят во сне, и если бы не энергичные тычки страшных сопровождающих, уже давно упала, была бы затоптана толпой... Но она шла и шла, с каждым шагом теряя все больше цветов, и когда Никита наконец добрался до нее, в руках у нее был тощенький желтый букетик, сквозь который явственно проглядывало что-то серо-стальное.

Она находилась уже шагах в пяти от государя, когда Никита настиг ее, рванул в толпу и, заворотив руку ей за спину, с трудом выдернул из пальцев, сведенных судорогой, обоюдоострый стилет, лезвие которого было покрыто черно-коричневой каймой. Смутное подозрение, возникшее у Никиты, окрепло, едва он замахнулся этим стилетом на «марата», и тот бросился наутек с такой резвостью, что вмиг растворился в толпе; невесть куда канули и «дантон» с «робеспьером». Итак, клинок был явно отравлен, и даже незначительный удар, нанесенный им, мог оказаться смертельным для русского государя. Облегчение, овладевшее Никитою при мысли о том, какое злодеяние он только что предотвратил, было сравнимо лишь с ужасом от того, что свершить сие богопротивное дело собиралась Ангелина.

* * *

Никита смотрел в незабываемые синие глаза, но не видел в них ни искры радости, ни даже страха или отчаяния. Ангелина стояла, будто громом пораженная, словно не узнавала его. Наконец Никита не выдержал: схватил ее, стиснул в объятиях, покрыл поцелуями бледное лицо — и тоже окаменел, когда помертвелые губы исторгли чуть слышный шепот:

— Что ты наделал! Теперь моя дочь погибла...

Ее дочь!

Изумление, ревность при этих словах превзошли все иные ощущения, и не сразу рассудок воротился к Никите, и он спросил:

— Но почему?!

Ангелина молчала, и Никита увидел, что из ее безжизненных глаз медленно текут слезы.

— Ваше благородие, — пробормотал казак, — так ведь это же она, она! Это ж ведь та самая француженка, из-за коей Варька-покойница едва ума не решилась!

— Она, — кивнул Никита. — И никакая она не француженка, а русская.

— Ах ты, моя лебедка белая! — восхитился Степан, заботливо оттесняя своего барина и его милую от толпы под защиту афишной тумбы. — Что ж ты такая нерадостная? Свои, глянь, пришли! — крикнул он громко, будто для глухой, но, не дождавшись отклика, повернулся к барину: — Что это с ней? Больна... не то опоили чем?

Вмиг все прояснилось для Никиты. Эти расширенные зрачки, остановившийся взгляд, это стремление к ужасной, противоестественной цели — убийству, могли быть объяснимы только одним: Ангелина и впрямь была одурманена.

— Что же делать? — шепнул он, стискивая ее ледяные пальцы.

— Есть только одно средство, — внезапно сказала Ангелина не своим, а хитрым порочным голосом, как если бы устами ее гласила какая-то чревовещательница. — Только одно средство спасти твою дочь. Ты должна убить русского царя.

Никита и его казак враз перекрестились.

— Нет! Нет! Я не могу! — воскликнула Ангелина с ужасом.

— Вспомни о девчонке, — усмехнулся ее губами все тот же чужой голос.

— Где она? Что с ней?! — спросила Ангелина, безмерно испуганная, не владеющая собой.

— Ее охраняет надежный сторож, который при необходимости может стать и палачом.

— Нет... Умоляю вас... — Голос Ангелины прервался рыданием.

— Тебе придется выбрать: или смерть Александра — или смерть твоей дочери. Это не так трудно! Достаточно хотя бы оцарапать его, чтобы он умер на месте.

Этот чужой голос подтвердил догадку Никиты. Но чей это голос? Где он мог его слышать?

— И ничего не бойся, — продолжала та женщина. — С тобой пойдут трое наших, они расчистят тебе дорогу к царю и помогут потом уйти от преследования. Но берегись, Анжель! Если ты вздумаешь улизнуть или кликнуть на помощь русских, знай: за тобой будут неустанно следить! Весть о твоем предательстве тотчас достигнет меня. И тогда...

— Нет, мадам Жизель, вы не будете так жестоки! — рыдала Ангелина.

«Мадам Жизель!» — наконец-то понял Никита. Это голос проклятой шпионки! Значит, она замыслила сие страшное злодеяние! Да, на ее милосердие нечего надеяться!

— Разве ты меня не знаешь? — подтвердили его предположения металлические нотки в голосе мадам Жизель. — Я сдержу слово и отпущу тебя с ребенком, когда дело будет сделано. А сейчас — выпей вот это. Тебе все покажется так просто!..

— Так и есть — каким-то зельем опоили молодку! — прервал этот страшный спектакль возмущенный Степан. — Ну да ничего! На каждую отраву свое лекарство имеется!

Он снял с пояса фляжку, отвинтил крышечку и, прежде чем Никита успел его остановить, с такой силой прижал край к губам Ангелины, что она невольно сделала несколько глотков.

Мгновение она стояла не дыша, потом закашлялась, пытаясь перевести дух. Никита и Степан трясли ее и били по спине, пока Ангелина не вздохнула глубоко и не открыла синие изумленно-испуганные глаза.

— Верное дело! — в восторге крикнул Степан. — Я знал! Разве басурманское пойло выстоит против нашего, с русской винокурни?

И он смахнул невольную слезу, видя, как его барин и эта «лебедка белая» шагнули друг к другу — да так и замерли, сплелись взорами...

— Эх, что стоять! — Степан сорвал с головы

шапку, шлепнул себя ею по колену. — Хватай ее, барин, да целуй крепче!

Ангелина и Никита не видели, не слышали ничего, неотрывно смотрели друг на друга, словно не веря глазам своим, пока Степан не схватил обоих, не встряхнул хорошенько.

— Чего встали! Девчонку-то спасать надобно!

Ужас вновь выбелил лицо Ангелины. Она оглянулась — и как раз вовремя, чтобы поймать взором фигуру «робеспьера», бегущего по переулку.

Значит, он не исчез — просто затаился. Высматривал, подслушивал, а теперь страж Ангелины спешил доложить той, кто его послала, что покушение сорвалось — и настало время расплаты.

* * *

Никита и Ангелина со всех ног побежали в проулок, но «робеспьер» уже скрылся за углом.

— Стойте! Стойте! — закричал кто-то сзади по-русски, а потом раздалось цоканье копыт, и их догнал Степан верхом на своем коне, ведя в поводу скакуна Никиты.

Словно перышко, тот забросил в седло Ангелину, вскочил сам и дал шпоры. Они миновали переулок — и наконец увидели беглеца, опять сворачивающего за угол.

— Ох, уйдет, уйдет! — закричала Ангелина.

— Ничего, не бойсь! — просвистел Никита сквозь стиснутые зубы и снова дал шпоры коню.

«Дочь. Ее дочь! Кто ж отец?» — мелькнула ревнивая мысль, да и пропала. Сейчас все на свете было неважно, кроме одного: возлюбленная вновь рядом, но сердце ее в печали, глаза застилает пелена слез — значит, надо любой ценою утолить ее печаль и осушить слезы, чтобы только от счастья трепетало сердце, только от страсти туманились синие глаза.

Они мчались по Парижу, ни на миг не теряя из виду беглеца, который против воли указывал им дорогу туда, где была запрятана дочь Ангелины.

Они настигли его близ двухэтажного особнячка, стоящего в глубине двора, под прикрытием пышно разросшихся акаций. Он позаботился запереть за собою калитку на засов, но лихие скакуны перескочили кованую оградку, и копыта их грозно зацокали по мощеному двору. Беглец оглянулся через плечо и, воздев руки, прокричал сорвавшимся голосом что-то нечленораздельное. Еще раз крикнуть он не успел — Никита свесился с коня, весь словно сделавшись продолжением сабли своей, косо полоснувшей негодяя по шее. Тот рухнул, запятнав кровью серые камни, и кони на всем скаку ворвались на высокую террасу дома.

Степан слетел с седла, принял Ангелину из рук Никиты, и все втроем побежали в дом.

Однако за дверью никого не оказалось. Пуст был вестибюль, и зловещая тишина царила вокруг.

— Сдавайтесь! — крикнул Никита. — Бросайте оружие! Всех пощажу, если вернете ребенка невредимым!

Он ждал в ответ чего угодно: выстрела, мольбы — только не тишины.

— Посмотри внизу, я наверх! — крикнул он Степану и уже взбежал на первые ступеньки, но вдруг остановился как вкопанный, пристально глядя под ноги. Тут и Ангелина со Степаном разглядели кровавые следы, пятнавшие ступени.

Это были следы огромных ног, обутых в грубые башмаки... Они вели наверх, на второй этаж, и если внизу они были едва заметны, то чем выше, тем казались ярче и страшнее.

Ангелина тихо охнула и пошла вперед, как слепая, вытянув руки. Степан и Никита, не сговариваясь, кинулись через две, три ступеньки наверх, чтобы остановить ее, не дать ей увидеть самое страшное. Однако в распахнутых дверях они остановились и замерли на месте, и Ангелина догнала их и увидела черную фигуру, распластанную в луже крови.

Это был труп женщины, облаченной в глубокий траур, ее полуседые волосы имели такой вид, словно кто-то за них крепко таскал, а широко открытые черные глаза оледенели в последнем выражении лютой, неутоленной ненависти.

Ангелина узнала ее тотчас, и узнала бы когда угодно, где угодно. Маркиза д'Антраге, графиня де Лоран, графиня Гизелла д'Армонти, шпионка Бонапарта, посланница Людовика XVI, фрейлина Жозефины, заговорщица, убийца и вдохновительница убийц — словом, мадам Жизель... Это была она, и она была мертва.

Мертва! Но кто убил ее? И где похищенная Юлия? Ангелина высвободилась из объятий Никиты и огляделась.

— Гля! — возопил Степан, тыча пальцем куда-то в угол, и они увидели кучу тряпья, которая издала слабый стон... Это оказалась молоденькая служаночка, только что пришедшая в сознание. Не скоро удалось вразумить девчонку, что никто не собирается рубить ей голову — всего-то и нужно рассказать, где ребенок и кто убил хозяйку...

Немалое минуло время, прежде чем они добились от дурочки правды: по указке ее хозяйки девочку выкрал какой-то угрюмый великан, и принес ее сюда, и стерег, но был с нею бережен и ласков. Он играл с ребенком и даже пытался петь своим ужасным грубым голосом.

Уже миновал полдень, когда раздался условный стук и служанка, отворив, увидела хозяйку. Та опрометью ринулась наверх и прямо с порога велела великану «прикончить это отродье».

Служанка уверяла, что даже она опешила, не ожидая такой кровожадности от своей госпожи; растерялся и великан, стал спорить с мадам: дескать, гонцов с Елисейских полей еще не было и никто не знает, слажено ли дело. «Мне-то что! — крикнула госпожа. — Я послала Анжель на верную смерть, она никогда не вернется. Тебе-то какая забота? Мщение твое свершилось! А теперь убей девчонку, получи свои деньги — и убирайся, пока русские не схватили тебя, «московский купец»!»

При сих словах Ангелина зажала рот руками: догадка, пронзившая ее, была слишком чудовищна, чтобы оказаться правдой! И все-таки вещее сердце говорило, что она права...

— Госпожа подала ему нож, — тараторила служанка. — Лицо его исказилось, и он отбросил нож. «Не хочешь?! — вскричала мадам. — Тогда я сделаю это сама, голыми руками!» И она кинулась к девочке, словно намеревалась ее задушить. Тогда этот человек с ревом схватил госпожу за волосы да так дернул, что она завопила от боли, а потом подобрал с полу нож — и ударил в горло!

— Ай, молодец мужик! — взревел Степан, не скрывая восторга, и в порыве чувств стиснул служанку в объятиях.

— А дальше? Куда он делся? Ну? — нетерпеливо вопросил Никита.

— Я думала, и мой час настал, — всхлипнула служанка, — да Бог спас. Этот человек схватил девочку на руки и кинулся бежать. А куда, не знаю, потому что лишилась чувств... — роняя голову на широкую Степанову грудь, пробормотала она.

Степан небрежно сунул ее в тот же угол, где она была найдена, и взглянул на своего барина:

— Вдогон, ваше благородие?

— Но куда? Куда? — заломила руки Ангелина.

Степан растерянно пожал плечами:

— Да бес его ведает, куда он подевался, лиходей!

Никита молчал, чуть нахмурясь. Потом сказал задумчиво:

— «Московский купец» — значит, бонапартовский солдат. Сейчас в Париже у таких земля под ногами горит, всякий рад будет его выдать. Где ему наверняка спасение сыщется, так это среди своих же. Наполеон шел к Парижу кружной дорогою, через Труа и Фонтенбло... Думаю, он все еще стоит в Фонтенбло, а значит, по той дороге и будут спасаться все ошметки его старой гвардии. Клянусь Богом, мы его настигнем! — вскричал он, зажигая Ангелину своей уверенностью. — Не плачь! Мы спасем твою дочь!

«Почему — твою? Нашу!» — хотела крикнуть она, однако Никита уже бежал вниз по лестнице, увлекая ее за собою.

* * *

Счастье, что Степан оказался истинно вездесущ и отыскал при доме конюшню. Там нашлись запасные лошади, нашлось дамское седло для Ангелины; и вскоре кавалькада из трех всадников неслась по окраинным улицам Парижа к юго-западной заставе, откуда шла дорога к старинному королевскому дворцу.

Голова у Ангелины кружилась от волнения и страха, виски ломило от жаркого солнца, пыли, шума.

Слава богу, город кончался, впереди — дорога на Фонтенбло, и вот-вот станет ясно, верна ли Никитина догадка. У похитителя было часа два фору, но он идет пешком да с ребенком на руках. Они же верхом и, если расчет правильный, настигнут его через полчаса, не более. Никита привстал на стременах, тихо свистнул; Степан добавил к нему лютое, звериное улюлюканье — и кони, в испуге прижав уши и закусив удила, понеслись во весь опор, словно и не касаясь наезженной дороги.

Но как ни ждали всадники этого мгновения, ни один из них не поверил глазам своим, когда впереди показалось неясное пятно, вскоре принявшее очертания огромной фигуры, бегущей сломя голову.

— Стой! Стой! — закричали Никита и Степан.

— Юленька! — воззвала Ангелина и едва не лишилась сознания, услыхав еле различимый плач ребенка.

Боже милостивый! Дочь ее жива!..

— Ох, ваше благородие! — вдруг завопил Степан, тыча вперед рукою. — Вы только гляньте, кто там!

Навстречу бегущему скакали всадники: человек пять-шесть. Высокие каски, султаны и плюмажи; синие мундиры, кирасы, сверкавшие под солнцем...

— Товарищи! Спасите! — закричал беглец, ускоряя шаги. — Русские... Казаки!..

— Это французы! Убей бог, они! Кирасиры! Засада! — Степан попытался осадить коня.

Однако Никита неостановимо летел вперед. Он выхватил саблю, привстал на стременах, и голос его, сильный, вольный, разнесся далеко вокруг.

— Казаки! Сабли к бою! — скомандовал Никита. — Лава, рассыпайсь! Заходи слева, окружай справа!

— Бей, не жалей! — подхватил ободрившийся Степан, и снова Ангелина услышала тот же дикий степной вой, от которого пена полетела с удил коней, а волосы на головах людей стали дыбом.

Кирасиры замерли посреди дороги.

Ангелина оглянулась, и на миг ей почудилось, что из облака пыли, которое стелилось за ними, вот-вот вырвется тот самый эскадрон, которым командовал Никита. И, верно, та же мысль мелькнула у наполеоновских кирасир, ибо они спешно заворотили коней и понеслись прочь, в густую тень знаменитых дубрав Фонтенбло.

Похититель пробежал еще несколько шагов, простирая вперед одну руку, ибо другой придерживал ребенка, но вдруг ноги его подкосились, и он упал на колени, согнувшись и тяжело дыша.

Ангелина слетела с седла, упала, но оказалась

проворнее Никиты и Степана: вскочила на ноги, бросилась вперед с криком:

— Юлечка! Юленька!

Похититель поднялся на ноги, прижимая к себе плачущего ребенка. Его покрытое пылью лицо было искажено странной гримасой, некой смесью угрозы и страдания, и Ангелина замерла, а с нею рядом замерли Никита и Степан.

— Да ведь это... — пробормотал Степан.

— Бог мой! — выдохнул Никита.

И только Ангелина молча перекрестилась.

Все трое узнали этого человека.

Степан узнал свирепого француза, который с отрядом таких же оголтелых разбойников ворвался в охотничий домик, убил множество крестьян и едва не прикончил самого князя.

Никита узнал негодяя, который хладнокровно командовал его расстрелом...

Ангелина узнала эти карие маленькие глазки и низенький лоб, хотя думала, что увидит их снова лишь на том свете.

— Лелуп... — со стоном выдохнула она, и слезы хлынули из ее глаз. — Лелуп, умоляю! — Она протянула руки к Юленьке, но Лелуп отвернулся, загородил ребенка:

— Не тронь мою дочь!

* * *

Его дочь?

Господи милосердный! Да с чего он взял?!

Значит, мадам Жизель сказала Лелупу, что дитя — дочь Ангелины, а он не смог убить ее, потому что высчитал срок рождения и решил...

— Нет, нет! — Ангелина выставила вперед ладони.

— Да! — прорычал Лелуп. — Я знаю! Ты была моей женщиной, ты зачала от меня и родила мне дочь!

— Ох... — не сказал, а выдохнул Никита, и это «ох», исполненное муки, уязвило Ангелину в самое сердце. Еще мгновение — и она потеряет его, едва отыскав. И не она одна! Юленька тоже потеряет отца!

Эта мысль придала Ангелине решимости, и, схватив Никиту за руку, она подтащила его к Лелупу. Юленька, завидев мать, рванулась с такой силой, что Лелуп невольно разжал руки, но Ангелина успела подхватить девочку — и разразилась счастливыми рыданиями, когда маленькие ладошки вцепились в нее, а замурзанное, заплаканное личико ткнулось в то теплое местечко между шеей и плечом, где Юленька засыпала почти столько вечеров, сколько прожила на этом свете.

Она-то успокоилась мгновенно, но Ангелина знала: еще не все беды позади! Она протянула дочь Никите. Тот на миг опешил, уставился на дитя с таким ужасом, что Степан закашлялся от смеха.

Юленька, насупясь и сунув пальчик в рот, взглянула на незнакомца.

Она с любопытством потянулась к шраму на виске Никиты, и, лишь ощутив легонькое прикосновение крошечных пальчиков, он осознал, что держит девочку на руках.

Никита посмотрел на маленькое задорное личико. Дерзкие серые глаза глянули в другие серые глаза; сощурились круто загнутые светлые ресницы; дрогнули уголки четко прорисованных губ; задрожали от затаенной улыбки крошечные ямочки на подбородке.

— Матушка Пресвятая Богородица! — прошептал потрясенный Степан. — Ну вылитый, вылитый... Как две капли... — И, не договорив, утер невольную слезу.

— Это его дочь! — вскричала Ангелина, хватая Лелупа за руку и умоляюще заглядывая в щелочки темных тоскливых глаз. — Разве ты не видишь?!

Лелуп и сам не мог отвести взгляда от Юленьки, которая пытливо рассматривала новое для нее лицо. И оно нравилось, нравилось ей!

Вот она обвела пальчиком рот незнакомца. Никита засмеялся от щекотки и прихватил губами ноготок Юленьки, которая расхохоталась в ответ так звонко и радостно, словно множество колокольчиков зазвенело вокруг.

— Смеется, — шепнул Лелуп, как зачарованный. — У него смеется, а у меня плакала. Что ж... И впрямь его, что ли? Ну, — тяжело вздохнул он, — раз так... что ж! Стреляйте!

Глаза Никиты вспыхнули. Степан стиснул пальцы на рукояти сабли, но оба не двинулись с места, глядя на Ангелину.

А той было почти невыносимо впервые глядеть без страха в полумертвые глаза Лелупа. Прощать — и принимать прощение...

Никита порывался сказать что-то, но не смог.

Степан с досадою вздохнул:

— Так уж и быть, иди... ирод! Барин отпускает. Иди, ну! А то еще передумаем!

Лелуп смотрел исподлобья, веря и не веря. Резко повернулся, побежал, припадая на одну ногу, и вдруг дернулся, покосился по-волчьи через плечо — глаза тускло блеснули:

— Будьте вы все прокляты!

Никто не шелохнулся.

Лелуп безнадежно махнул рукой и побрел по дороге к Фонтенбло. Шел медленно, словно ожидая выстрела в спину, и трое — нет, четверо русских безотрывно смотрели ему вслед, пока согбенная фигура не скрылась за поворотом дороги.

* * *

— Пошли и мы, что ли? А, ваше благородие? — подал голос Степан. — Беда, кони засеклись. И впрямь пешком придется...

Юленьку сперва нес Никита, но вскоре ее забрал Степан, успокаивая Ангелину:

— Ништо, барыня-матушка! И своих троих натетешкал, дай рукам вновь отраду изведать!

Юленька пошла к нему с охотою. Подергала за усы, а потом стала теребить гайтан[1] крестика, видневшийся в вороте расстегнутого мундира. Изредка взглядывала через плечо казака на отца с матерью, махала им и, радостно погулькав, вновь принималась за свою забаву. Никита и Ангелина безотчетно улыбались, взмахивали ей в ответ и вновь оцепенело брели по дороге, не касаясь друг друга, не обмениваясь даже взглядами.

---

[1] Плетеный шнурок или тесьма.

Слишком сильно было потрясение, оно усыпило чувства, оно лишило способности думать, желать...

Наконец Степан оглянулся и, гримасничая, дал понять, что Юленька уснула. Ангелина протянула было руки — взять дочку, но Степан отстранился.

— Ништо! — сказал страшным шепотом. — Сам подержу дитятку. Нам бы тоже отдохнуть не грех, а, ваше благородие? Как велишь? И коням бы попастись. Руки-то у меня, вишь, заняты. Ты их стреножь, пускай травку щиплют, а мы тут с дитем на солнушке посидим. Вы же, голуби, хотите — тоже отдохните, хотите — погуляйте. Цветы вон кругом, травушка-муравушка...

Никита дико взглянул на своего крепостного, взявшегося управлять барином, но ослушаться не посмел и направился к коням. Ангелина двинулась было к Стспану, но казак бросил на нсс такой взгляд, что она побрела следом за Никитою и стала возле орехового куста, исподтишка поглядывая, как ловко Никита напоил, а потом стреножил усталых коней.

Потом он раскатал притороченный к седлу свиток — в нем оказался плащ — и, бросив его на траву, сел, нерешительно посмотрев на Ангелину. Она робко приблизилась, села рядом, и еще долгое время они смотрели куда угодно — на солнечное небо, на зеленую траву, на бело-розовые звездочки маргариток, — прежде чем решились наконец взглянуть друг на друга.

К щеке Никиты пристал комок грязи, и когда Ангелина сняла его, пальцы ее задержались на губах Никиты, обвели их четкий очерк — нежно, чуть касаясь, повторяя движение Юленьки. Но если тогда он засмеялся, то теперь дрожь пронзила все его тело. Ангелина попыталась отдернуть руку, но Никита успел перехватить ее и прильнул губами к ладони.

Теперь задрожала Ангелина, и губы Никиты, тихонько целовавшие запястье, ощутили резкие удары ее пульса.

Они не отрывали друг от друга глаз, и в них горела, неистовствовала страсть, соединявшая этих двух людей с самого первого мгновения их встречи. Словно изнемогая от жажды, Ангелина шевельнула губами — и едва не закричала, когда губы Никиты припали к ее губам.

Обретая, узнавая, они подались вперед, приникли друг к другу — и повалились в траву, понимая одно: ни доли мгновения они не выдержат розно.

Отчаянным рывком Никита сдернул одежду и, не сыскав в себе терпения лечь, схватил Ангелину под колени, прижал к себе — и она закричала от счастья, захлебнулась слезами благодарности небесам, которые наконец-то вняли ее мольбам. Слезы струились из ее глаз, но Ангелина не закрывала их — извиваясь в блаженных судорогах, она неотрывно смотрела на бога любви, разделившего с нею это невероятное, долгожданное счастье.

Ну а богу войны на небесах оставалось лишь с досадой отвернуться. Что ж, такова судьба!

Литературно-художественное издание

ИСТОРИЮ ПИШЕТ ЛЮБОВЬ

Арсеньева Елена

ЗЛАТОВЛАСАЯ АМАЗОНКА

Ответственный редактор *О. Аминова*
Художественный редактор *С. Киселева*
Технический редактор *Н. Носова*
Компьютерная верстка *Г. Клочкова*
Корректор *З. Харитонова*

Иллюстрация на переплете *Виктории Тимофеевой*

ООО «Издательство «Эксмо»
127299, Москва, ул. Клары Цеткин, д. 18/5. Тел. 411-68-86, 956-39-21.
Home page: **www.eksmo.ru** E-mail: **info@eksmo.ru**

Подписано в печать 01.06.2010.
Формат 84x108 $^{1}/_{32}$. Гарнитура «Таймс».
Печать офсетная. Усл. печ. л. 18,48.
Тираж 5 000 экз. Заказ 7383

Отпечатано с электронных носителей издательства.
ОАО "Тверской полиграфический комбинат". 170024, г. Тверь, пр-т Ленина, 5.
Телефон: (4822) 44-52-03, 44-50-34, Телефон/факс: (4822)44-42-15
Home page - www.tverpk.ru Электронная почта (E-mail) - sales@tverpk.ru

ISBN 978-5-699-43258-5

9 785699 432585 >